#실력향상
#고득점

내신전략
고등 영어

Chunjae
Makes
Chunjae

▼

[내신전략] 고등 영어 문법

편집개발	김보영, 최윤정, 최미래
디자인총괄	김희정
표지디자인	윤순미, 심지영
내지디자인	박희춘, 조유정
제작	황성진, 조규영

발행일	2022년 1월 15일 초판 2022년 1월 15일 1쇄
발행인	(주)천재교육
주소	서울시 금천구 가산로9길 54
신고번호	제2001-000018호
고객센터	1577-0902
교재 내용문의	(02)3282-1708

내신전략

고등 영어 문법

BOOK 1

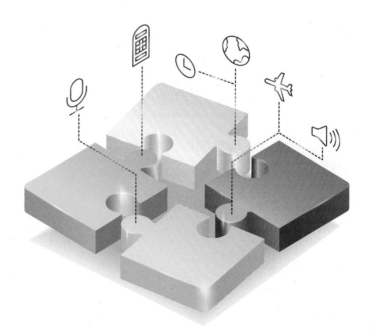

이 책의
구성과 활용

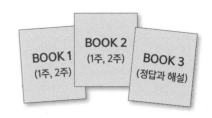

BOOK 1 (1주, 2주)
BOOK 2 (1주, 2주)
BOOK 3 (정답과 해설)

이 책은 3권으로 이루어져 있는데 본책인 BOOK 1 · 2의 구성은 아래와 같아.

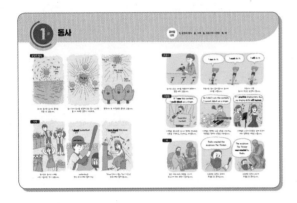

도비라 1주 · 2주 + 1주 · 2주

이번 주에 배울 내용이 무엇인지 안내하는 부분입니다. 재미있는 만화를 통해 앞으로 공부할 내용을 미리 살펴봅니다.

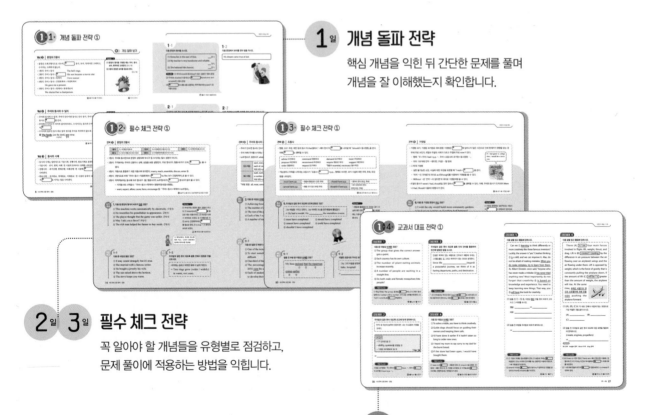

1일 개념 돌파 전략

핵심 개념을 익힌 뒤 간단한 문제를 풀며 개념을 잘 이해했는지 확인합니다.

2일 3일 필수 체크 전략

꼭 알아야 할 개념들을 유형별로 점검하고, 문제 풀이에 적용하는 방법을 익힙니다.

4일 교과서 대표 전략

교과서 문장으로 구성된 대표 유형의 문제를 풀어 볼 수 있습니다. 문제에 접근하는 것이 어려울 때는 '개념 Guide'를 참고할 수 있습니다.

주 마무리와 권 마무리의 특별 코너들로 영어 실력이 더 탄탄해 질 거야!

주 마무리 코너

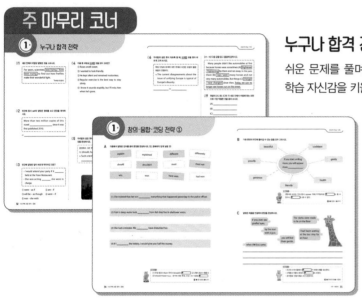

누구나 합격 전략

쉬운 문제를 풀며 공부한 내용을 정리하고
학습 자신감을 키울 수 있습니다.

창의·융합·코딩 전략

융복합적 사고력과 해결력을 길러 주는 문제를
풀며 한 주의 학습을 마무리합니다.

권 마무리 코너

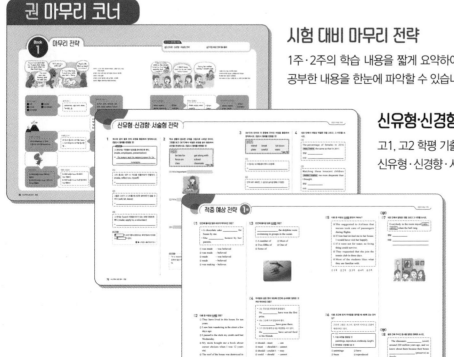

시험 대비 마무리 전략

1주·2주의 학습 내용을 짧게 요약하여 2주 동안
공부한 내용을 한눈에 파악할 수 있습니다.

신유형·신경향·서술형 전략

고1, 고2 학평 기출 문장을 바탕으로 한
신유형·신경향·서술형 문제를 제공합니다.

적중 예상 전략

실제 시험에 대비할 수 있는 모의 실전
문제를 2회로 구성하였습니다.

이 책의 차례

1주 동사

- 문장의 형식
- 시제
- 조동사와 가정법
- 태

2주 준동사

- 부정사
- 동명사
- 분사
- 분사구문

권 마무리 코너

1주 문장의 연결

- 등위접속사
- 종속접속사
- 관계대명사
- 관계부사

2주 다양한 구문

- 비교
- 간접의문문
- 강조
- 도치, 생략, 삽입

1주 동사

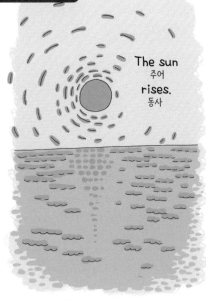

The sun
주어
rises.
동사

주어와 동사만 있어도 문장을
만들 수 있습니다.

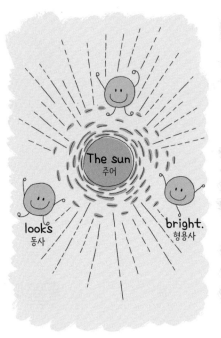

The sun
주어

looks
동사

bright.
형용사

동사 뒤에 동사를 보충해 주는 말이 있으면
좀 더 자세한 설명이 가능하죠.

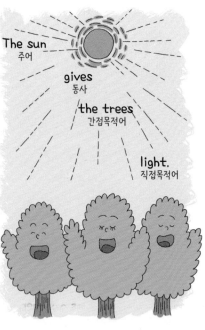

The sun
주어

gives
동사

the trees
간접목적어

light.
직접목적어

목적어가 두 개 필요한 문장도 있습니다.

부사구와 동사의 시제는
서로 어울리는 것이 있습니다.

I played basketball
과거

yesterday.

yesterday는
항상 과거시제와 함께 쓰고

I have played the piano
현재완료

for three hours.

「since+과거 시점」, 「for+기간」은
완료시제와 함께 씁니다.

조동사

동사만으로는 의미를 명확하게 표현하기 힘들 때도 있습니다.

조동사는 동사 앞에 붙어서 동사에 의미를 더합니다.

조동사가 오면 동사의 모양은 동일해야 합니다.

가정법

가정법은 불가능한 일이나 현재와 반대되는 상황을 가정하고, 상상하고, 소망합니다.

가정법은 현재와 다른 상황을 나타내고, 직설법은 현재의 상황을 나타냅니다.

가정법과 다르게 조건문은 실제 조건에 따라 실현되는 내용을 다룹니다.

태

같은 내용이라도 초점을 어디에 두느냐에 따라 표현이 달라집니다.

능동태는 동작의 주체에 초점을 둔 문장입니다.

수동태는 동작의 대상에 초점을 둔 문장입니다.

1일 개념 돌파 전략 ①

개념 ① 문장의 5형식

- 문장은 크게 5형식으로 나누며, [❶   ], 동사, 보어, 목적어만 고려하고, 수식어는 고려하지 않는다.
- 1형식: 주어＋동사   The bell rings.
- 2형식: 주어＋동사＋[❷   ]   His son became a movie star.
- 3형식: 주어＋동사＋목적어   I love soccer.
- 4형식: 주어＋동사＋간접목적어＋직접목적어
  　　　 He gave me a present.
- 5형식: 주어＋동사＋목적어＋목적격보어
  　　　 We elected her a chairperson.

답 ❶ 주어 ❷ 주격보어

Quiz 1

(1) 문장의 형식을 구분할 때는 주어, 동사, 보어, 목적어만 고려한다. (○ / ×)

(2) 3형식 문장은 보어를 필요로 한다.
(○ / ×)

답 (1) ○ (2) ×

개념 ② 주어와 동사의 수 일치

- 주어와 동사의 수 일치: 주어가 단수이면 동사도 단수 동사, 주어가 복수이면 동사도 [❶   ]를 쓴다.
- 주어에 수식어구가 이어져 길어지더라도, 수식어구는 동사의 수에 영향을 주지 [❷   ].
- 수식어의 일부인 동사 바로 앞의 명사를 주어로 착각하지 않도록 주의한다.
  예 **The books** [on the desk] **are** mine.
  　　 주어　　　 수식어구　　 동사

답 ❶ 복수 동사 ❷ 않는다

Quiz 2

(1) 주어가 단수일 때 동사는 (단수 동사 / 복수 동사)로 쓴다.

(2) 수식어구 안의 명사의 수는 동사의 수에 영향을 (준다 / 주지 않는다).

답 (1) 단수 동사 (2) 주지 않는다

개념 ③ 동사의 시제

- 동사의 시제는 일반적으로 기본시제, 진행시제, 완료시제로 분류할 수 있다.
- 기본시제 – 과거, 현재, 미래: 한 시점의 동작이나 상태를 나타낸다.
- 진행시제 – 과거진행, 현재진행, 미래진행: 한 시점에 [❶   ] 중인 일을 나타낸다.
- 완료시제 – 과거완료, 현재완료, 미래완료: 한 시점의 동작이 다른 시점에까지 [❷   ]을 미치는 일을 나타낸다.

답 ❶ 진행 ❷ 영향

Quiz 3

(1) 과거 한 시점의 동작이나 상태를 나타내는 시제는 (과거 / 과거진행)이다.

(2) (진행 / 완료)시제는 한 시점의 동작이 다른 시점에까지 영향을 미칠 때 사용한다.

답 (1) 과거 (2) 완료

1-1

다음 문장의 형식을 쓰시오.

> (1) Korea lies in the east of Asia. ___형식
>
> (2) My teacher is very handsome and reliable. ___형식
>
> (3) She believed him honest. ___형식

Guide (1) 주어(Korea)와 동사(lies)가 필수 성분인 1형식 문장

(2) 주어(My teacher)+동사(is)+❶[　　　　] (handsome and reliable)인 2형식 문장

(3) ❷[　　　　] (him)를 보충 설명하는 목적격보어(honest)가 온 5형식 문장

🔲 ❶ 주격보어 ❷ 목적어

1-2

다음 문장에서 보어를 찾아 밑줄 치시오.

> His dream came true at last.

2-1

우리말과 같은 뜻이 되도록 빈칸에 알맞은 be동사를 쓰시오.

> 두 공 사이의 차이점은 색깔이다.
> The difference between two balls _____ the color.

Guide 핵심 주어는 ❶[　　　　]이고, between two balls는 주어를 수식하는 ❷[　　　　]이다.

🔲 ❶ The difference ❷ 수식어구

2-2

다음 문장에서 어색한 부분을 찾아 바르게 고쳐 쓰시오.

> The students of my school is enjoying the festival.
> _____ ➡ _____

3-1

빈칸에 들어갈 말로 알맞은 것은?

> It _____ heavily last night.
> ① rains　　② rained　　③ has rained

Guide last night으로 보아 명백한 ❶[　　　　]이므로 시제는 ❷[　　　　]로 쓴다.

🔲 ❶ 과거 ❷ 과거(시제)

3-2

괄호 안에서 알맞은 것을 고르시오.

> It (rains / rained / has rained) since yesterday morning.

개념 ❹ | 조동사

- 조동사란 문법적으로나 의미상으로 동사를 도와주는 역할을 한다.
- 본동사에 의미를 더하는 조동사는 주어의 인칭과 수에 관계없이 형태가 같으며, 조동사 뒤에는 동사의 [❶   ]을 쓴다.
- 조동사 두 개가 연속으로 올 수 없으며, 조동사의 부정은 조동사 [❷   ]에 not을 쓴다.
- 문법적으로 도움을 주는 조동사에는 be, do, have가, 의미를 더하는 조동사에는 will(예정), can(능력, 가능), may(허가, 추측), must(의무), should(의무, 당위) 등이 있다.

답 ❶ 원형 ❷ 뒤

Quiz 1

(1) 조동사가 3인칭 주어 뒤에 올 때 형태가 (변한다 / 변하지 않는다).

(2) 조동사 뒤에는 (항상 / 때때로) 동사원형을 쓴다.

답 (1) 변하지 않는다 (2) 항상

개념 ❺ | 가정법

- 실현 가능성이 거의 없거나 실제 상황과 반대되는 일을 가정, 상상, 소망할 때 가정법을 쓴다.
- 가정법 과거: 현재와 반대되는 일이나 실현 가능성이 적은 일
「If＋주어＋동사의 과거형/were ~, 주어＋조동사의 [❶   ]＋동사원형 …」
- 가정법 과거완료: 과거와 반대되는 일이나 실현하지 못한 일
「If＋주어＋had＋p.p. ~, 주어＋조동사의 과거형＋[❷   ]＋p.p. …」
- 그밖에 I wish나 as if[though]를 이용하여 가정법을 쓸 수 있다.

답 ❶ 과거형 ❷ have

Quiz 2

(1) 가정법 과거는 (현재 / 과거)와 반대되는 일을 표현한다.

(2) 가정법 과거완료 구문에서 if절의 동사의 형태는 (had p.p. / have p.p.)이다.

답 (1) 현재 (2) had p.p.

개념 ❻ | 능동태와 수동태

- 능동태는 '주어가 (능동적으로) ~하다'의 뜻이고, 수동태는 '주어가 …에 의해서 (수동적으로) ~되다'의 뜻이다.
- 행동의 주체보다 행동의 [❶   ]에 초점을 둘 때 수동태를 쓴다.
- 수동태의 동사는 「be동사＋[❷   ](p.p.)」로 표현한다. 행위의 주체는 「by＋행위자」로 나타낸다.
The boy **helped** the old woman.
→ The old woman **was helped** by the boy.
- 수동태의 시제는 be동사의 형태 변화로 나타낸다.

답 ❶ 대상 ❷ 과거분사

Quiz 3

(1) (능동태 / 수동태)는 행동의 주체보다 대상에 초점을 둘 때 사용한다.

(2) 수동태는 「(be동사 / have동사)＋과거분사」로 쓴다.

답 (1) 수동태 (2) be동사

4-1

다음 문장에서 조동사를 찾아 밑줄 치고 문장을 해석하시오.

Your sister should come back home early.

➡ _____

Guide should는 '~해야 한다'의 ❶ [＿＿＿＿]나 당위를 나타내는 조동사이며, 조동사 뒤에는 ❷ [＿＿＿＿]이 온다.

답 ❶ 의무 ❷ 동사원형

4-2

다음 문장에서 <u>어색한</u> 부분을 찾아 바르게 고쳐 쓰시오.

The story may sounds strange, but it's true.

_____ ➡ _____

5-1

빈칸에 들어갈 말로 알맞은 것은?

If I _____ time, I would help you.

① have   ② had   ③ will have

Guide 주절의 동사가 would help인 가정법 ❶ [＿＿＿＿] 문장이다. if절의 동사는 ❷ [＿＿＿＿]형이 온다.

답 ❶ 과거 ❷ 과거

5-2

밑줄 친 부분을 어법에 맞게 고치시오.

If I <u>am</u> you, I would go abroad to learn a foreign language.

➡ _____

6-1

수동태 문장으로 바꿔 쓸 때 빈칸에 알맞은 말을 쓰시오.

I found the lost dog in the park.

➡ _____ in the park.

Guide 능동문의 목적어 the lost dog을 ❶ [＿＿＿＿] 자리에 쓰고, 동사를 「be동사+❷ [＿＿＿＿]」로 바꾼다.

답 ❶ 주어 ❷ 과거분사(p.p.)

6-2

괄호 안에서 알맞은 것을 고르시오.

The house was (build / built / building) three years ago.

1주 1일 개념 돌파 전략 ②

Example

- Such a terrible accident **should never happen** again.
  → ❶ [　] 형식 문장 / 동사는 should never happen
- He **taught** his students the history of Korea.
  → ❷ [　] 형식 문장 / 간접목적어는 his students, 직접목적어는 the history of Korea

답 ❶ 1 ❷ 4

1

〈보기〉에서 문장 성분을 고르고, 몇 형식인지 쓰시오.

| S (주어)　　V (동사)　　DO (직접목적어)　　IO (간접목적어) |
| SC (주격보어)　　　　　　OC (목적격보어)　　O (목적어) |

(1) Good medicine tastes bitter.　　　　(　)형식
　　　(　)　　　　(　)　(　)
(2) He made them fix the watch.　　　　(　)형식
　　(　)(　)(　)　　(　)

Example

- Venus **is** the goddess of love and beauty.
  → 일반적 사실, 습관, 반복적 행동, 불변의 진리, 격언, 속담 등은 ❶ [　] 시제
- In 2010, he **was born** in Seoul.
  → 부사구 「in+연도」와 함께 과거의 한 시점에 발생한 일은 ❷ [　] 시제

답 ❶ 현재 ❷ 과거

2

괄호 안에서 알맞은 것을 고르고, 문장을 해석하시오.

Since last month, Kate (was painting / has been painting) her self-portrait.

➡ _____

「have/has been+
-ing」는 현재완료
진행형이야.

Example

- **The players** from the other team **are running**.
  → 핵심 주어가 복수형 The players이므로 동사도 ❶ [　] 동사
- **The number** of jobs in South Asia **is** the largest of the five regions.
  → 핵심 주어가 단수형 The number이므로 동사도 ❷ [　] 동사

답 ❶ 복수 ❷ 단수

3

다음 문장에서 어색한 부분을 찾아 바르게 고쳐 쓰시오.

(1) The products at the grocery store is fresh.

_____ ➡ _____

(2) There are a glass of milk in the refrigerator.

_____ ➡ _____

Example

- You **should** show this card when you borrow books.
  → 의무, **❶** [　　　　]를 나타낼 때 조동사 should
- Vitamin C **can** help protect skin.
  → 가능을 나타낼 때 조동사 **❷** [　　　　]

답 ❶ 당위 ❷ can

4

괄호 안에서 알맞은 것을 고르시오.

> You (must / would / must not) follow the speed limit while you are driving.

Example

- If he **were** tall, he **could be** a model.
  → 가정법 과거는 **❶** [　　　　]의 사실과 반대
- If I **had walked** faster, I **would have taken** the train.
  → 가정법 과거완료는 **❷** [　　　　]의 사실과 반대

답 ❶ 현재 ❷ 과거

가정법에는 조동사의 과거형이 항상 포함되니까 조건문과 구분할 수 있어.

5

우리말과 같이 뜻이 되도록 알맞은 순서로 배열하시오.

> Mary가 좀 더 열심히 공부했다면, 그녀는 시험에 통과했을 텐데.
> (If / would / the test / Mary / harder, / she / have passed / had studied)
>
> ➡ _____

Example

- Some buildings **were destroyed** by an earthquake.
  → 지진에 의해 건물들이 붕괴되었으므로, **❶** [　　　　]로 표현
- The flowers in the park **were watered** every morning.
  → 행위자가 일반인이거나 불분명한 경우 **❷** [　　　　] 가능

답 ❶ 수동태 ❷ 생략

6

다음 문장을 수동태로 바꿔 쓰시오.

> The police officer caught the thief yesterday.
>
> ➡ _____

1주 2일 필수 체크 전략 ①

전략 ❶ | 문장의 5형식

1형식	S+V(완전자동사)	2형식	S+V(불완전자동사)+SC	3형식	S+V(완전타동사)+O
4형식	S+V(수여동사)+IO+DO	5형식	S+V(불완전타동사)+O+OC		

• 1형식: 주어와 동사만으로 문장이 성립되며 부사구 등 수식어는 필수 성분이 아니다.

• 2형식: 주격보어는 주어의 신분이나 상태, 성질을 보충 설명한다. 주로 명사(구), 형용사(구)가 오며, ❶ [____] 는 올 수 없다.

• 3형식: 자동사로 혼동하기 쉬운 타동사에 유의한다. marry, reach, resemble, discuss, enter 등

• 4형식: 3형식으로 바꿔 「주어+동사+직접목적어+❷ [____] to/for/of+간접목적어」로 쓸 수 있다.

• 5형식: 목적격보어는 동사에 따라 명사(구·절), 형용사(구), to부정사(구), ❸ [____] , 분사(구) 등이 올 수 있다.

    – 지각동사와 사역동사: 「주어+동사+목적어+원형부정사(동사원형)」

    – want, expect, allow, cause, force, encourage 등: 「주어+동사+목적어+to부정사」

        답 ❶ 부사 ❷ 전치사 ❸ 원형부정사(동사원형)

필수 예제

1. 다음 중 문장의 형식이 바르지 <u>않은</u> 것은?

① This machine works automatically by electricity. (1형식)

② He resembles his grandfather in appearance. (2형식)

③ The player thought that the game was unfair. (3형식)

④ May I ask you a favor? (4형식)

⑤ The rich man helped the farmer to buy seeds. (5형식)

Guide

① 부사(구)는 문장의 필수 성분이 아니다. ② resemble은 ❶ [____] 를 필요로 하는 타동사이다. ③ that절 이하가 목적어로 쓰였다. ④ 수여동사로 쓰인 ask는 간접목적어와 ❷ [____] 를 필요로 한다. ⑤ to buy ~가 목적격보어로 쓰였다.

    답 ❶ 목적어 ❷ 직접목적어

긴 문장이라도 주어와 동사를 먼저 찾고, 나머지 부분에서 보어와 목적어를 찾아봐.

확인 문제 1-1

다음 중 어법상 옳은 것은?

① It may sound strangely but it's true.

② She married with a famous writer.

③ He bought a jewelry his wife.

④ The sun raised above the horizon.

⑤ The stove keeps you warm.

확인 문제 1-2

우리말과 같은 뜻이 되도록 괄호 안에서 알맞은 것을 <u>고르시오.</u>

> 나이테는 습하고 따뜻한 해에 더 넓게 자란다.
>
> ➡ Tree rings grow (wider / widely) in warm, wet years.

전략 ② | 주어와 동사의 수 일치

- 주어가 단수면 동사도 단수가, 주어가 복수면 동사도 복수가 오는 것을 '주어와 동사의 [❶⬜⬜⬜]'라고 한다.
- 주어 뒤에 주어를 수식하는 수식어구가 이어질 때 수식어구의 명사를 [❷⬜⬜⬜]로 착각하지 않도록 주의한다.
- to부정사구, 동명사구, whether절, 의문사절, that절이 주어로 올 때 [❸⬜⬜⬜] 취급한다.

단수 취급	each, every+단수 명사
	each of, one of, the number of+복수 명사
	부분 표현+of+단수 명사
복수 취급	both, both of+복수 명사
	a number of+복수 명사
	부분 표현+of+복수 명사

주어의 수식어구에는 전치사구, 현재분사구, 과거분사구, to부정사구, 관계사절 등이 있어.

*부분 표현: all, most, some, part, half, the rest, 분수, 퍼센트 등

답 ❶ 수 일치 ❷ 주어 ❸ 단수

필수 예제

2. 다음 중 어법상 어색한 것은?

① Achieving focus in their movies is easy.
② The number of respondents are decreasing.
③ The rest of the penguins watch what happens next.
④ Each of the 5 countries has won 40 medals in total.
⑤ A number of stars are twinkling in the sky.

Guide

① 동명사 주어는 [❶⬜⬜⬜] 취급
② 「the number of+복수 명사」는 단수 취급 ③ 「the rest of+복수 명사」는 복수 취급 ④ 「each of+복수 명사」는 단수 취급 ⑤ 「a number of+복수 명사」는 [❷⬜⬜⬜] 취급

답 ❶ 단수 ❷ 복수

확인 문제 2-1

다음 중 밑줄 친 부분이 어법상 옳은 것은?

① One of the twins <u>have</u> blue eyes.
② To start something new <u>are</u> always difficult.
③ One-third of the plates <u>was</u> cracked.
④ The percentage of smartphones in 2016 <u>were</u> the same as that in 2019.
⑤ Each of students <u>has</u> the opportunity to develop their musical abilities.

확인 문제 2-2

괄호 안에서 알맞은 것을 고르시오.

(1) Most of the snow (is / are) going to melt in an hour.
(2) As some of you already (knows / know), we are starting the food drive.

전략 ❸ | 기본시제와 진행시제

- 현재시제: 현재의 동작이나 상태, 일반적인 사실, 습관, 반복적 행동, 불변의 진리, 격언, 속담 등
- 과거시제: 과거의 동작이나 상태, ❶ [   ] 사실, 과거의 습관, 행위 등
- 미래시제: 미래의 동작이나 상태, 주어의 의지, 계획, 예정 등
- 시간이나 조건의 부사절(when, before, after, until, if, unless, as soon as 등)에서는

  미래시제 대신에 ❷ [   ] 시제를 쓴다.
- 진행시제는 「be동사+-ing」로 쓰며, 시제는 be동사 변화로 나타낸다.

현재진행	am/are/is+-ing	현재완료진행	have/has been+-ing
과거진행	was/were+-ing	과거완료진행	had been+-ing

- 일반적으로 ❸ [   ]으로 쓰지 않는 동사들이 있다.
  - 소유 (have, belong, own 등)   - 상태 (seem, resemble 등)   - 감정 (like, love, hate, want, prefer 등)
  - 인지 (think, remember, understand, realize 등)   - 지각 (feel, taste, smell, sound, look 등)

If I **keep** exercising, I'll **be** an excellent basketball player.

답 ❶ 역사적 ❷ 현재 ❸ 진행형

필수예제

3. 다음 중 어법상 어색한 것을 두 개 고르면?

① The Olympic Games take place every four years.
② The Korean War broke out in 1950.
③ I will stay home if it will snow tomorrow.
④ I was realizing his name was James Bond.
⑤ The earth moves round the sun.

© Smit / shutterstock

Guide

① 일반적 사실은 ❶ [   ] 시제
② 역사적 사실은 과거시제 ③ 조건의 부사절에서는 현재시제가 ❷ [   ] 시제를 대신 ④ 인지동사 realize는 진행형 불가 ⑤ 불변의 진리는 현재시제

답 ❶ 현재 ❷ 미래

확인문제 3-1

빈칸에 들어갈 말로 알맞은 것은?

> Marie Curie _____ Radium in 1898.

① discovers   ② discovered
③ is discovering   ④ was discovered
⑤ has discovered

확인문제 3-2

괄호 안의 동사를 빈칸에 알맞은 형태로 쓰시오.

> If he _____ (earn) scholarships, he will be able to concentrate on studying.

전략 ❹ │ 완료시제

- 현재완료 시제(have/has+p.p.)는 과거에 일어난 일이 [❶] 까지 영향을 미치는 경우 사용한다. 동작이나 상태의 완료, 계속, 경험, 결과를 나타낸다.
- 잇따라 일어난 과거의 일들이 시간의 순서에 따라 서술될 때는 과거시제를 쓰고, 과거의 어느 시점보다 더 이전을 나타낼 때는 [❷] 를 쓴다.
- 과거에 일어나 이미 끝난 일을 나타낼 때는 과거시제를 쓰고, 현재까지 영향을 미쳐 현재와 관련이 있을 때는 [❸] 시제를 쓴다.
- 다음과 같이 시제에 따라 다른 부사구를 사용한다.

| 명백히 과거를 나타내는 표현 | yesterday, ago, last, when, 「in+연도」 등 |
| 현재완료와 자주 사용되는 표현 | so far, just, already, yet, ever, never, before, 「since+과거 시점」, 「for+기간」 등 |

답 ❶ 현재 ❷ 과거완료[대과거] ❸ 현재완료

필수예제

4. 다음 중 어법상 어색한 것은?

① She recognized him at once because she had seen him before.
② When he went camping, he met Susan there.
③ For three years they have lived in Ulsan.
④ I realized I had left my notebook at the cafeteria.
⑤ He has not eaten anything last night.

Guide

① ④ 과거보다 더 이전에 발생한 일은 [❶] (had+p.p.) ② when 부사절과 주절의 시제는 일치 ③ 「for+기간」은 [❷] 시제와 함께 사용 ⑤ last night는 명백한 과거의 부사구

답 ❶ 과거완료[대과거] ❷ 현재완료

확인문제 4-1

다음 중 빈칸에 어법상 어색한 것은?

Tony was in Paris _____.

① in 2020　　② when he was 12
③ yesterday　　④ since last August
⑤ three years ago

확인문제 4-2

괄호 안에서 알맞은 것을 고르시오.

Ted (was speaking / has been speaking) to his boss about his vacation since last Monday.

1주 2일 필수 체크 전략 ②

1 빈칸에 들어갈 말로 바르게 짝지어진 것은?

> • Everybody stayed _____ when the fire alarm went off.
>
> • I watched my son _____ soccer with his friends.

① calm – play
② calmly – play
③ calm – to play
④ calmly – to play
⑤ calmly – playing

Words

stay calm 침착하다   go off (경보 등이) 울리다

2 다음 중 어법상 <u>어색한</u> 것은?

① Half of the students feel alone and homesick.
② Every house has a front garden in the village.
③ Two-thirds of the salt were put into the water.
④ Most of the onions have to be used for soup.
⑤ Each of these phenomena is shaped by an individual's experiences.

Words

phenomena *pl.* 현상 (← phenomenon)

「each+단수 명사」, 「each of+복수 명사」 둘 다 단수 취급하는 거 잊지 마.

3 다음 중 어법상 옳은 것은?

① He volunteered at the orphanage since last month.
② Everybody knows that King Sejong creates Hangul.
③ If you will go for a walk, your pet dog will follow you.
④ My teacher said the sun rises in the east.
⑤ Laila has cried yesterday because she fought her friends.

4 다음 주어진 문장과 문장의 형식이 같지 <u>않은</u> 것은?

> The housewarming party at his house made us happy.

① The lawyer advised me to tell the truth.
② My brother sent me a vacuum machine.
③ We saw the police car stop at the corner.
④ My friends call me a walking dictionary.
⑤ He let his kids play in the sand.

5 빈칸에 들어갈 말로 바르게 짝지어진 것은?

> • The number of boys wearing glasses in this class _____ five.
> • Each of the twins _____ climbing a mountain.

① is – likes
② is – begin
③ are – loves
④ are – hate
⑤ is – start

6 빈칸에 들어갈 말로 어법상 <u>어색한</u> 것은?

> The roof of the house was destroyed in a storm _____.

① a few days ago
② when I was there
③ last night
④ the day before yesterday
⑤ since Monday

1주 3일 필수 체크 전략 ①

전략 ❺ | 조동사

- 명령, 요구, 주장, 제안 등의 동사 뒤 that절에서 '~해야 한다'의 ❶ [   ]를 나타낼 때 「(should)+동사원형」을 쓴다. 이때 ❷ [   ]는 생략할 수 있다.

advise (조언하다)	command (명령하다)	demand (요구하다)	insist (주장하다)
propose (제안하다)	recommend (추천하다)	require (필요로 하다)	suggest (제안하다)
order (명령하다)	request (요구하다)	*형용사 essential, necessary (필수적인)	

- 가능성이나 추측을 나타내는 조동사가 「조동사+❸ [   ]+p.p.」 형태로 쓰이면, 과거 사실에 대한 추측, 후회, 유감 등을 나타낸다.

must have p.p.	~했음에 틀림없다 (강한 추측)	should have p.p.	~했어야 한다 (유감, 후회)
cannot have p.p.	~했을 리가 없다 (부정 추측)	shouldn't have p.p.	~하지 말았어야 한다 (부정 유감, 후회)

답 ❶ 당위 ❷ should ❸ have

필수예제

5. 우리말과 같은 뜻이 되도록 빈칸에 알맞은 것은?

> 그는 메달을 가지고 있었다. 그는 마라톤 코스를 완주했음에 틀림없다.
> ➡ He had a medal. He _____ the marathon course.

① must have completed
② should have completed
③ cannot have completed
④ could have completed
⑤ shouldn't have completed

© Nikelser Kate / shutterstock

Guide

'~했음에 틀림없다'의 의미로 과거 사실에 대한 강한 ❶ [   ]을 나타낼 때는 조동사 must ❷ [   ] p.p.를 쓴다.

답 ❶ 추측 ❷ have

확인문제 **5-1**

밑줄 친 부분 중 어법상 어색한 것은?

> My boss insisted that the repairman
>   ①   ②   ③
> comes earlier.
>   ④   ⑤

확인문제 **5-2**

적절한 조동사와 주어진 표현을 활용하여 영작하시오.

> 그는 그의 아들을 병원에 데려갔어야 한다.
> (take, hospital)

➡ _____

전략 ⑥ | 가정법

- 가정법 과거, 가정법 과거완료 외에 혼합 가정법은 **①**[   ]에 일어나지 않은 사건으로 인해 현재까지 영향을 받는 경우에 주로 쓰인다. if절과 주절의 시제가 다르고 주절에 주로 now가 있다.

  - 형태: 「If+주어+had+p.p. ~, 주어+조동사의 과거형+동사원형 …」

  - 의미: (과거에) 만약 ~했다면, (지금) …할 텐데

> If I had gone to college then, I would be a senior now.

- 그 밖의 가정법

  - 실현 불가능한 소망, 사실에 대한 유감을 표현할 때 「I wish+**②**[   ]」을 쓴다.

  - '마치 ~인 것처럼'의 의미로 as if[though]를 이용하여 가정법을 쓸 수 있다.

  - Without ~은 '만약 ~이 없다면'의 의미로 가정법처럼 쓸 수 있다.

- if절의 동사가 were나 had, should일 경우 접속사 **③**[   ]를 생략할 수 있다. 이때, 주어와 동사가 도치되어 Were나 Had, Should 다음에 (대)명사가 온다.

답 **①** 과거 **②** 가정법 **③** if

필수예제

6. 다음 중 가정법 문장이 <u>아닌</u> 것은?

① I wish the city would build more community gardens.
② He kept on working as if nothing had happened.
③ If you are short of time, you may eat a full meal only about once a day.
④ If it were not for water, no living thing could survive.
⑤ Without your help, I would not complete the report.

Guide

if 가정법 문장에는 일반적으로 조동사의 **①**[   ]이 포함되어 있으므로, 조동사를 확인한다. If로 시작하는 가정법 외에 I **②**[   ], as if, if it were not for, without 등을 이용하여 가정법 문장을 쓸 수 있다.

답 **①** 과거형 **②** wish

확인문제

6-1

가정법 문장의 빈칸에 들어갈 말로 알맞은 것은?

[_____] my family, I would be in trouble.

① As if
② As though
③ I wish
④ If
⑤ If it were not for

확인문제

6-2

주어진 표현을 활용하여 가정법 과거완료로 영작하시오.

> 네가 내 목숨을 구하지 않았다면, 난 살아남지 못했을 거야. (save, survive, life)

➡ _____

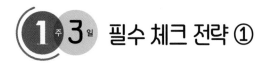

1주 3일 필수 체크 전략 ①

전략 7 | 수동태의 형태

• 4형식 문장의 수동태

4형식 문장	주어+동사+간접목적어(IO)+직접목적어(DO)
간접목적어가 주어	주어(IO)+be동사+p.p.+DO+by+행위자
❶ _____ 가 주어	주어(DO)+be동사+p.p.+전치사+IO+by+행위자

My teacher gave me some books. → I **was given** some books by my teacher.

→ Some books **were given to** me by my teacher.

© Oxy_gen / shutterstock

• 5형식 문장의 수동태

5형식 문장	주어+동사+목적어(O)+목적격보어(OC)
대부분의 동사	주어(O)+be동사+p.p.+보어(OC)+by+행위자
지각동사, ❷ _____ 동사	주어(O)+be동사+p.p.+to부정사(OC)+by+행위자

– 지각동사나의 사역동사의 목적격보어 자리에 온 ❸ _____ 는 수동태 문장에서 to부정사로 바뀐다.

They **saw** Nancy **go** out. → Nancy **was seen to go** out (by them).

The man **made** the clerks **lie** there. → The clerks **were made to lie** there by the man.

답 ❶ 직접목적어 ❷ 사역 ❸ 원형부정사

필수 예제

7. 다음 중 어법상 어색한 것은?

① A chocolate cake was made for Susan by me.

② I was moved by his simple gesture of thoughtfulness.

③ She was believed honest by her parents.

④ A cat was heard cry out on the roof.

⑤ The kids were made to keep quiet by their teacher.

Guide

① 4형식의 직접목적어를 주어로 쓴 수동태이다. 간접목적어 앞에 ❶ _____ for가 왔다. ② 3형식의 수동태이다. ③ 5형식의 수동태이다. ④ ⑤ 지각[사역]동사의 수동태는 목적격보어 원형부정사를 ❷ _____ 로 바꿔야 한다.

답 ❶ 전치사 ❷ to부정사

확인 문제

7-1

다음 문장을 수동태로 바르게 옮긴 것을 <u>두 개</u> 고르면?

> They gave the scientist the prize.

① The prize was given the scientist.

② The scientist was given the prize.

③ They were given the scientist the prize.

④ The scientist was given to the prize.

⑤ The prize was given to the scientist.

확인 문제

7-2

다음을 과거시제 수동태로 쓸 때 밑줄 친 부분을 알맞은 형태로 쓰시오.

> At one conference, the robots <u>call</u> "caring machines."

➡ _____

전략 ⑧ │ 수동태의 시제와 주의해야 할 수동태

- 진행형의 수동태: 진행을 나타내는 현재분사 being이 be동사와 [❶] 사이에 온다.

  The rat **was being threatened** by the bald eagle.

- 완료형의 수동태: 완료를 나타내는 과거분사 been이 have동사와 과거분사 사이에 온다.

  Van Gogh's paintings **have been reproduced** endlessly on posters.

- 목적어를 쓸 수 없는 자동사나 상태, [❷]를 나타내는 타동사는 수동태로 쓸 수 없다.

목적어를 쓸 수 없는 자동사	look, seem, remain, appear, occur 등
상태·소유를 나타내는 타동사	remain, resemble, fit, suit, lack 등

> 진행형 수동태
> be동사+being+p.p.
> 완료형 수동태
> have동사+been+p.p.

- by 이외의 [❸]를 쓰는 수동태의 관용 표현

be covered with (~으로 덮여 있다)	be crowded with (~으로 붐비다)	be filled with (~으로 가득 차다)
be related to (~와 관계가 있다)	be accustomed to (~에 익숙하다)	be ashamed of (~을 부끄러워하다)
be composed of (~으로 구성되다)	be involved in (~와 관련되다)	

🔑 ❶ 과거분사(p.p.) ❷ 소유 ❸ 전치사

---

8. 다음 중 어법상 어색한 것은?

① The medicine was being prepared.

② He was resembled by his father.

③ He was amazed at the power of the wind.

④ Much has been written and said about positive self-talk.

⑤ Employees' selections are related to their needs.

Guide

① 과거진행 수동태 ② 동사 resemble은 수동태로 쓸 수 [❶]. ③, ⑤ by 이외의 [❷]를 사용하는 수동태 ④ 현재완료 수동태

🔑 ❶ 없다 ❷ 전치사

8-1

밑줄 친 부분 중 어법상 어색한 것은?

> During the war, <u>he</u> <u>was</u> <u>involved</u> <u>by</u>
> ①   ②   ③   ④
> naval weapons research.
>   ⑤
> *naval 해군의

8-2

우리말과 같은 뜻이 되도록 괄호 안의 단어를 알맞은 형태로 쓰시오.

> Over the centuries various writers and thinkers _____ (strike) by the theatrical quality of social life. (수 세기에 걸쳐 다양한 작가들과 사상가들은 사회적 삶의 극적인 속성에 부딪혀 왔다.)

1주 3일 필수 체크 전략 ②

1 다음 중 어법상 <u>어색한</u> 것은?

① They requested that he join a group tour in three days.

② She suggested to Airlines that nurses took care of passengers during flights.

③ In a hiking program, participants should be ten years of age or older.

④ It didn't work at all. I should have asked for help from the beginning.

⑤ A boy is crying. He must have seen something scary.

2 우리말과 같은 뜻이 되도록 빈칸에 알맞은 것은?

> 네가 그곳에 가지 않았다면, 교통사고를 당하지 않았을 텐데.
> ➡ If you hadn't been there, you _____ the car accident.

① didn't have

② would have

③ would have had

④ wouldn't have had

⑤ wouldn't had had

동사에 따라 간접목적어 앞에 전치사가 to, for, of로 다르게 쓰여.

3 다음을 수동태로 바꿔 쓸 때 빈칸에 순서대로 알맞은 것은?

> The Royal Society awarded him a gold medal for mathematics.
> = He _____ a gold medal for mathematics by the Royal Society.
> = A gold medal for mathematics was awarded _____ by the Royal Society.

① awarded – him

② awarded – to him

③ was awarded – him

④ was awarded – to him

⑤ was awarded – of him

4 우리말과 같은 뜻이 되도록 빈칸에 알맞은 것은?

> 아이들이 그 썩은 음식을 먹었을 리가 없다.
> ➡ The kids ＿＿＿＿＿＿＿＿ that rotten food.

① cannot have eaten
② must have eaten
③ should have eaten
④ shouldn't have eaten
⑤ might have eaten

Tip

부정 추측의 '~했을 리가 없다'는 「cannot have+❶＿＿＿」로 쓴다.
④ shouldn't have eaten은 과거 사실의 후회를 나타내어 '❷＿＿＿ 말았어야 했다'의 의미이다.

답 ❶ 과거분사[p.p.] ❷ 먹지

5 우리말과 같은 뜻이 되도록 빈칸에 알맞은 것끼리 짝지어진 것은?

> If I ＿＿＿＿＿ earlier, I ＿＿＿＿＿ in that house now.
> (내가 더 일찍 태어났더라면, 나는 지금 그 집에 살 텐데.)

① was born　　　　－ will live
② have been born － would live
③ have been born － would have lived
④ had been born　－ would have lived
⑤ had been born　－ would live

Tip

if절은 과거의 상황과 반대, 주절은 현재의 상황과 반대의 내용이 이어지므로 ❶＿＿＿ 가정법 문장으로 쓴다. if절에는 가정법 과거완료 「had+p.p.」, 주절에는 가정법 과거 「조동사+동사원형」을 쓰고, 현재임을 나타내는 부사 ❷＿＿＿를 쓴다.

답 ❶ 혼합 ❷ now

6 빈칸 ⓐ, ⓑ, ⓒ에 들어갈 말로 잘못 짝지어진 것은?

> • This kind of electricity ＿＿ⓐ＿＿ friction.
> • Water ＿＿ⓑ＿＿ hydrogen and oxygen.
> • Evolution ＿＿ⓒ＿＿ as a result of adaptation to new environments.

① ⓐ － is produced by　　② ⓐ － is created by
③ ⓑ － consists of　　　　④ ⓑ － is composed of
⑤ ⓒ － is occurred

Tip

ⓐ '~에 의해 생성되다'는 말이 필요하다.
ⓑ '~으로 이루어지다'는 말이 필요하다. consist of는 ❶＿＿＿로 쓰지 않는다는 것에 유의한다.
ⓒ '~이 발생하다'는 말이 필요하다. occur는 수동태 ❷＿＿＿ 동사이다.

답 ❶ 수동태 ❷ 불가[쓰지 않는]

Words

electricity 전기　friction 마찰　hydrogen 수소　oxygen 산소　evolution 진화　adaptation 적응

교과서 대표 전략 ①

대표 예제 1

다음 중 어법상 어색한 것은?

① The group that gives the correct answer gets a point.

② Each country has its own culture.

③ The number of plant-eating animals increase recently.

④ A number of people are waiting in a straight line.

⑤ Do both male and female mosquitoes bite people?

개념 Guide

① 핵심 주어는 The group, 동사는 [❶   ]이다. ③ ④ 복수 명사 앞에 the number of와 a number of가 오는 경우를 확인한다. ⑤ 「both A and B」는 [❷   ] 취급한다.

답 ❶ gets ❷ 복수

대표 예제 2

우리말과 같은 뜻이 되도록 〈조건〉에 맞게 영작하시오.

만약 내 자신이 능력이 있었다면, 나는 더 조용히 지냈을 것이다.

조 건
- 11 단어로 쓸 것
- ability, quieter를 포함할 것
- 가정법 과거완료로 쓸 것

➡ _____

개념 Guide

가정법 과거완료: 「If+주어+[❶   ]+p.p. ~, 주어+[❷   ]의 과거형+have+p.p. …」

답 ❶ had ❷ 조동사

대표 예제 3

우리말과 같은 뜻이 되도록 괄호 안의 단어를 활용하여 빈칸에 알맞은 말을 쓰시오.

인생은 목적이 있는 여행으로 간주되기 때문에 우리는 그것을 출발, 길, 그리고 목적지가 있는 것으로 생각한다.

Since life _____(regard) a purposeful journey, we think of it as having departures, paths, and destinations.

개념 Guide

'~로 간주되다'는 주어진 단어 regard를 [❶   ]로 쓰면 된다. 이 때 관용적으로 전치사 by 대신 [❷   ]를 쓴다는 것에 유의한다.

답 ❶ 수동태 ❷ as

대표 예제 4

다음 중 어법상 어색한 것은?

① To solve a riddle, you have to think creatively.

② Guide dogs should focus on guiding their owners and keeping them safe.

③ I'd have done it earlier if it hadn't taken so long to order new ones.

④ I heard my mom to say sorry to my dad for the burnt bread.

⑤ If the store had been open, I would have bought them.

개념 Guide

① have to+[❶   ]: ~해야만 한다 ② should+동사원형: (마땅히) ~해야 한다 ③, ⑤ 가정법 과거완료 ④ 지각동사의 [❷   ] 자리에는 원형부정사나 현재분사가 온다.

답 ❶ 동사원형 ❷ 목적격보어

대표 예제 5

다음 글을 읽고 물음에 답하시오.

Can we ① learning to think differently or more creatively like these famous inventors? Luckily, the answer is "yes." Creative thinking ② is a skill, and we can improve it. Also, do not be afraid of making mistakes. <u>When you do make mistakes, try to learn from them.</u> As Albert Einstein once said, "Anyone who has never made a mistake ③ has never tried anything new." Most importantly, do not forget that creativity ④ is based on knowledge and experience. You need to keep learning new things. That way, you ⑤ will have the tools for creativity.

(1) 밑줄 친 ①~⑤ 중, 어법상 틀린 것을 찾아 바르게 고쳐 쓰고 그 이유를 쓰시오.

정답: ＿＿＿＿＿＿ ➡ ＿＿＿＿＿＿

이유: ＿＿＿＿＿＿＿＿＿＿＿＿＿＿

＿＿＿＿＿＿＿＿＿＿＿＿＿＿＿＿

(2) 밑줄 친 부분을 우리말로 바르게 해석하시오.

➡ ＿＿＿＿＿＿＿＿＿＿＿＿＿＿＿

개념 Guide

(1) ① 조동사 뒤에는 동사원형이 온다. ② 동명사 주어는 [❶   ] 취급한다. ④ by 이외의 전치사를 쓰는 관용적인 수동태 표현으로, '~에 기반을 둔'의 뜻이다.

(2) when이 이끄는 [❷   ]절과, 동사 try가 문두에 온 명령문 문장이다. them은 mistakes를 가리킨다.

답 ❶ 단수 ❷ 부사

대표 예제 6

다음 글을 읽고 물음에 답하시오.

There (A) [is / are] four main forces involved in flight: lift, weight, thrust, and drag. Lift is (B) [created / creating] by the difference in air pressure between the air flowing over an airplane's wings and the air flowing under them. Lift is opposed by weight, which is the force of gravity that is constantly pulling the airplane down. If the amount of lift (C) [will be / is] greater than the amount of weight, the airplane will rise. At the same time, <u>추력은 비행기의 엔진과 프로펠러에 의해 만들어진다</u> pushing the airplane forward.

(1) (A), (B), (C)의 각 네모 안에서 어법에 맞는 표현으로 가장 적절한 것을 골라 쓰시오.

(A) ＿＿＿＿＿＿ (B) ＿＿＿＿＿＿

(C) ＿＿＿＿＿＿

(2) 밑줄 친 우리말과 같은 뜻이 되도록 다음 표현을 활용하여 영작하시오.

(create, engines, propellers)

➡ ＿＿＿＿＿＿＿＿＿＿＿＿＿＿＿

Words

lift 양력 weight 중력 thrust 추력 drag 항력

개념 Guide

(1) (A) there is+단수 명사 / there are+복수 명사 (B) 수동태 / 진행시제 (C) if가 이끄는 조건의 부사절에서 [❶   ]가 미래시제를 대신한다.

(2) '~에 의해 만들어지다'의 [❷   ]가 필요하므로, is created가 되어야 한다.

답 ❶ 현재시제 ❷ 수동태

대표 예제 7

밑줄 친 부분이 어법상 어색한 것은?

① The residents look friendly.

② It seems complicated.

③ The fabric feels smooth.

④ The soup tastes a bit sour.

⑤ That sounds weirdly.

개념 Guide

❶ ☐ 형식에서 쓰인 look, seem, feel, taste, sound 등의 동사 뒤에는 부사는 올 수 없고 명사나 ❷ ☐ 가 올 수 있다.

답 ❶ 2 ❷ 형용사

대표 예제 8

우리말과 같은 뜻이 되도록 주어진 표현을 활용하여 문장을 완성하시오.

In World War Ⅱ, 많은 사람들이 죽고 부상 당했다.
(a lot of, kill, injure)

➡ In World War Ⅱ _____

_____ .

개념 Guide

2차 세계 대전의 일이므로 ❶ ☐ 시제로 써야 한다. 주어진 동사가 kill(죽이다), injure(부상을 입히다)이므로 '죽다', '부상 당하다'로 쓰려면 ❷ ☐ 가 필요하다.

답 ❶ 과거 ❷ 수동태

대표 예제 9

밑줄 친 ①~⑤ 중, 어법상 틀린 것을 바르게 고쳐 쓰고 그 이유를 쓰시오.

M: Have you ever ① learned about sea turtles?

W: Yes. They've been around ② since the dinosaur age, haven't they?

M: That's right. They've been with us ③ for a long time. But they're ④ endangered. I'm really worried about them.

W: Endangered? Is the population declining ⑤ rapid?

M: Yes. I saw one study about sea turtles in a region of Malaysia. In 1986, there were 600 leatherback turtle nests, but by 2000 there were almost none.

W: That's really terrible.

정답: _____ ➡ _____

이유: _____

_____

ⓒ fenkieandreas / shutterstock

개념 Guide

①, ②, ③ 현재완료는 ever, 「❶ ☐ +과거 시점」, 「for+기간」과 함께 쓰인다. ④ '멸종되는' 것이므로 ❷ ☐ 로 써야 한다. ⑤ 1형식: 「주어+동사(+수식어구)」

답 ❶ since ❷ 수동태

대표 예제 10

다음을 가정법 문장으로 바꿔 쓰시오.

> She did not invite me to her party, so I did not buy her a present.
>
> ➡ _____
>
> _____
>
> (그녀가 나를 파티에 초대했다면, 나는 그녀에게 선물을 사 주었을 텐데.)

개념 Guide

직설법 문장이 과거시제이므로, 가정법은 과거 사실에 대한 반대를 나타내는 가정법 **❶** 로 쓴다. 내용상 반대가 되도록 가정하므로 직설법이 부정문이면 가정법은 **❷** 으로 쓴다.

🗒 ❶ 과거완료 ❷ 긍정문

대표 예제 11

빈칸에 알맞은 것을 〈보기〉에서 2개 고르시오.

> I felt _____ because I was about to jump into a completely new world.

• 보기 •

nervous　exciting　worried　happily

➡ _____, _____

개념 Guide

feel은 **❶** 를 필요로 하는 불완전자동사이다. 주격보어 자리에 부사는 올 수 없고, 형용사가 와야 한다. 사람의 감정을 나타내는 분사형 형용사는 **❷** 형이어야 한다.

🗒 ❶ (주격)보어 ❷ 과거분사

대표 예제 12

(A), (B), (C)의 각 네모 안에서 어법에 맞는 표현으로 가장 적절한 것을 골라 쓰시오.

> • An enormous amount of plastic waste (A) is / are generated throughout the world.
> • The pagoda (B) built / was built in 1348 during the Goryeo Dynasty.
> • I want to take math and science, but both of them (C) is / are on Mondays and Wednesdays.

(A) _____

(B) _____

(C) _____

개념 Guide

(A) 「an amount of+셀 수 없는 명사」는 **❶** 취급한다. (B) 탑골이 '건설된' 것이므로 **❷** 로 쓴다. (C) 「both of+복수 명사」는 항상 복수 취급한다.

🗒 ❶ 단수 ❷ 수동태

1주 4일 교과서 대표 전략 ②

01 다음 중 어법상 <u>어색한</u> 것은?

① They suggested that we go to the National Museum of Greenland together.

② Kandinsky might have intended to turn a series of musical notes into visual forms.

③ Susan must have been tired because of the long walking tour.

④ He fell down the stairs and hurt his leg. He should have been more careful.

⑤ The doctor suggested that my sister avoided consuming too much meat.

> **Tip**
> ①, ⑤ suggest 뒤에 당위를 나타내는 ❶⬜⬜⬜⬜절이 오면 동사는 「(should)+동사원형」을 쓴다. ② might have p.p.: ~였을지도 모른다 ③ must have p.p.: ~였음에 틀림없다 ④ ❷⬜⬜⬜⬜ have p.p.: ~했어야 한다
>
> 📖 ❶ that ❷ should

02 빈칸에 들어갈 말로 바르게 짝지어진 것은?

> • The novels of Kafka _____ for decades.
> • English _____ in many countries around the world.

① have read – spoke

② have read – is spoken

③ have been read – spoke

④ have been read – is spoken

⑤ have been read – had been spoken

> **Tip**
> • 「for+기간」은 ❶⬜⬜⬜⬜ 시제와 함께 사용한다.
> • 주어가 각각 The novels of Kafka와 English이므로 ❷⬜⬜⬜⬜가 온다.
>
> 📖 ❶ 현재완료 ❷ 수동태

03 네모 안에서 어법상 알맞은 것을 <u>고르고</u> 그 이유를 쓰시오.

> The acid in sodas interact / interacts with stomach acid, slowing digestion and blocking nutrient absorption.

정답: _____

이유: _____

_____

> **Tip**
> 문장의 주어 부분 The acid in sodas에서 핵심 주어는 ❶⬜⬜⬜⬜, in sodas는 ❷⬜⬜⬜⬜이므로 동사는 단수로 쓴다.
>
> 📖 ❶ The acid ❷ 수식어구[전치사구]

04 우리말과 같은 뜻이 되도록 〈조건〉에 맞게 영작하시오.

> 쇼가 취소되지 않는 한 티켓은 환불되지 않을 것이다.

> **조 건**
> – 11 단어로 쓸 것
> – refund, unless, show, cancel을 포함할 것
> – 어법에 맞게 형태를 변형할 것

➡ _____

> **Tip**
> unless가 쓰인 부사절에서는 ❶⬜⬜⬜⬜가 미래시제를 대신한다. '취소되다', '환불되다'는 ❷⬜⬜⬜⬜로 쓴다.
>
> 📖 ❶ 현재시제 ❷ 수동태

05 밑줄 친 부분이 어법상 어색한 것은?

① The police reported that more than a hundred people <u>had been hurt</u> that day.

② The 119 team rescued the family who <u>had been trapped</u> inside.

③ The number 8 <u>had been regarded</u> as the luckiest number in Chinese culture until now.

④ Dessert <u>had been served</u> before David finished his meal.

⑤ Since it was opened to the public in 1886, the castle <u>has been visited</u> by many tourists.

> **Tip**
> ①, ②, ④ 대과거를 나타내는 ❶ _____ 시제의 수동태 ③ 현재까지 영향을 미치고 있으므로 ❷ _____ 시제가 적절하다. ⑤ 「since+과거 시점」과 함께 쓰인 현재완료 수동태
>
> 답 ❶ 과거완료 ❷ 현재완료

현재완료 수동태:
have/has been p.p.
과거완료 수동태:
had been p.p.

06 괄호 안의 단어를 활용하여 빈칸에 알맞은 말을 쓰시오.

> I suggest that everyone _____ (replace) sugary drinks such as soft drinks and juice with water.

> **Tip**
> suggest 뒤에 오는 당위의 ❶ _____ 절에서 동사는 「(❷ _____ +)동사원형」으로 쓴다.
>
> 답 ❶ that ❷ should

[07~08] 다음 글을 읽고 물음에 답하시오.

> Some of the most well-known of Rousseau's paintings ⓐ <u>are</u> a series of jungle paintings. Rousseau는 <u>그의 삶의 마지막 6년에 26점의 정글 그림을 제작했다.</u> In fact, he ⓑ <u>had never traveled</u> outside of France or ⓒ <u>sees</u> a jungle.

07 윗글의 ⓐ, ⓑ, ⓒ 중, 어법상 어색한 것을 찾아 바르게 고쳐 쓰고 그 이유를 서술하시오.

정답: _____ ➡ _____

이유: _____
_____

> **Tip**
> 실존 인물인 ❶ _____ 에 대해 다루고 있다는 글이나, 시제가 문장의 내용에 따라 다르게 전개되므로 유의한다. 등위접속사 or로 이어지는 동사의 시제는 ❷ _____ 시킨다.
>
> 답 ❶ 루소(Rousseau) ❷ 일치

08 윗글의 밑줄 친 우리말과 같은 뜻이 되도록 다음을 알맞은 순서로 배열하여 문장을 완성하시오.

> of his life / Rousseau / twenty-six / jungle paintings / the / final / six years / produced / in

➡ _____
_____

> **Tip**
> 주어는 Rousseau, 동사는 ❶ _____ 이고 그 뒤에 목적어가 이어지는 ❷ _____ 형식 문장이다.
>
> 답 ❶ produced ❷ 3

01 네모 안에서 어법상 알맞은 것을 고르시오.

> For years, scientists was trying / have been trying to find out how fireflies make their wonderful light.
>
> *firefly 반딧불이

02 빈칸에 동사 sell의 알맞은 형태를 쓰고 문장을 해석하시오.

> More than two million copies of this novel _____ since it was first published 2010.

➡ _____

03 빈칸에 알맞은 말이 바르게 짝지어진 것은?

> • I would attend your party if it _____ held at the Yoon Restaurant.
> • She was acting _____ she were in charge.

① were – as if ② are – if
③ will be – as though ④ were – if
⑤ was – she wish

04 다음 중 어법상 <u>어색한</u> 것을 모두 고르면?

① Roses smell sweet.
② I wanted to look friendly.
③ He kept silent and remained motionless.
④ Regular exercise is the best way to stay slimly.
⑤ I know it sounds stupidly, but I'll miss him when he's gone.

05 우리말과 같은 뜻이 되도록 주어진 표현을 활용하여 문장을 완성하시오.

> 공장에서 그런 무서운 사고는 일어나지 말았어야 한다. (should, happen)
> ➡ Such a terrible accident _____ _____ in the factory.

06 우리말과 같은 뜻이 되도록 할 때, 어색한 곳을 찾아 바르게 고쳐 쓰시오.

> 유럽 단일화 문제에 대한 현재의 이견은 유럽의 불협화음의 전형이다.
> ➡ The current disagreements about the issue of unifying Europe is typical of Europe's disunity.

_____ ➡ _____

07 우리말과 같은 뜻이 되도록 주어진 표현을 활용하여 9단어로 영작하시오.

> 나는 그가 그 쇼를 나와 함께 공연해야 한다고 주장했다. (insist, perform, with)

➡ _____

08 다음 중 어법상 어색한 것은?

① I won't be fooled by his tricks.

② This has to be done by tomorrow.

③ He was made to stay after school.

④ She was handed by a menu at the restaurant.

⑤ On this map, urban areas are shown in gray.

[09 ~ 10] 다음 글을 읽고 물음에 답하시오.

> Many people didn't like automobiles at first because horses were sometimes (A) frightened / frightening by them and ran away. In the past, there (B) was / were many horses and not very many automobiles. But things (C) changed / have changed since then. Today, we can no longer see horses run on the street.

09 윗글의 (A), (B), (C)의 각 네모 안에서 어법에 맞는 표현으로 가장 적절한 것을 골라 쓰시오.

(A) _____

(B) _____

(C) _____

10 윗글의 밑줄 친 부분을 수동태로 고쳐 쓰시오.

➡ _____

_____

1주 창의·융합·코딩 전략 ①

A 다음에서 알맞은 단어를 골라 문장을 완성하시오. (단, 중복되지 않게 넣을 것)

explain	explained	different	differently
should	shouldn't	must	must not
win	won	have won	had won

(1) She insisted that her son _____ everything that happened yesterday to the police officer.

(2) Fish in deep water look _____ from fish that live in shallower water.

(3) She made a mistake. We _____ have disturbed her.

(4) If I _____ the lottery, I would give you half the money.

Tip

(1) 주장 동사+that+주어+(should)+ ❶ □ (2) 2형식 동사+형용사
(3) should+have+p.p.: 과거에 대한 후회, 유감 (4) 가정법 ❷ □

답 ❶ 동사원형 ❷ 과거

B 다음 문장의 빈칸에 들어갈 수 있는 말을 모두 고르시오.

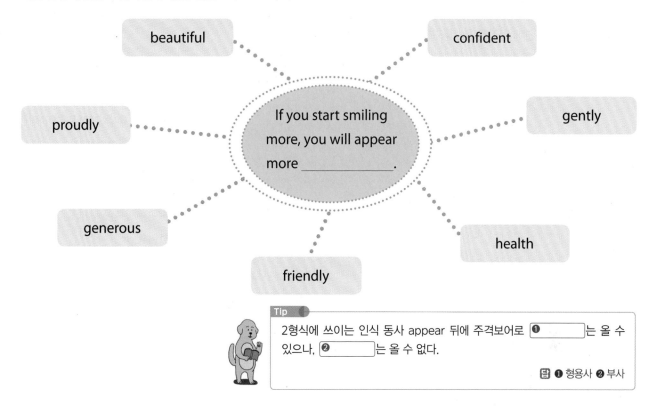

beautiful

confident

proudly

gently

If you start smiling more, you will appear more _____.

generous

health

friendly

Tip

2형식에 쓰이는 인식 동사 appear 뒤에 주격보어로 **①**[   ]는 올 수 있으나, **②**[   ]는 올 수 없다.

답 **①** 형용사 **②** 부사

C 알맞은 퍼즐을 연결하여 문장을 완성하시오.

If you ever see giraffes' eyes,

The clerks were made to lie on the floor

by the man with a gun.

I had been waiting at the bus stop for an hour

you will find them gentle.

when the bus came.

_____

_____

_____

Tip

• 조건의 if 부사절에서 **①**[   ]가 미래시제를 대신한다.
• 사역동사 5형식 문장이 **②**[   ]로 쓰였다.
• 과거완료 진행시제로 쓰인 문장이다.

답 **①** 현재시제 **②** 수동태

창의·융합·코딩 전략 ②

D (1)~(5)의 빈칸에 들어갈 동사를 고른 다음, 내용에 맞는 그림을 고르시오.

(1) American culture
☐ stresses ☐ is stressed
the independence of each individual.

→

(2) A child ☐ gives ☐ is given
encouragement to express himself
at a very early age.

↓

(3) Many young people babysit or
☐ deliver ☐ is delivered newspapers
to make their own money.

↙

(4) Others ☐ receive ☐ are received
pocket money from parents for doing chores
around the house.

↓

(5) They ☐ teach ☐ are taught
to be responsible for their own money.

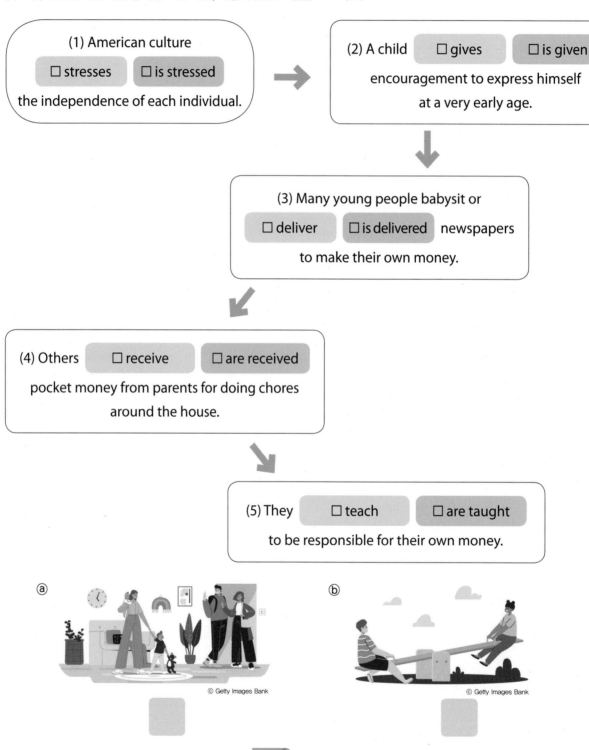

ⓐ © Getty Images Bank

ⓑ © Getty Images Bank

Tip

수동태는 행위의 [❶]을 강조하여 대상이 되는 말을 주어 자리에 오게 한 문장이다. 기본 형태는 「be동사+❷ 」이다.

답 ❶ 대상 ❷ 과거분사(p.p.)

E 밑줄 친 ⓐ~ⓔ에 관해 잘못 설명을 한 사람은?

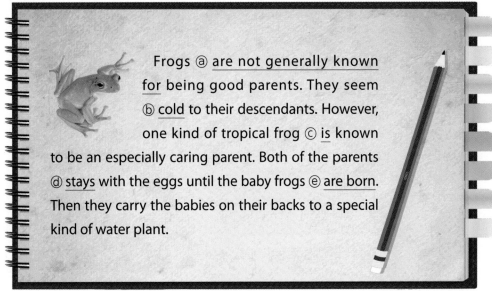

Frogs ⓐ <u>are not generally known</u> <u>for</u> being good parents. They seem ⓑ <u>cold</u> to their descendants. However, one kind of tropical frog ⓒ <u>is</u> known to be an especially caring parent. Both of the parents ⓓ <u>stays</u> with the eggs until the baby frogs ⓔ <u>are born</u>. Then they carry the babies on their backs to a special kind of water plant.

© My Life Graphic / shutterstock

ⓐ be known for는 '~로 알려지다'는 의미로, 전치사 by 대신 for를 써.

☐ 미나

ⓑ '냉정해 보인다'는 뜻이니까 cold를 coldly로 고쳐야 해.

☐ 보람

ⓒ 문장의 핵심 주어가 one kind이니까 단수 동사 is가 온 거야.

☐ 성희

ⓔ be born은 bear의 수동태야.

☐ 아영

ⓓ 문장의 주어는 Both of the parents니까 stays를 stay로 고쳐야 해.

© Lankogal / shutterstock

☐ 민주

Tip

ⓐ, ⓔ 행위의 대상을 강조하여 표현할 때 **❶** ⬚⬚⬚⬚ 를 사용한다. ⓑ 2형식 동사 seem 뒤에 **❷** ⬚⬚⬚⬚ 는 올 수 없다. ⓒ, ⓓ 주어가 단수면 동사도 단수, 복수면 동사도 복수로 쓴다.

답 ❶ 수동태 ❷ 부사

2주 준동사

I **drink** some water.
나 동사야.

I want **to drink** some water.
나 명사 역할

I open the refrigerator **to find**
나 부사 역할
some water **to drink**.
나 형용사 역할

동사는 기본적으로 주어의 동작을 나타내는 서술어의 역할을 합니다.

그런데 동사가 명사처럼, 형용사처럼, 부사처럼 쓰일 수도 있습니다.

팔방미인 부정사는 이렇게나 여러 몫을 하는 일꾼입니다.

I enjoy **doing** my work
even if it's hard.

enjoy **doing**
나는 enjoy의 목적어, 즉 명사 역할

doing my work
나는 목적어를 취하는 동사 역할

동명사는 한 몸으로 두 가지 역할을 동시에 수행합니다.

명사의 역할을 하면서 주어, 보어, 목적어로 쓰이기도 하고

동사의 역할을 그대로 수행하여 목적어를 이끌기도 합니다.

분사

분사가 하는 동사로서의 역할은 진행형·완료형 시제, 그리고 수동태를 만드는 것입니다.

분사가 형용사처럼 쓰일 때 현재분사는 능동·진행의 의미를, 과거분사는 수동·완료의 의미를 갖습니다.

'~한 감정을 일으키는'의 뜻으로 쓰일 때는 현재분사로, '~한 감정을 느끼게 되는'의 뜻으로 쓰일 때는 과거분사가 옵니다.

분사구문

분사구문은 부사절에서 접속사와 주어를 삭제하고, 동사를 분사로 바꾼 부사구 형태로 쓰입니다.

분사구문은 시간, 이유, 동시동작, 연속동작[상황], 조건, 양보 등의 의미로 쓰입니다.

2주 1일 개념 돌파 전략 ①

개념 ❶ | to부정사

- 「to+[❶]」의 형태로 문장에서 명사, 형용사, 부사 역할을 한다.
- to부정사의 부정은 「not[never]+to부정사」로 쓴다.
- to부정사의 명사적 용법: 명사처럼 쓰여 문장의 주어, 보어, 목적어 역할을 한다.
- to부정사의 [❷]적 용법: 형용사처럼 쓰여 명사 또는 대명사를 수식하는 역할을 하며, '~할, ~하는'이라는 의미이다.
- to부정사의 부사적 용법: 부사처럼 쓰여 동사, 형용사, 부사를 수식하거나, 목적, 감정의 원인, 판단의 근거, 결과 등을 의미한다.

Quiz 1

(1) to부정사는 명사, [❶], 부사의 역할을 한다.
(2) 다음 문장의 to부정사는 [❷] 용법으로 쓰였다.

> They all agreed to go to the museum.

답 ❶ 동사원형 ❷ 형용사

답 (1) 형용사 (2) 명사적

말 그대로 명사처럼 쓰이면 '명사적 용법', 형용사처럼 쓰이면 '형용사적 용법', 부사처럼 쓰이면 '부사적 용법'이야.

개념 ❷ | 동명사

- 「동사원형+-ing」 형태로 쓰이는 준동사로, 문장에서 주어, 보어, 목적어로 쓰여 [❶] 역할을 한다.
- 동명사 vs. 현재분사: [❷]는 명사 역할을 하고, 현재분사는 진행의 의미로 쓰여 진행형을 만들거나 명사를 수식하는 역할을 한다.

Quiz 2

명사처럼 쓰인 다음 동명사의 문장 성분은?

> (1) I finished solving the math problem.
> (2) Learning about different cultures makes us happy.

답 ❶ 명사 ❷ 동명사

답 (1) 목적어 (2) 주어

개념 ❸ | to부정사와 동명사

- to부정사와 동명사는 둘 다 명사처럼 쓰여 주어, 보어, 목적어로 쓰인다.
- to부정사는 [❶]나 부사처럼 쓰일 수 있으나, 동명사는 그렇지 않다.
- 동사의 목적어로 to부정사나 동명사가 둘 다 올 수 있으나, 전치사의 목적어는 [❷]만 올 수 있다.

Quiz 3

(1) 형용사나 부사처럼 쓰일 수 있는 것은 (to부정사 / 동명사)이다.
(2) 전치사의 목적어로 쓰일 수 있는 것은 (to부정사 / 동명사)이다.

답 ❶ 형용사 ❷ 동명사

답 (1) to부정사 (2) 동명사

1-1

다음 문장에서 <u>어색한</u> 부분을 찾아 바르게 고쳐 쓰시오.

Jane refused pay back the money.

_____ ➡ _____

Guide refuse는 '❶ [   ]'의 뜻으로, 목적어는 동사 그대로 올 수 없고 ❷ [   ]의 형태로 온다.

답 ❶ 거절하다 ❷ to부정사

1-2

괄호 안에서 알맞은 것을 고르시오.

(Obey / To obey) the traffic laws is everybody's duty.

pay back 돈을 갚다 obey ~에 복종하다, 따르다 duty 의무

2-1

우리말과 같은 뜻이 되도록 괄호 안의 동사를 알맞은 형태로 쓰시오.

밤에 조깅하는 사람들은 어두운 옷을 입는 것을 피해야 한다.
People who jog at night should avoid _____ (wear) dark clothes.

Guide 동사 avoid는 '❶ [   ]'의 뜻으로, avoid의 목적어 자리에는 ❷ [   ]가 와야 한다.

답 ❶ 피하다 ❷ 동명사

2-2

괄호 안에서 알맞은 것을 고르시오.

I hope you don't mind me (to call / calling) at night, without an appointment.

mind ~을 꺼리다 appointment 약속

3-1

빈칸에 들어갈 말로 알맞은 것은?

I can't imagine the boy _____ so rudely to you.
① speak   ② speaking   ③ spoken

Guide imagine의 ❶ [   ] 자리에는 ❷ [   ]가 와야 한다.

답 ❶ 목적어 ❷ 동명사

3-2

괄호 안에서 알맞은 것을 <u>모두</u> 고르시오.

(1) I hate (talking / to talk / to talking) on the phone for more than 10 minutes.

(2) By (sharing / to share) things with others, you can reduce waste.

share 나누다 reduce 줄이다

개념 짚어 보기

개념 ④ | 분사

- 분사는 현재분사나 과거분사의 형태로 시제나 태를 나타낼 때 사용되거나, 명사를 ❶[　　　]하는 형용사처럼 쓰인다.
- 분사의 한정적 용법: 분사가 명사의 앞이나 뒤에서 직접 그 명사를 수식한다. 분사가 단독으로 올 때는 명사 앞에서 수식한다. 분사가 목적어, 보어, 수식어구를 동반할 때는 명사 뒤에서 수식한다.

  the **barking** dog / the dog **barking** at the cat
- 분사의 서술적 용법: 문장에서 분사가 주격보어나 ❷[　　　] 역할을 한다.

  He sat **drinking** water. / I saw him **drinking** water.
  　　　주격보어　　　　　　　　　　　목적격보어

Quiz 1
(1) 분사가 명사를 수식할 때 일반적으로 명사 (앞 / 뒤)에 온다.
(2) 분사의 서술적 용법은 분사가 주어나 목적어를 보충해서 수식하는 (서술어 / 보어) 역할을 하는 것이다.

답 ❶ 수식 ❷ 목적격보어　　　　답 (1) 앞 (2) 보어

개념 ⑤ | 현재분사와 과거분사

- 분사에는 현재분사와 과거분사가 있으며, 현재분사는 진행형, 과거분사는 완료형과 ❶[　　　]에 사용한다.
- 현재분사는 「동사원형＋-ing」의 형태로 능동(~하는), 진행(~하고 있는)의 의미로 쓰인다.
- 과거분사는 「동사원형＋-ed」 또는 불규칙 과거분사형의 형태로 ❷[　　　] (~되어진), 완료(~된)의 의미로 쓰인다.

  boiling water (끓는 물) / **boiled** water (끓인 물)

Quiz 2
(1) 현재분사는 (능동 / 수동), (진행 / 완료)을[를] 나타낸다.
(2) 과거분사는 (능동 / 수동), (진행 / 완료)을[를] 나타낸다.

답 ❶ 수동태 ❷ 수동　　　　답 (1) 능동, 진행 (2) 수동, 완료

개념 ⑥ | 분사구문

- 분사구문은 부사절에서 접속사와 주어를 생략하고, 동사를 분사로 바꿔 써서 ❶[　　　]로 만든 것이다.

  When he played soccer, he hurt his knee.
  → **Playing** soccer, he hurt his knee.
- 분사구문은 시간, 이유, 동시동작, 연속동작[상황], ❷[　　　], 양보 등의 의미로 쓰인다.

Quiz 3
(1) 분사구문은 (부사구 / 부사절)을[를] (부사구 / 부사절)로 바꿔 쓴 것이다.
(2) 부사절과 주절의 주어가 (같을 / 다를) 때 분사구문의 주어는 생략할 수 있다.

답 ❶ 부사구 ❷ 조건　　　　답 (1) 부사절, 부사구 (2) 같을

4-1

다음 문장에서 분사를 찾아 밑줄 치고 우리말 뜻을 쓰시오.

This action film has a challenging chase scene.

➡ _____

Guide 현재분사는 단독으로 ❶ [_____] 앞에 와서 '~하고 있는'으로 해석하며 ❷ [능동/수동]의 의미로 쓰인다.

🔲 ❶ 명사 ❷ 능동

4-2

다음 문장에서 분사를 찾아 밑줄 치고 우리말 뜻을 쓰시오.

(1) The shirts ordered online arrived three days later.

➡ _____

(2) He found a boy swimming in the lake.

➡ _____

5-1

빈칸에 들어갈 말로 알맞은 것은?

You had better leave it _____.

① untouch　　② untouched　　③ untouching

Guide '손대지 않은'의 ❶ [능동/수동]의 의미이므로, ❷ [_____] 분사가 와야 한다.

🔲 ❶ 수동 ❷ 과거

5-2

괄호 안에서 알맞은 것을 고르시오.

His fans stood (surrounding / surrounded) the gold medalist at the playground.

surround 둘러싸다, 에워싸다

6-1

다음을 분사구문으로 바꿔 써서 문장을 완성하시오.

As she waved at the crowds, she came into the stadium.

➡ _____, she came into the stadium.

Guide 분사구문을 만들 때는 ❶ [_____]와 주어를 없애고 동사를 ❷ [_____]로 바꾼다.

🔲 ❶ 접속사 ❷ 분사

6-2

다음을 분사구문으로 바꿔 써서 문장을 완성하시오.

As soon as I saw him, I began to cry.

➡ _____, I began to cry.

Example

- The boy decided **to buy** the drone.
  → 동사 decided의 ❶ [   ]로 쓰인 to부정사

- I have no friends **to talk** with.
  → 앞에 나온 명사를 수식하는 ❷ [   ]처럼 쓰인 to부정사

📝 ❶ 목적어 ❷ 형용사

1

우리말과 같은 뜻이 되도록 괄호 안의 단어를 활용하여 빈칸에 알맞은 말을 쓰시오.

> 영어 점수를 향상시키기 위해 Judy는 스터디 그룹에 가입했다.
>
> → Judy joined a study group _____ (improve) her English grades.

Example

- Finish **reading** the article before dinner.
  → 동사 finish의 목적어로 쓰인 ❶ [   ]

- **Parking** is not allowed here.
  → 문장의 ❷ [   ]로 쓰인 동명사

📝 ❶ 동명사 ❷ 주어

2

괄호 안에서 알맞은 것을 고르고 문장을 해석하시오.

> The magazine deals with (protects / protecting) wild animals.
>
> → _____

deal with 다루다 protect 보호하다

Example

- We went outside **to meet** him.
  → 목적을 나타내는 to부정사의 ❶ [   ] 용법

- James is interested in **baking** cookies.
  → 전치사의 목적어는 ❷ [   ]

📝 ❶ 부사적 ❷ 동명사

3

밑줄 친 부분을 바르게 고치고, 그 이유를 쓰시오.

> I have a plan <u>go</u> abroad next year.
>
> → _____
>
> 이유: _____

Example

- Pour **boiling** water over the tea bag.
  → '끓는 물'의 뜻이 되려면 ❶ [　　　] 분사

- This is the house **built** in the 1900s.
  → '지어진'의 뜻이 되려면 ❷ [　　　] 분사

답 ❶ 현재 ❷ 과거

4

우리말을 참고하여 괄호 안에서 알맞은 표현을 고르시오.

I like to read novels (writing / written) in English.
(나는 영어로 쓰인 소설을 읽는 것을 좋아한다.)

Example

- The news of the actor's death was **shocking**.
  → 감정을 유발하는 원인이 주어로 오면 ❶ [　　　] 분사

- I was **shocked** by the news of the actor's death.
  → 감정을 느끼는 주체가 주어로 오면 ❷ [　　　] 분사

답 ❶ 현재 ❷ 과거

5

괄호 안에서 알맞은 것을 고르고 해석하시오.

The story was so (touching / touched) that I cried.

➡ _____

Example

- **Taking** a walk, I'm watching movies on my phone.
  → 부사절 While I'm taking a walk에서 접속사와 주어를 생략하고 ❶ [　　　] 로 바꿔 쓴다.

- **Not bringing** my ticket, I couldn't enter the concert hall.
  → 분사구문의 부정은 not/never를 분사 ❷ [　　　] 에 넣는다.

답 ❶ 부사구 ❷ 앞

6

다음 문장을 분사구문으로 바꿔 쓰시오.

As I entered the school, I had an opportunity to learn.

➡ _____

opportunity 기회

2주 2일 필수 체크 전략 ①

전략 ❶ | 동사 vs. 준동사

- 동사는 문장 또는 절에서 주어의 동작이나 상태를 서술하는 [❶] 역할을 한다.
- 준동사란 동사의 성질을 가지면서도 문장에서 명사, 형용사, 부사 등의 역할을 하는 것을 말하며, to부정사, [❷], 분사(현재분사, 과거분사)가 있다.
- 접속사나 [❸]가 없다면, 절 하나에 하나의 동사만 올 수 있다. 그러므로 문장 구조를 알기 위해서는 문장에서 본동사와 준동사를 구분하는 것이 중요하다.

> 긴 문장에서 주어와 동사를 먼저 찾고 준동사가 어떻게 쓰였는지 확인해 봐.

Making new friends **is** essential for everyone **to grow up.**
준동사(주어로 쓰인 동명사)   동사   준동사(목적을 나타내는 부사적 용법의 to부정사)

답 ❶ 서술어 ❷ 동명사 ❸ 관계사

필수 예제

1. 다음 중 어법상 <u>어색한</u> 것은?

① He just stood there and watched her singing.
② John's new novel was published last week.
③ She worked at the factory and learning new techniques.
④ Waking up early is one of the keys to being productive.
⑤ The museum needs volunteers to guide the visitors.

Guide

절 하나에 하나의 동사가 올 수 있고, 문장에 [❶]나 관계사가 있을 때는 여러 개의 동사가 올 수 있다.
[❷]에는 to부정사나 동명사, 분사가 있다.

답 ❶ 접속사 ❷ 준동사

확인 문제

1-1

다음 중 어법상 옳은 것은?

① Making friends is essential for me.
② He grew up to being a famous musician.
③ If you want to go there, checking the notice.
④ Clean the house everyday makes me tired.
⑤ To meet a good teacher very important.

확인 문제

1-2

다음 문장에서 동사에는 밑줄을 치고, 준동사에는 동그라미 표 하시오.

> If you want to have a lot of energy tomorrow, you need to spend a lot of energy today.

essential 필수적인, 아주 중요한 notice 공지

전략 ❷ | to부정사의 쓰임

- to부정사는 명사처럼 쓰여 ❶[　　　　], 보어, 목적어의 역할을 한다. 주어로 쓰일 때 단수 취급한다.

- to부정사가 형용사처럼 쓰일 때 to부정사의 수식을 받는 명사가 전치사의 목적어일 경우, 전치사는 to부정사 ❷[　　　　]에 오게 쓴다.

- to부정사의 기타 용법

① 「의문사+to부정사」 = 「의문사+주어+❸[　　　　]+동사원형」

I don't know **what to do**. = I don't know **what I should do**.

② 「형용사/부사+enough+to부정사」: ~할 정도로 충분히 …한/하게

She is **smart enough to solve** the puzzle.

③ 「too+형용사/부사+to부정사」: 너무 ~해서 …할 수 없다

The lemons are **too sour to eat**.

I need a friend **to rely on**.

답 ❶ 주어 ❷ 뒤 ❸ should

---

 2. 다음 중 밑줄 친 부분의 쓰임이 나머지 넷과 다른 것은?

① He reached out his hand <u>to help</u> me.

② Amy did her best <u>to win</u> the soccer game.

③ She studied hard <u>to pass</u> the college entrance exam.

④ I am planning <u>to go</u> to the exhibition.

⑤ She used a calculator <u>to solve</u> the puzzle.

Guide

to부정사가 '~하기 위해'와 같이 목적을 나타낼 때는 ❶[　　　　] 적 용법으로 쓰인 것이고, '~하는 것을'로 해석되는 경우는 목적어로 쓰여 ❷[　　　　] 적 용법으로 사용된 것이다.

답 ❶ 부사 ❷ 명사

확인 문제 2-1

다음 중 어법상 어색한 것은?

① I want to rent a house to live.

② His goal is to complete the mission.

③ She doesn't know how to solve the math problem.

④ Emma was too nervous to sleep.

⑤ He was arrogant enough to reject our suggestion.

확인 문제 2-2

우리말과 같은 뜻이 되도록 주어진 표현을 활용하여 문장을 완성하시오.

그녀는 사람들의 이목을 끌 만큼 키가 크다.
(enough, people's attention, draw, tall)

➡ _____

arrogant 오만한　reject 거절하다

전략 ③ | 동명사의 쓰임

- 동명사는 「동사원형+-ing」의 형태로, 동사의 쓰임과 [①_____]의 쓰임을 동시에 가지며 '~하는 것, ~하기'의 뜻이다. 동명사의 부정은 「not/never+동명사」로 쓴다.
- 동명사는 주어, 보어로 쓰일 수 있고, 주어로 쓰일 때는 [②_____] 취급한다.
- 동명사는 to부정사처럼 목적어 역할을 하는데, 특히 전치사의 목적어로는 [③_____]만 가능하다.
- 동명사의 의미상 주어는 동명사 앞에 소유격/목적격의 형태로 쓰며, 문장의 주어나 목적어와 일치하거나 일반인일 경우는 따로 쓰지 않는다.

They celebrated **his** winning the contest.

- 동명사의 관용적 표현

on -ing ~하자마자	far from -ing 전혀 ~이 아닌	go -ing ~하러 가다
be busy -ing ~하느라 바쁘다	keep (on) -ing 계속 ~하다	feel like -ing ~하고 싶다
be worth -ing ~할 만한 가치가 있다	It is no use -ing ~해도 소용없다	be used to -ing ~하는 데 익숙하다
make a point of -ing ~하는 것을 규칙[습관]으로 하다	have difficulty[trouble] -ing ~하느라 고생하다	keep[prevent] ... from -ing …가 ~하는 것을 막다

답 ❶ 명사 ❷ 단수 ❸ 동명사

필수 예제

3. 빈칸에 들어갈 말로 알맞은 것은?

> She denied _____ taken the purse from my bag.

① have   ② to have   ③ having
④ had   ⑤ to having

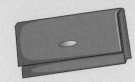

Guide

deny는 '[①_____], 부정하다'의 뜻으로 [②_____]만을 목적어로 쓰는 동사이다.

답 ❶ 부인하다 ❷ 동명사

확인 문제

3-1

밑줄 친 부분 중 어법상 어색한 것을 골라 바르게 고치시오.

> <u>Do</u> you <u>mind</u> <u>I</u> using <u>your</u> phone?
> ①   ② ③ ④   ⑤

➡ _____

3-2

괄호 안의 단어를 빈칸에 알맞은 형태로 쓰고 문장을 해석하시오.

> These barriers prevent new companies from _____ (enter) the market.

➡ _____

전략 ❹ | 동사의 목적어로 쓰이는 to부정사와 동명사

- 동사에 따라 문장의 목적어 자리에 동명사, to부정사, 또는 둘 다 올 수 있다. 이때 목적어에 따라 의미상 차이가 있는 경우에 주의한다.

to부정사만 ❶ [　　　] 로 쓰는 동사		want, hope, expect, need, decide, plan, choose, learn, agree, promise, wish, offer, manage 등
❷ [　　　] 만 목적어로 쓰는 동사		finish, stop, keep, enjoy, mind, avoid, practice, deny, admit, imagine, recommend, involve 등
동명사와 to부정사를 모두 목적어로 쓰는 동사	의미 차이 없음	like, love, hate, prefer, start, begin, continue 등
	의미 차이 ❸ [　　　]	forget, remember, regret, try 등

- ┌ forget+to부정사: (~해야) 할 것을 잊다
  └ forget+동명사: ~한 것을 잊다

- ┌ regret+to부정사: ~하게 되어 유감이다
  └ regret+동명사: ~한 것을 후회하다

- ┌ remember+to부정사: (~해야) 할 것을 기억하다
  └ remember+동명사: ~한 것을 기억하다

- ┌ try+to부정사: ~하려고 노력하다
  └ try+동명사: 시험 삼아 ~해 보다

답 ❶ 목적어 ❷ 동명사 ❸ 있음

필수예제

4. 다음 중 어법상 어색한 것은?

① I forgot to bring your camera.
② The police kept asking him why he entered the house.
③ The respondents agreed to answer the questions.
④ Henry enjoys driving his car on the highway.
⑤ I must try studying hard to pass the test.

Guide

❶ [　　　] 로 to부정사와 동명사를 둘 다 쓸 수 있는 동사의 경우, forget, try와 같이 ❷ [　　　] 에 차이가 있는 경우를 주의한다.

답 ❶ 목적어 ❷ 의미[뜻]

확인문제 **4-1**

밑줄 친 부분이 어법상 어색한 것은?

① Do you <u>mind my opening</u> the window?
② He <u>decided not to grow</u> his hair.
③ The boss <u>promised to invest</u> money to the business.
④ Don't <u>forget taking</u> the medicine on time.
⑤ I <u>regretted not opening</u> the envelope.

확인문제 **4-2**

주어진 표현을 활용하여 5단어로 영작하시오.

> 다른 사람들에 대해 말하는 것을 피하라.
> (avoid, talk about, other)

➡ _____

2주 2일 필수 체크 전략 ②

1 빈칸에 들어갈 말로 바르게 짝지어진 것은?

> My grandma enjoys _____ to the radio, but it
> _____ any more.

① listen – not to work

② to listen – doesn't work

③ listening – doesn't work

④ listen – work

⑤ listening – not working

2 다음 중 어법상 <u>어색한</u> 것은?

① I'm worried about not attending the meeting.

② He promised to be here by ten.

③ Don't forget to do your homework tonight!

④ I'm not strong enough lift that box.

⑤ The ring is too expensive for me to buy.

3 빈칸에 들어갈 말로 <u>어색한</u> 것은?

> I _____ to be in the same class with you again.

① want   ② expect   ③ hope

④ like   ⑤ imagine

4 빈칸에 들어갈 수 있는 것을 <u>모두</u> 고르면?

> Jane _____ learning Chinese.

① refused   ② kept   ③ quit
④ chose   ⑤ promised

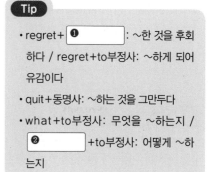
5 빈칸에 들어갈 말로 바르게 짝지어진 것은?

> • My sister regretted _____ a lecture given by Professor Ann.
> • She quit _____ and went to graduate school.
> • Tell me _____ the broken chair.

① to miss – to work – what to fix
② missing – working – what to fix
③ missing – to work – how to fix
④ missing – working – how to fix
⑤ to miss – to work – how to fix

6 밑줄 친 부분의 쓰임이 나머지 넷과 <u>다른</u> 것은?

① <u>To ride</u> a motorcycle is dangerous.
② Sometimes you need <u>to overlook</u> other's mistakes.
③ Children love <u>to swim</u> in the sea.
④ I hate <u>to see</u> any living being suffer.
⑤ I promised <u>to volunteer</u> in the nursing home.

필수 체크 전략 ①

전략 ❺ | 목적격보어로 쓰이는 to부정사와 원형부정사

- 「동사＋목적어＋to부정사」: 5형식 문장에서 ❶ 　　　　로 to부정사를 취하는 동사가 있다.

> advise, allow, ask, cause, enable, encourage, expect,
> force, order, tell, promise, want 등

My parents **allowed** me **to go** to the concert.
　　　　 동사　 목적어 목적격보어(to부정사)

© nathanmcc / shutterstock

- 「지각동사/사역동사＋목적어＋원형부정사」: 지각동사인 watch, see, hear, feel, listen to 등과 ❷ 　　　인 make, let, have 등은 목적어와 목적격보어의 관계가 능동일 때, 목적격보어로 ❸ 　　　(동사원형)를 사용한다.

We **see** the birds **build** nests on trees every spring.
　지각동사　 목적어　 목적격보어(원형부정사)

The teacher **made** his students **take** notes in class.
　　 사역동사　 목적어　 목적격보어(원형부정사)

🔑 ❶ 목적격보어 ❷ 사역동사 ❸ 원형부정사

필수 예제

5. 우리말과 같은 뜻이 되도록 빈칸에 알맞은 것은?

> 엄마는 아빠에게 쓰레기를 내버려 달라고 요청했다.
> ➡ My mom asked my dad ＿＿＿＿＿＿＿ the trash.

① take out　　② took out　　③ takes out
④ to take out　　⑤ to taking out

Guide

동사 ask가 왔으므로, 「동사＋목적어 ＋ ❶ 　　　」로 쓴다. '~에게 …할 것을 ❷ 　　　하다'의 뜻이다.

🔑 ❶ to부정사 ❷ 요청[부탁]

© Olga1818 / shutterstock

확인 문제 5-1
밑줄 친 부분 중 어법상 어색한 것은?

> Fortune doesn't always make us
> 　　　① 　　② 　③ 　④
> to raise money.
> 　⑤

확인 문제 5-2
주어진 표현을 활용하여 영작하시오.

> 선생님들은 학생들이 꿈을 이루도록 격려한다.
> (encourage, achieve, one's dream)

➡ ＿＿＿＿＿＿＿＿＿＿＿＿＿＿＿

전략 ❻ │ 가주어와 진주어 / 가목적어와 진목적어

- to부정사(구)가 주어로 쓰일 때 가주어 ❶[ ]을 주어 자리에 쓰고, 진주어 to부정사(구)는 뒤로 보낸다. 이때 가주어 it은 해석하지 않는다.

  It is important **to protect** nature.
  가주어   진주어

- to부정사의 행위의 주체가 문장의 주어와 다를 때, to부정사 앞에 「❷[ ]/of+목적격」을 써서 의미상의 주어를 나타낸다. 일반적으로 「for+목적격」을 쓰고 「of+목적격」은 kind, rude, stupid, polite, wise, foolish 등 사람의 성격을 나타내는 형용사 보어가 왔을 때 사용한다.

  It is stupid **of you to believe** that story.
  가주어   의미상 주어   진주어

  > 가목적어를 주로 쓰는 동사에는 think, believe, find, make, consider 등이 있어.

- 진목적어 to부정사(구)가 목적어로 쓰일 때 ❸[ ] it을 목적어 자리에 쓰고, to부정사(구)는 뒤로 보낸다. 가주어와 마찬가지로 가목적어 it은 해석하지 않는다.

  He found **it** hard **to make** new friends.
  가목적어   진목적어

  답 ❶ it ❷ for ❸ 가목적어

---

6. 다음 중 어법상 알맞은 것은?

① It is cruel to hit animals.

② That is good to be quiet in class.

③ It is fun read comic books.

④ It is wrong cheating in the exam.

⑤ It is useful to memorized phone numbers.

Guide

가주어 it과 ❶[ ] to부정사 구조의 문장이다. 문장의 주어 자리에 가주어 ❷[ ]을 오게 하고 진주어 to부정사는 뒤에 위치하게 된다.

답 ❶ 진주어 ❷ it

확인 문제 6-1

빈칸에 들어갈 말로 바르게 짝지어진 것은?

_____ is exciting _____ part in an experiment.

① It – to take   ② It – take

③ That – to take   ④ This – taking

⑤ That – taking

확인 문제 6-2

가목적어 it과 주어진 표현을 활용하여 영작하시오.

나는 자화상을 그리는 것이 어렵다는 것을 알았다. (find, draw, self-portrait)

➡ _____

전략 ⑦ | 현재분사와 과거분사

- 현재분사(동사원형+-ing)는 '~하는'의 [①_____]이나 '~하고 있는'의 진행의 의미로 쓰인다.

- 과거분사 (동사+-ed, 불규칙동사)는 '~된'의 수동이나 '~해진'의 완료의 의미로 쓰인다.

- 분사가 단독으로 쓰일 때는 명사의 앞 또는 뒤에서 수식하고, 분사가 구를 이루고 있을 때는

  명사의 [②_____]에서 수식한다.

- 분사는 주어를 보충하는 주격보어, 목적어를 보충하는 [③_____] 역할을 할 수 있다.

  She sat **singing** merrily. / The TV was **broken**.
  　　　주격보어　　　　　　　　　　　　　주격보어
  He saw his puppet **shaking** in the wind.
  　　　　　　　　목적격보어
  He heard his nickname **called** among the crowd.
  　　　　　　　　　　　목적격보어

- 감정을 나타내는 동사가 '~한 감정을 일으키는'의 뜻으로 쓰일 때는 현재분사를, '~한 감정을 느끼게 되는'의 수동의 뜻

  으로 쓰일 때는 과거분사를 사용한다.

  > bore, surprise, shock, amaze, frighten, satisfy, embarrass, disappoint 등

  The news was **shocking**. / I was **shocked** by the news.

  답 ❶능동 ❷뒤 ❸목적격보어

© Marharyta Kovalenko / shutterstock

필수예제

7. 다음 중 어법상 어색한 것은?

① I found the door broken.

② There is a sleeping cat under the table.

③ Many people standing out there watched the solar eclipse.

④ She had a dessert called macaroon after lunch.

⑤ She is reading a book writing by Shakespeare.

Guide

① 목적격보어로 쓰인 [❶_____]

② 현재분사의 명사 수식

③ 현재분사구의 후치 수식

④ 과거분사구의 후치 수식

⑤ 과거분사구의 [❷_____] 수식

답 ❶ 과거분사 ❷ 후치

확인문제 7-1

빈칸에 들어갈 말이 바르게 짝지어진 것은?

> His lecture was so _____. So I
> was _____.

① boring – bore　② bored – bored

③ boring – bored　④ bored – boring

⑤ bore – bored

확인문제 7-2

밑줄 친 부분을 알맞은 형태로 쓰시오.

> I was very <u>satisfy</u> with the movie's
> conclusion.

➡ _____

전략 ⑧ │ 분사구문

- 분사구문은 부사절에서 접속사와 주어를 생략하고, 동사를 <u>❶</u>로 바꾸어 부사구로 만든 것이다.
- 분사구문의 의미를 명확하기 하기 위해 <u>❷</u>를 함께 쓰기도 한다.
- 완료 분사구문: 「Having＋과거분사」

주절보다 이전에 일어난 일을 나타낼 때는 완료 분사구문을 쓴다.

Having lost her wallet, she couldn't buy the train ticket.
　　완료 분사구문　　　　　　　　　　　　과거

(← As she **had lost** her wallet, she couldn't buy the train ticket.)
　　　　　　대과거　　　　　　　　　　　　과거

- 수동태 분사구문: 「Being＋과거분사」, 「Having been＋과거분사」

수동적인 동작·상태를 나타내는 분사구문이다. 이때 주로 Being이나 Having been을 생략하고 <u>❸</u>로 시작한다.

(Being) Badly **injured**, he can't walk.

(← Because he **is** badly **injured**, he can't walk.)

(Having been) **Bought** 5 years ago, the jeans are out of fashion now.

(← As the jeans **were bought** 5 years ago, the jeans are out of fashion now.)

🔑 ❶ 분사 ❷ 접속사 ❸ 과거분사

필수예제

8. 다음 중 어법상 **어색한** 것은?

① Forgiven by her parents, she still feels sorry for them.
② Joining the dance club, you can learn how to dance.
③ Being Surprising, he turned around.
④ Before going to bed, she finished writing her letters.
⑤ It written in Latin, none of us could understand it.

Guide

주어와의 관계가 능동인지, 수동인지를 잘 살핀다. 능동일 때는 <u>❶</u>를 사용하고, 수동일 때는 과거분사를 사용한다.
③ '~한 감정을 느끼게 되는'으로 사람의 감정을 나타낼 때는 <u>❷</u>를 사용한다.

🔑 ❶ 현재분사 ❷ 과거분사

확인문제 8-1

빈칸에 들어갈 말로 알맞은 것은?

Since he has lived in Tokyo for six years, he knows many great places to visit. ➡ _____ in Tokyo for six years, he knows many great places to visit.

① Lives　　② Living
③ Lived　　④ Being lived
⑤ Having lived

확인문제 8-2

다음 문장을 분사구문으로 바꿔 쓰시오.

After he tried *gimchi*, he really loves it.

➡ _____

© norikko / shutterstock

2주 3일 필수 체크 전략 ②

1 다음 중 어법상 어색한 것은?

① Walking around the corner, I heard somebody play the piano beautifully.

② Impressed by his speech, I gave him a big hand.

③ After talking to you, I felt much better.

④ Seeing from a distance, it looked like a monster.

⑤ Having eaten so much, they were full.

2 빈칸에 들어갈 말로 어법상 어색한 것은?

> My grandmother _____ fast food for my health.

① told me not to eat

② advised me to quit

③ made me to quit

④ wanted me not to eat

⑤ helped me to stop eating

© Gena73 / shutterstock

3 밑줄 친 부분의 쓰임이 나머지 넷과 다른 것은?

① I made <u>it</u> a rule to keep a diary.

② <u>It</u> is hard for Mina to be a diplomat.

③ I found <u>it</u> difficult to go out with him.

④ He thought <u>it</u> impossible to finish the work on time.

⑤ He considered <u>it</u> best to say nothing about the matter.

4 우리말과 같은 뜻이 되도록 빈칸에 알맞은 것은?

> 나는 무엇을 해야 할지 몰랐으므로 침묵을 지켰다.
> ➡ _____ what to do, I kept silent.

① Knowing not ② Not known
③ Not knowing ④ Not being known
⑤ Not have known

> 부사절이 있는 문장으로 쓰면 Because I didn't know what to do, I kept silent.가 된다.

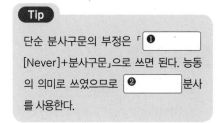

---

5 밑줄 친 부분의 쓰임이 〈보기〉와 다른 것은?

> • 보기 •
> A good teacher makes boring lessons interesting.

① A rolling stone gathers no moss.
② Magic is an exciting performance.
③ The woman sitting next to me had both arms in a cast.
④ The man writing a book is Chris.
⑤ He is fond of taking a walk before breakfast.

---

6 빈칸에 들어갈 말로 어색한 것은?

> I _____ it possible to achieve my dream.

① want ② think ③ believe
④ consider ⑤ find

2주 4일 교과서 대표 전략 ①

대표 예제 **1**

밑줄 친 부분이 어법상 **어색한** 것은?

① I'm planning to leave my cell phone at home.

② One of my main goals for the year is to learn about Korean culture.

③ Can you talk about plans to achieving your goals?

④ She takes a baking class to test her possible career.

⑤ Why do you want to learn how to bake?

개념 Guide

① 목적어로 쓰인 명사적 용법 ② 보어로 쓰인 명사적 용법 ③ plans 를 수식하는 **❶** 적 용법 ④ 목적의 부사적 용법 ⑤ 「**❷** +to부정사」

답 ❶ 형용사 ❷ 의문사

대표 예제 **2**

네모 안에서 어법상 알맞은 것을 고르고, 그 이유를 쓰시오.

I found a small notebook with some words writing / written on the cover.

정답: _____

이유: _____

_____

개념 Guide

some words가 cover 위에 **❶** 것이므로, 수동의 **❷** 가 필요하다.

답 ❶ 적힌[쓰인] ❷ 과거분사

대표 예제 **3**

우리말과 같은 뜻이 되도록 주어진 표현을 배열하여 분사 구문으로 완성하시오.

친절하고 사려 깊은 사람들이라서, 그들은 길을 잃은 소년이 부모를 찾는 것을 돕기 위해 멈췄다.

(stopped to help, kind and considerate, the lost boy, people, they, find his parents, being)

➡ _____

_____

개념 Guide

분사구문은 **❶** 와 주어가 생략되고 동사의 형태를 분사로 바꿔 쓰는 구문이므로 현재분사 **❷** 을 문장 맨 앞에 오게 한다.

답 ❶ 접속사 ❷ Being

대표 예제 **4**

다음 중 어법상 **어색한** 것은?

① I have always liked reading.

② I am planning to keep reading journals.

③ I'm thinking of watching the movie.

④ I will read books in different fields expand my horizons.

⑤ I'm considering doing volunteer work this weekend.

개념 Guide

① 동사 like의 목적어로 쓰인 동명사 ② 「keep+-ing」: 계속 ~하다 ③ 전치사의 **❶** 로 쓰인 동명사 ④ 목적을 나타내는 to부정사 ⑤ consider의 목적어로 쓰인 **❷**

답 ❶ 목적어 ❷ 동명사

대표 예제 5

다음 글을 읽고 물음에 답하시오.

Creative ① thinking was also behind Josephine Cochrane's invention of the modern dishwasher. Before her time, people ② used to place dishes in a dishwasher, add water, and let scrubbers ③ cleaning the dishes. There was a problem, though. The scrubbers sometimes badly ④ damaged dishes. Cochrane approached the process of ⑤ dishwashing differently. She used water itself — water pressure — instead of scrubbers.

(1) 밑줄 친 ①~⑤ 중, 어법상 틀린 것을 찾아 바르게 고쳐 쓰고, 그 이유를 쓰시오.

정답: _____ ➡ _____

이유: _____

(2) 밑줄 친 부분을 우리말로 해석하시오.

➡ _____

대표 예제 6

다음 글을 읽고 물음에 답하시오.

Club activities can relieve stress from schoolwork. They also help you meet people who share the same interests and (a) make it easier become friends with them. Moreover, some of these new friends may be students from the upper grades who (b) 어떻게 대해야 하는지 너에게 말해 줄 수 있는 classes and teachers.

(1) 밑줄 친 (a)에서 어법상 틀린 곳을 골라 바르게 고쳐 쓰시오.

_____ ➡ _____

(2) 밑줄 친 (b)의 우리말과 같은 뜻이 되도록 주어진 표현을 바른 순서로 배열하시오.

to, deal, with, can, you, tell, how

➡ _____

대표 예제 7

다음 중 어법상 옳은 것은?

① It was difficult unify the team since the players had different opinions.

② Lots of people enjoy riddles because they offer a chance think in fun ways.

③ Do not be afraid and try learning from them constantly.

④ Gutenberg's idea came from his knowledge about existing devices.

⑤ It is important keep learning in order to improve your creativity.

개념 Guide

①, ⑤ it 가주어 ~ to부정사 ❶ [   ] ② to부정사의 형용사적 용법
③ 「try+to부정사」: ~하려고 노력하다 「try+동명사」: 시험 삼아 ~
해 보다 ④ 전치사 뒤에는 ❷ [   ]

달 ❶ 진주어 ❷ 동명사

대표 예제 8

다음 문장을 분사구문으로 쓰시오.

Because I didn't know why he was upset, I couldn't say a word.

➡ _____

니제가 같으니까 단순분사구문으로 쓰면 돼.

개념 Guide

분사구문을 만들 때 주절의 주어와 종속절의 주어가 일치하므로 종속
절의 ❶ [   ]와 주어를 생략한다. 능동의 내용이면 ❷ [   ]가
문두에 온다. 부정 분사구문은 not을 분사 앞에 쓴다.

달 ❶ 접속사 ❷ 현재분사

대표 예제 9

다음 글을 읽고 물음에 답하시오.

Also, do not be afraid of _____ⓐ_____ (make) mistakes. When you do make mistakes, try _____ⓑ_____ (learn) from them. As Albert Einstein once said, "Anyone who has never made a mistake has never tried anything new." Most importantly, do not forget that creativity is based on knowledge and experience. 여러분은 계속해서 새로운 것을 배울 필요가 있다. That way, you will have the tools for creativity.

(1) 빈칸 ⓐ와 ⓑ에 괄호 안에 주어진 동사를 알맞은 형태로 쓰시오.

ⓐ _____   ⓑ _____

(2) 밑줄 친 우리말과 같은 뜻이 되도록 다음 표현을 활용하여 영작하시오. (필요한 경우 형태를 변형할 것)

need, keep, learn, things

➡ _____

개념 Guide

(1) ⓐ 전치사 다음에는 ❶ [   ]가 와야 한다. ⓑ '~하려고 노력하다'는 「try+to부정사」로 쓴다.
(2) need는 ❷ [   ]를, keep은 동명사를 목적어로 취한다.

달 ❶ 동명사 ❷ to부정사

대표 예제 10

밑줄 친 부분 중 어법상 <u>어색한</u> 것은?

① She had an <u>exciting</u> time flying in a hot air balloon.

② I was so <u>exhausted</u> that I collapsed on stage during the performance.

③ Let's talk about <u>interested</u> science facts.

④ History is <u>exciting</u> whereas math is boring.

⑤ I was <u>confused</u> by the teacher's explanation.

개념 Guide

감정을 나타내는 동사가 '~한 감정을 일으키는'의 뜻으로 쓰일 때는 ❶ 로, '~한 감정을 느끼게 되는'의 수동의 뜻을 가질 때는 ❷ 로 쓴다.

답 ❶ 현재분사 ❷ 과거분사

대표 예제 11

우리말과 같은 뜻이 되도록 다음 〈조건〉에 맞게 영작하시오.

무엇이 연을 날게 하는지 궁금해 한 적이 있는가?

조 건
- 9 단어로 쓸 것
- wonder, make, fly, ever를 포함할 것
- 현재완료 시제로 쓸 것

➡ _____

개념 Guide

'궁금해한 적이 있는가?'는 경험을 묻는 ❶ 시제로 Have you ever wondered ~?로 쓸 수 있고, '무엇이 연을 날게 하는지'는 사역동사 make를 사용하여 쓸 수 있다. 사역동사의 목적격보어 자리에 ❷ 가 온다는 점에 유의한다.

답 ❶ 현재완료 ❷ 원형부정사

대표 예제 12

(A), (B), (C)의 각 네모 안에서 어법에 맞는 표현으로 가장 적절한 것을 고르시오.

(A) Giving / Given a free ticket, I went to a concert of a famous choir. (B) Recognizing / Recognized as the best in the world, the choir sang one beautiful song after another. I closed my eyes and listened, (C) reminding / reminded myself of how music had healed my soul years ago.

(A) _____

(B) _____

(C) _____

© Getty Images Bank

개념 Guide

분사구문을 쓸 때 주어와 동사의 관계가 능동이면 ❶ 를, 수동이면 ❷ 를 사용한다. 과거분사 앞에는 Being이 생략된 형태이다.

답 ❶ 현재분사 ❷ 과거분사

교과서 대표 전략 ②

01 다음 중 어법상 <u>어색한</u> 것은?

① I helped her write down words in Korean.

② Social media makes me reach my friends anytime, anywhere.

③ Some thoughtless parents let their children ride bicycles without helmets.

④ As everyone watched her, I felt all my frustration turns to pity.

⑤ As I was leaving school, I heard someone come up behind me.

> **Tip**
> ① 준사역동사인 help는 목적격보어로 [❶   ] 또는 to부정사가 올 수 있다. ②, ③ 사역동사는 목적격보어로 원형부정사가 오고 ④, ⑤ 지각동사는 원형부정사나 [❷   ]가 온다.
> 🖪 ❶ 원형부정사 ❷ 현재분사

02 괄호 안에 주어진 동사를 빈칸에 알맞은 형태로 쓰시오.

> • She promised ____(1)____ (help) me prepare for the physics exam.
> • It is important to avoid ____(2)____ (hunt) endangered animals.

(1) _____

(2) _____

> **Tip**
> promise는 목적어로 [❶   ]를, avoid는 목적어로 [❷   ]를 취한다.
> 🖪 ❶ to부정사 ❷ 동명사

03 진주어를 찾아 쓰고, 문장을 우리말로 해석하시오.

> It is not easy to imagine yourself back in the 13th century.

진주어: _____

해석: _____

> **Tip**
> 주어진 문장의 it은 [❶   ]로 쓰였고, to부정사구가 [❷   ]이다.
> 🖪 ❶ 가주어 ❷ 진주어

04 빈칸에 들어갈 말로 알맞은 것은?

> She resigned from the company, _____ that she would look for a more challenging job.
>
>

① say

② says

③ saying

④ said

⑤ was said

> **Tip**
> 한 문장에 접속사나 관계사가 없으면 동사가 두 개 올 수 없으므로, 이런 경우 [❶   ]으로 쓰는 것이 자연스럽다. '말하면서'의 능동의 의미이므로, [❷   ]를 쓰는 것이 적절하다.
> 🖪 ❶ 분사구문 ❷ 현재분사

05 밑줄 친 부분이 어법상 <u>어색한</u> 것은?

① I found it difficult <u>to maintain</u> a healthy weight.

② I wasn't careful enough <u>to fall down</u> the stairs.

③ There are many <u>endangered</u> species such as the African elephant.

④ The planets are too far away for humans <u>to reach</u>.

⑤ I'm really looking forward <u>to try</u> a 3D printer myself.

> **Tip**
> ① 가목적어 It ~ [❶   ] to부정사 구문 ② ~ enough to부정사: ~하기에 충분히 …하다 ③ 수동의 의미로 명사를 수식하는 과거분사 ④ too ~ to부정사: 너무 ~해서 …할 수 없다 ⑤ look forward to + [❷   ]: ~을 기대하다, 고대하다
>
> 답 ❶ 진목적어 ❷ 동명사

06 밑줄 친 단어를 알맞은 형태로 쓰시오.

> The amount of lift needs to be equal to the amount of weight to allow a kite <u>remain</u> flying so that those forces balance each other.
>
> *lift 양력 weight 중력

➡ _____

> **Tip**
> 「allow+목적어+목적격보어」의 목적격보어 자리에는 [❶   ]가 오며 '~가 …하는 것을 [❷   ]'의 뜻이 된다.
>
> 답 ❶ to부정사 ❷ 허락하다

[07 ~ 08] 다음 글을 읽고 물음에 답하시오.

> Kevin proposed a new building ⓐ <u>designed</u> to resist heavy winds ⓑ <u>affecting</u> its area. He explained the proposal with his things ⓒ <u>spreading</u> out on the presentation table. The audience at first <u>팔짱을 낀 채로 그의 제안을 거부했다</u>. As time went on, however, they showed interest and accepted it.

07 윗글의 ⓐ, ⓑ, ⓒ 중 어법상 <u>어색한</u> 것을 찾아 바르게 고쳐 쓰고, 그 이유를 서술하시오.

정답: _____ ➡ _____

이유: _____

_____

> **Tip**
> 분사는 형용사처럼 쓰여 명사의 앞이나 [❶   ]에서 명사를 수식한다. 명사와의 관계가 능동·진행이면 [❷   ], 수동·완료이면 과거분사를 쓴다.
>
> 답 ❶ 뒤 ❷ 현재분사

08 윗글의 밑줄 친 우리말과 같은 뜻이 되도록 주어진 표현을 활용하여 영작하시오. (7단어, 필요한 경우 형태를 변형할 것)

> reject, proposal, with, fold

➡ _____

> **Tip**
> '팔짱을 낀 채로'는 with를 사용하여 표현할 수 있다. 명사와의 관계가 [❶   ]인 경우 현재분사를 사용하고, 수동인 경우 [❷   ]를 쓴다.
>
> 답 ❶ 능동 ❷ 과거분사

01 우리말과 같은 뜻이 되도록 주어진 표현을 알맞은 형태로 쓰시오.

> 그녀는 읽을 책을 샀다.
>
> ➡ She bought a book _____ (read).

02 네모 안에서 어법상 알맞은 것을 고른 후, 문장을 해석하시오.

> [Inspiring / Inspired] by the story, the director decided to make a movie.

정답: _____

해석: _____

03 빈칸에 알맞은 말이 바르게 짝지어진 것은?

> • Would you mind _____ some questions about yourself?
> • Try to avoid _____.

① to answer – to misunderstand

② answering – to misunderstand

③ to answer – misunderstanding

④ answering – misunderstanding

⑤ to answering – to misunderstanding

04 밑줄 친 부분의 설명이 잘못된 것은?

① Can we learn to think creatively like these famous inventors? (목적어로 쓰인 명사적 용법)

② Creative thinking is a skill, and we can improve it. (분사구문으로 쓰임)

③ To think more creatively, look for many possible answers, not just one. (목적의 부사적 용법)

④ Who can imagine Beethoven without his ability to play the piano? (his ability 수식)

⑤ Plastic is extremely slow to degrade and tends to float. (형용사 slow를 한정)

05 우리말과 같은 뜻이 되도록 주어진 표현을 알맞은 순서로 배열하여 문장을 완성하시오.

> 저에게 학교 뮤지컬 동아리에 지원할 이런 기회를 주신 데 대해 감사드리고 싶습니다.
>
> I'd like to / giving / this opportunity / to the school musical club / thank you for / me / to apply

➡ _____

_____

06 네모 안에서 어법상 알맞은 것을 고르시오.

> Heard / Hearing the alarm, he pressed the snooze button.

➡ _____

07 두 문장이 같은 뜻이 되도록 빈칸에 알맞은 것은?

> Because I had not prepared for the exam, I didn't get good grades.
> = _____ for the exam, I didn't get good grades.

① Not prepared

② Not preparing

③ Preparing not

④ Having not prepared

⑤ Not having prepared

[08~10] 다음 글을 읽고 물음에 답하시오.

> Do you know polite ways ⓐ to help someone who can't see? If you want to help them, first ask whether they need help. (to say / when / asking, / a chance / give them / yes or no). Don't touch or play with guide dogs. These dogs should focus on ⓑ guiding their owners and ⓒ to keep them safe. You're not supposed to distract the dogs. ⓓ Distracting the dogs can put their owners in danger.

08 윗글의 밑줄 친 ⓐ와 쓰임이 같은 것은?

① I have something to tell you.

② My dream is to become an astronaut.

③ These shoes are comfortable to wear.

④ I was happy to see you again.

⑤ She agreed to go to the theater.

09 윗글의 밑줄 친 ⓑ, ⓒ, ⓓ 중 어법상 어색한 것을 찾아 바르게 고쳐 쓰시오.

_____ ➡ _____

10 우리말과 같은 뜻이 되도록 윗글의 괄호 안의 표현을 바르게 배열하시오.

> 물어볼 때, 그들이 네, 아니요로 대답할 기회를 주세요.

➡ _____

창의·융합·코딩 전략 ①

A 다음 ⓐ와 ⓑ 중, 바르게 말한 사람을 고르시오.

> ⓐ Drive fast in the snow is dangerous.

> ⓑ Driving fast in the snow is dangerous.

Tip

동사는 ❶ [   ] 자리에 올 수 없고, 준동사인 to부정사 또는 ❷ [   ] 가 주어 자리에 올 수 있다.

답 ❶ 주어 ❷ 동명사

B 문장의 의미가 통하도록 알맞은 단어를 골라 문장을 완성하여 쓰시오.

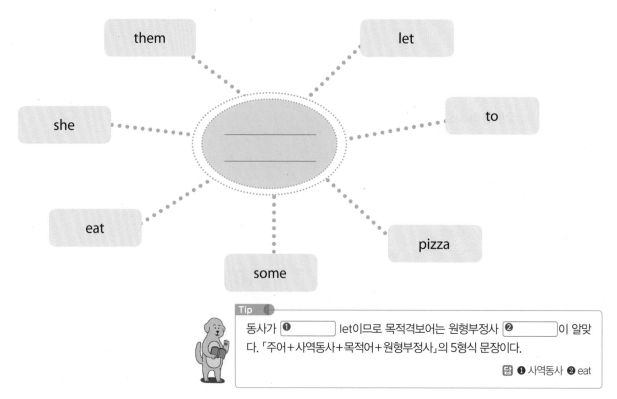

them

let

she

to

eat

pizza

some

Tip

동사가 ❶ [   ] let이므로 목적격보어는 원형부정사 ❷ [   ] 이 알맞다. 「주어+사역동사+목적어+원형부정사」의 5형식 문장이다.

답 ❶ 사역동사 ❷ eat

C 밑줄 친 ⓐ～ⓔ에 대해 잘못 설명한 사람은?

- ⓐ Helping needy people all day is not easy.
- The building is ⓑ collapsing suddenly.
- It is important ⓒ to close the bottle cap well.
- The security guard told the man ⓓ not to enter the hall.
- There is a young man ⓔ named Charles Dickens.

ⓒ의 to부정사는 진주어야.
이때 it을 가주어라고 해.

정인

ⓐ는 주어로 쓰인
동명사야. 동명사 주어는
단수 취급해.

소영

ⓑ는 동사의 진행형을
나타내는 현재분사야.
서술적 용법으로 쓰였다고
볼 수 있지.

미연

ⓔ ⓐ young man을
뒤에서 수식하는 과거분사야.
수동의 의미로 쓰였어.

지혜

ⓓ는 to부정사의
부정형으로, to부정사 앞에
not을 쓴 것이 틀렸어. to not
enter로 써야 해.

해석

윤아

> Tip
> to부정사의 부정은 **❶** [   ]이나 never를 to부정사 **❷** [   ]에 쓴
> 다. ⓐ 동명사와 ⓑ 현재분사의 형태가 같으므로 주의한다.
>
> 답 ❶ not ❷ 앞

D 그림을 보고, 빈칸에 알맞은 말을 〈보기〉에서 골라 바른 형태로 쓰시오.

> ● 보기 ●
> share　　wear　　bring　　look

　This bike ＿＿＿＿＿＿ awesome.

Yes. It's a ＿＿＿＿＿＿ bike. If you need a bike, you can use a bike-sharing system.　

　You need ＿＿＿＿＿＿ a helmet.

Oh, no. I forget ＿＿＿＿＿＿ my helmet.　

> **Tip**
>
> '~처럼 보이다'는 동사 look을 사용한다. '공유된 자전거'가 되어야 자연스러우므로 수동의 ❶ ＿＿＿＿＿ 형 형용사가 필요하다. need는 ❷ ＿＿＿＿＿를 목적어로 쓴다. '~ 할 것을 잊다'가 적절하므로 「forget＋to부정사」가 적절하다.
>
> 답 ❶ 과거분사 ❷ to부정사

E 밑줄 친 ⓐ～ⓔ에 관한 설명으로 <u>어색한</u> 것은?

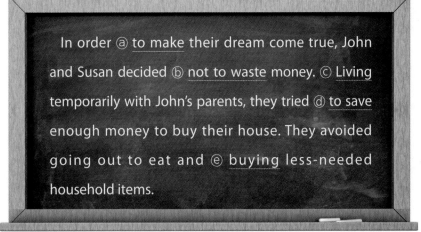

In order ⓐ <u>to make</u> their dream come true, John and Susan decided ⓑ <u>not to waste</u> money. ⓒ <u>Living</u> temporarily with John's parents, they tried ⓓ <u>to save</u> enough money to buy their house. They avoided going out to eat and ⓔ <u>buying</u> less-needed household items.

© guigaamartins / shutterstock

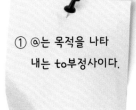

① ⓐ는 목적을 나타 내는 to부정사이다.

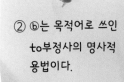

② ⓑ는 목적어로 쓰인 to부정사의 명사적 용법이다.

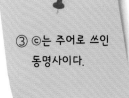

③ ⓒ는 주어로 쓰인 동명사이다.

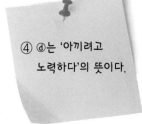

④ ⓓ는 '아끼려고 노력하다'의 뜻이다.

⑤ ⓔ는 avoid의 목적 어로 쓰인 동명사 이다.

© Edward, K / shutterstock

Tip

ⓒ ❶[＿＿＿＿]와 현재분사는 형태가 같지만, 문장에서의 쓰임은 다르다. 두 번째 문장에서 이어지는 주절에 주어와 동사가 있으므로, Living은 동명사 주어가 아니라 ❷[＿＿＿＿]의 분사이다.

답 ❶ 동명사 ❷ 분사구문

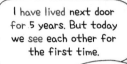

마무리 전략

강아지: 난 5년 동안 옆집에 살았어. 그런데 오늘 서로 처음 보는데.

고양이: 나도 널 한 번도 본 적 없어. 만나서 반가워.

강아지: 나랑 놀래?

고양이: 시간이 있다면 너랑 놀 텐데... 미안해.

강아지: 괜찮아. (하지만 내 마음 부서지네.)

문장의 5형식

1 S+V   2 S+V+SC

3 S+V+O   4 S+V+IO+DO

5 S+V+O+OC

과거시제 +

> yesterday, ago, last, when, 「in+연도」 등

현재완료 시제 +

> so far, just, already, yet, ever, never, before, 「since+ 과거 시점」, 「for+기간」 등

조동사

명령, 요구, 주장, 제안 등의 동사 뒤 that 절에서 당위성을 나타낼 때 「(should)+ 동사원형」

가정법 과거완료

> If+주어+had+p.p. ~, 주어+ 조동사의 과거형+have+p.p. ...

가정법 과거

> If+주어+동사의 과거형/were ~, 주어+조동사의 과거형+동사원 형 ...

조동사+have+p.p.

가능성이나 추측을 나타내는 조동사가 「조동사+have+p.p.」 형태로 쓰이면 과거 사실에 대한 추측, 후회, 유감

4형식 수동태

> 주어(IO)+be동사+p.p.+DO+by+ 행위자
>
> 주어(DO)+be동사+p.p.+전치사+ IO+by+행위자

5형식 수동태

> 주어(O)+be동사+p.p.+보어(OC) +by+ 행위자
>
> 주어(O)+be동사+p.p.+to부정사(OC) +by+행위자

GOOD JOB!

I saw a crying child on the street. I tried to find her parents, but I couldn't.

I didn't know what to do, so I was embarrassed.

Seeing her mother coming, I almost cried.

길에서 울고 있는 아이를 보았어.
아이의 부모를 찾으려 노력했는데 못 찾았어.
뭘 해야 하지 몰라서 당황했지.
아이 어머니가 오는 거 봤을 때, 난 거의 울 뻔 했지 뭐야.

목적어 to부정사

want, expect, decide, choose 등　+목적어 to부정사

목적어 동명사

finish, enjoy, mind, avoid 등　+목적어 동명사

목적격보어 to부정사

advise, expect, order, tell 등　+목적어+ 목적격보어 to부정사

현재분사와 과거분사
현재분사는 '~하는'의 능동, '~하고 있는'의 진행의 의미
과거분사는 '~되어진'의 수동, '~된'의 완료의 의미

목적격보어 원형부정사

지각동사 see, hear 등
사역동사 make, let 등　+목적어+ 목적격보어 원형부정사

감정을 나타내는 부사
'~한 감정을 일으키는'의 뜻으로 쓰일 때는 현재분사, '~한 감정을 느끼게 되는'의 수동의 뜻을 가질 때는 과거분사

분사구문
분사구문은 부사절에서 접속사와 주어를 생략하고 동사를 분사로 바꿔 부사구로 만든 것

GOOD JOB!

신유형·신경향·서술형 전략

1 〈예시〉와 같이 괄호 안의 표현을 활용하여 영작하시오.
(필요시 형태를 변형할 것)

그 관리자는 직원들이 발표를 준비하도록 했다.
(make, employees, presentation)

➡ The manager made the employees prepare for the
presentation.

(1)

그의 충고는 내가 나 자신을 되돌아보게 만들었다.
(make, reflect on, myself)

➡ _____

(2)

그들은 그녀가 그 나라를 떠나도록 내버려두지 않을 것
이다. (will, let, leave)

➡ _____

(3)

그 편지는 Tom이 자원봉사자가 되는 것에 지원하게
했다. (make, apply to, a volunteer)

➡ _____

> **Tip**
> ❶ [_____]가 쓰인 5형식 문장으로, 목적격보어 자리에
> 는 ❷ [_____]가 온다.
>
> 閏 ❶ 사역동사 ❷ 원형부정사

2 학교 생활의 중요한 규칙을 그림으로 나타낸 것이다.
그림을 보고 〈보기〉에서 적절한 표현을 골라 활용하여
조언을 완성하시오. (필요시 형태를 변형할 것)

> **보기**
> | be late for | get along with |
> | focus on | school |
> | class | classmate |

(1) It is important _____ .

(2) It is _____ .

(3) _____

> **Tip**
> 「It is important+❶ [_____] ~.」 문장은 to부정사
> 진주어 대신 가주어 ❷ [_____]을 문장 맨 앞에 둔 것이
> 다.
>
> 閏 ❶ to부정사 ❷ It

3 〈보기〉의 단어와 각 문항에 주어진 어법을 활용하여 영작하시오. (필요시 형태를 변형할 것)

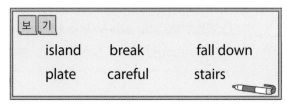

보 기

island　　break　　fall down

plate　　careful　　stairs

(1)

그 접시는 내 여동생이 깼다. (수동태)

➡ _____

(2)

만약 내가 새라면, 그 섬으로 날아갈 텐데. (가정법)

➡ _____

(3)

나는 계단에서 넘어졌다. 나는 좀 더 조심했어야 했다.
(조동사＋have p.p.)

➡ _____

> **Tip**
> (1) 수동태: be동사＋[❶ ＿＿＿] (2) 가정법 과거: If＋
> 주어＋동사의 과거형 / were ～, 주어＋조동사의 과거형
> ＋동사원형 … (3) 과거에 대한 후회, 유감: [❷ ＿＿＿]
> ＋have p.p.
>
> 답 ❶ 과거분사(p.p.) ❷ should

4 네모 안에서 어법상 적절한 것을 고르고, 그 이유를 쓰시오.

(1)

The percentage of females in 2016 was / were the same as that in 2017.

정답: _____

이유: _____

(2)

Watching these innocent children make / makes me more desperate than I thought.

정답: _____

이유: _____

> **Tip**
> (1) 「the percentage of＋[❶ ＿＿＿] 명사」는 단수
> 취급
> (2) 동명사 주어는 [❷ ＿＿＿] 취급
>
> 답 ❶ 복수 ❷ 단수

© Getty Images Bank

5 다음 문장을 분사구문으로 바꿔 쓰시오.

(1)
> I got on the bus, and I looked for an empty seat.

⬇

(2)
> When he heard that news, Andrew smiled brightly.

⬇

(3)
> Though he has been sick, he answers the phone call from his company.

⬇

> **Tip**
>
> 분사구문은 **❶**⬜⬜⬜와 주어를 생략하여 부사절을 **❷**⬜⬜⬜로 간단하게 만든다.
>
> 답 ❶ 접속사 ❷ 부사구

> 부사절의 시제가 주절의 시제보다 앞선 경우 완료 분사구문(Having+p.p.)을 쓴다는거 잊지 마.

6 미래 직업에 대한 충고를 하고자 한다. 〈보기〉에서 알맞은 표현을 골라 어법에 맞게 쓰시오.

> Q. What do you advise me to do for my future jobs?

(1) Jane
> I advise you _____ many books written from various perspectives.

(2)
> It would be useful _____ about future jobs online.

Yujin

Somi
> You should avoid _____ a decision on a future job too early.

> **• 보기 •**
>
> make　　research　　read

> **Tip**
>
> 동사에 따라 목적격보어 자리에 **❶**⬜⬜⬜와 원형부정사가 온다. / it 가주어, to부정사 진주어 구문의 쓰임을 확인한다. / 동사에 따라 목적어로 to부정사와 **❷**⬜⬜⬜를 취한다.
>
> 답 ❶ to부정사 ❷ 동명사

7 다음 문장을 수동태로 바꿔 쓰시오.

(1)

> They saw Nancy go out with her friends.
>
> ➡ _____
>
> _____

(2)

> The robber with a gun made the clerks lie on the floor.
>
> ➡ _____
>
> _____

(3)

> The boy wrote Mr. Song an apology letter.
>
> ➡ _____

8 다음 글을 읽고, 주어진 어법을 사용하여 밑줄 친 (A), (B), (C)의 우리말을 영작하시오.

> Whales are also really important after they die. (A) "whale fall"이라 불리는 사체는 sinks toward the bottom of the sea and becomes food for many fish species that live in the harsh conditions of the sea floor. In addition, the dead body is good for the environment. As it has a lot of carbon in it, (B) 바다 밑바닥(floor)에 가라앉음으로써, it keeps the carbon out of the atmosphere. According to marine scientists, the amount of carbon that whales take to the bottom of the sea is about 190,000 tons annually, which equals (C) 80,000대의 자동차에 의해 배출된 (produce) 탄소의 양.

(A) 분사 _____

(B) 동명사 _____

(C) 분사 _____

01 빈칸에 들어갈 말로 바르게 짝지어진 것은?

- A chocolate cake _____ for Susan by me.
- She _____ honest by her parents.

① was made – was believed
② was made – believed
③ made – was believed
④ made – believed
⑤ was making – believes

02 다음 중 어법상 <u>어색한</u> 것은?

① They have lived in this house for ten years.
② I saw him wandering in the street a few days ago.
③ I passed to the clerk my credit card last Wednesday.
④ My mom bought me a book about career choices when I was 12 years old.
⑤ The roof of the house was destroyed in a storm since Monday.

03 빈칸에 들어갈 말로 <u>어색한</u> 것은?

_____ the dolphins were swimming in groups in the ocean.

① A number of ② Most of
③ Two-fifths of ④ One of
⑤ Some of

04 우리말과 같은 뜻이 되도록 빈칸에 순서대로 알맞은 것끼리 짝지어진 것은?

- 그는 1등상을 받았음에 틀림없다.
  He _____ have won the first prize.
- 나는 그곳에 가지 말았어야 했다.
  I _____ have gone there.
- 그가 친구들에게 음식을 대접했을 리가 없다.
  He _____ have served food to his friends.

① should – must – can
② must – shouldn't – cannot
③ should – couldn't – may
④ could – should – cannot
⑤ must – couldn't – shouldn't

05 다음 중 어법상 <u>어색한</u> 문장의 개수는?

ⓐ She suggested to Airlines that nurses took care of passengers during flights.

ⓑ If Ann had invited me to her house, I would have visited her happily.

ⓒ If it were not for water, no living thing could survive.

ⓓ They requested that she join the tennis club in three days.

ⓔ Most of the students likes what they are familiar with.

① 1개　② 2개　③ 3개　④ 4개　⑤ 5개

06 다음 〈조건〉에 맞게 우리말을 영작할 때 4번째 오는 단어는?

고흐의 그림은 포스터, 엽서와 티셔츠로 끝없이 재생산되고 있다.

・조건・
1. 다음 표현을 활용할 것
   paintings, reproduce, endlessly, Gogh's
2. 현재완료 수동태로 쓸 것

① paintings　　② have
③ been　　　　④ reproduced
⑤ endlessly

（서술형）

07 네모 안에서 알맞은 것을 고르고 그 이유를 쓰시오.

Everybody in the room stayed　calm /
calmly　when the bell rang.

정답: _____

이유: _____

_____

（서술형）

08 괄호 안에 주어진 동사를 알맞은 형태로 쓰시오.

The dinosaurs _____ (exist) around 220 million years ago, and we know about them because their bones _____ (preserve) as fossils.

（서술형）

09 다음 〈조건〉에 맞게 우리말을 영작하시오.

> 바람이 그렇게 세지 않았다면, 우리는 밖에서 차를 마실 수 있었을 텐데.

> 조 건
>
> 1. 다음 표현을 활용할 것
>   the wind, strong, have tea, outside
> 2. 가정법 과거완료 문장으로 쓸 것
> 3. 14단어로 쓸 것

➡ _____

_____

（서술형）

10 네모 안에서 어법에 맞는 표현을 고르고, 문장을 해석하시오.

> The number 8 | has been regarded / has regarded | as the luckiest number in Chinese culture.

정답: _____

해석: _____

（서술형）

11 밑줄 친 문장에서 어색한 부분을 바르게 고쳐 쓴 다음, 해석하시오.

> The next morning I got up late and was late for school. <u>The homeroom teacher looked very strictly, and all my new classmates looked unfriendly.</u> Even worse, I brought the wrong textbooks and I could not concentrate in class because I had not slept enough.

정답: _____ ➡ _____

해석: _____

_____

（서술형）

12 우리말과 같은 뜻이 되도록 주어진 표현을 알맞은 순서로 배열하시오.

> 그가 그것을 했다면, 그는 벌 받지 않았을 텐데.
> (done / if / would / not / it / had / he / have / punished / been / he)

➡ _____

[13~14] 다음 글을 읽고 물음에 답하시오.

Suddenly, I remembered a pair of slippers that I ① have received as a present but had not used. A present ② can be a good way to communicate. The slippers could represent my suffering and at the same time ③ serve as a constant reminder to soften the sound of her steps. I'd teach her in this quiet way how to live with others as a considerate neighbor. I placed the slippers in an almost new gift bag and ④ added a small, used ribbon. Then I walked upstairs and rang the bell. No one answered. I could hear someone inside, so I waited. With her cooperation, I'd ⑤ have already delivered the gift along with a kind greeting such as, "We're neighbors, but we haven't exchanged hellos yet...." But now I was being made to wait.

13 윗글의 ①~⑤ 중, 어법상 <u>어색한</u> 것은?

①   ②   ③   ④   ⑤

(서술형)

14 윗글의 밑줄 친 부분이 어법상 어떻게 쓰였는지 서술하시오.

➡ _____

_____

[15~16] 다음 글을 읽고 물음에 답하시오.

"You are what you eat." That phrase is often used to (A) show / showing the relationship between the foods you eat and your physical health. But do you really know what you are eating when you buy canned foods, and packaged goods? Many of the manufactured products made today (B) contains / contain so many chemicals and artificial ingredients that it is sometimes difficult to know exactly what is inside them. Fortunately, now there are food labels. Food labels are 여러분이 먹는 식품에 관한 정보를 알아내는 좋은 방법. The main purpose of food labels (C) is / are to inform you what is inside the food you are purchasing.

* manufactured (공장에서) 제조된

(서술형)

15 윗글의 (A), (B), (C)의 각 네모 안에서 어법에 맞는 표현을 골라 쓰시오.

(A) _____   (B) _____   (C) _____

(서술형)

16 윗글의 밑줄 친 우리말과 같은 뜻이 되도록 주어진 단어들을 알맞은 순서로 배열하시오.

> to find / you / eat / the food / about / a good way / the information

➡ _____

_____

01 빈칸에 들어갈 말로 알맞은 것을 <u>모두</u> 고르면?

> Volunteering helps me _____ loneliness in two ways.

① reduce ② reduces

③ reduced ④ to reduce

⑤ reducing

02 다음 중 〈보기〉의 밑줄 친 부분과 쓰임이 같은 것은?

> • 보기 •
>
> I saw the girl <u>waving</u> her hand.

① He was tired of <u>waiting</u> in line.

② She enjoys <u>taking</u> pictures of flowers.

③ Do you mind my <u>turning</u> on the TV?

④ I found her <u>standing</u> in front of the door.

⑤ <u>Making</u> new friends is a little difficult for me.

03 빈칸에 들어가기에 <u>어색한</u> 것은?

> 68% of the respondents _____ to keep a promise that they return the money.

① decided ② expected

③ denied ④ wished

⑤ pretended

04 밑줄 친 ①~⑤ 중, 어법상 <u>어색한</u> 것은?

> There ① <u>is</u> the leopard seal which likes to have penguins for a meal. What is an Adélie to do? The penguins' solution is ② <u>to play</u> the waiting game. They wait and wait and wait by the edge of the water until one of them gives up and ③ <u>jumps in</u>. If the pioneer ④ <u>will survive</u>, everyone else will follow suit. If it ⑤ <u>perishes</u>, they'll turn away.
>
> *leopard seal 표범물개

①   ②   ③   ④   ⑤

05 다음 중 가주어·진주어 구문으로 영작할 때 필요 없는 것은?

> 우리가 정보와 관련된 맥락을 확인하는 것이 매우 중요하다.

① it   ② for   ③ to
④ identify   ⑤ identifying

06 다음 중 어법상 어색한 것을 모두 고른 것은?

> Behavioral ecologists ⓐ have observed clever copying behavior among many of our close animal relatives. One example was uncovered by behavioral ecologists ⓑ studied the behavior of a small Australian animal called the quoll. Its survival was being threatened by the cane toad, an invasive species ⓒ introducing to Australia in the 1930s. To a quoll, these toads look as tasty as they are poisonous, and the quolls who ate them ⓓ suffered fatal consequences at a speedy rate.
>
> *quoll 주머니 고양이
> cane toad 수수두꺼비

① ⓐ, ⓒ   ② ⓑ, ⓒ
③ ⓑ, ⓓ   ④ ⓐ, ⓑ, ⓒ
⑤ ⓑ, ⓒ, ⓓ

서술형

07 (A)와 (B)의 네모 안에서 어법에 맞는 표현을 고르고, 이 문장을 해석하시오.

> "Annie, what a great picture you've made! What is it?" What's wrong with this reaction to a child's drawing? You're obviously (A) interested / interesting , and it sounds (B) encouraged / encouraging to your ears. But this kind of praise can actually have the opposite effect.

➡ (A) _____   (B) _____

해석: _____

_____

서술형

08 우리말과 같은 뜻이 되도록 괄호 안에 주어진 표현을 알맞은 순서로 배열하시오.

> 소매상인들은 상품이 실제보다 싸다는 인상을 주기 위해 9로 끝나는 가격을 선택함으로써 이 착각을 이용해 왔다.

➡ Shopkeepers (prices / to give / have taken / this trick / by choosing / ending / advantage of / in a 9) the impression that a product is cheaper than it is.

➡ _____

_____

서술형

09 밑줄 친 부분을 분사구문으로 쓰시오.

The old man was pleased to see the young man again. He immediately noticed the young man's lack of energy and obvious unhappiness. <u>As he was concerned, he encouraged the young man to tell him what was on his mind.</u> The young man described his earlier frustrating attempts to find life satisfaction and how he had given up his search for it.

➡ _____

_____

서술형

10 괄호 안에 주어진 단어를 알맞은 형태로 쓰시오.

We needed a tool ___(A)___ (analyze) the data in the lab, but it was too expensive for us ___(B)___ (afford). So we agreed ___(C)___ (buy) a second-hand tool instead of a new one.

(A) _____

(B) _____

(C) _____

[11~12] 다음 글을 읽고 물음에 답하시오.

It was a sunny Monday morning in the spring of 1966. I was cruising down York Avenue (A) |looked / looking| for a customer, but with the beautiful weather, it was kind of slow. I had stopped at a light just opposite New York Hospital when I saw a (B) |well-dressed / well-dressing| man dashing down the hospital steps, 나에게 손을 흔들며. Just then, the light turned green, the driver behind me honked impatiently, and I heard a cop (C) |whistled / whistling|.

서술형

11 (A), (B), (C)의 각 네모 안에서 어법상 맞는 표현으로 가장 적절한 것을 골라 쓰시오.

(A) _____

(B) _____

(C) _____

서술형

12 위 글의 밑줄 친 우리말을 다음 〈조건〉에 맞게 영작하시오.

— 조건 —
1. 동사 wave를 포함하여 3단어로 쓸 것
2. 분사구문 형태로 쓸 것

➡ _____

[13~14] 다음 글을 읽고 물음에 답하시오.

You can say that information sits in one brain until it is communicated to another, (A) unchanging / unchanged in the conversation. That's true of sheer information, like your phone number or the place you left your keys. But it's not true of knowledge. Knowledge (B) relies / relying on judgements, which you discover and polish in conversation with other people or with yourself. Therefore you don't learn the details of your thinking until speaking or writing it out in detail and looking back critically at the result. Thinking (C) require / requires its expression.

13 윗글의 (A), (B), (C)의 각 네모 안에서 어법에 맞는 표현으로 가장 적절한 것은?

	(A)	(B)	(C)
①	unchanging	relies	require
②	unchanging	relying	require
③	unchanged	relies	requires
④	unchanging	relying	requires
⑤	unchanged	relies	require

(서술형)

14 윗글의 밑줄 친 부분을 우리말로 해석하시오.

➡ _____

_____

[15~16] 다음 글을 읽고 물음에 답하시오.

① <u>Born</u> in 1867 in Cincinnati, Ohio, Charles Henry Turner was an early pioneer in  the field of insect behavior. ② <u>Proceeded</u> with his study, Turner earned a doctorate degree in zoology. Even after receiving his degree, Turner was unable ③ <u>to get</u> a teaching or research position at any major universities, possibly as a result of racism. He moved to St. Louis and taught biology at Sumner High School, focusing on research there until 1922. Turner was the first person to discover that insects ④ <u>are</u> capable of learning, illustrating that insects can alter behavior based on previous experience. <u>He has died of cardiac disease in Chicago in 1923.</u> During his 33-year career, Turner published more than 70 papers. His last scientific paper ⑤ <u>was published</u> the year after his death.

* cardiac: 심장의

15 윗글의 밑줄 친 ①~⑤ 중, 어법상 어색한 것은?

①   ②   ③   ④   ⑤

(서술형)

16 윗글의 밑줄 친 문장에서 어색한 부분을 찾아 고쳐 문장을 다시 쓰시오.

➡ _____

Memo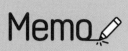

book.chunjae.co.kr

교재 내용 문의 ··················	교재 홈페이지 ▶ 고등 ▶ 교재상담	
교재 내용 외 문의 ·················	교재 홈페이지 ▶ 고객센터 ▶ 1:1문의	
발간 후 발견되는 오류 ············	교재 홈페이지 ▶ 고등 ▶ 학습지원 ▶ 학습자료실	

실력향상 필수학습!
고득점을 예약하자!

내신전략

고등 영어 문법

BOOK 2

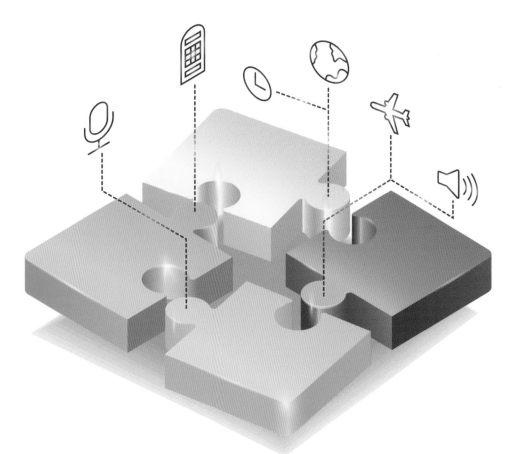

천재교육

내신전략

고등 영어 **문법**

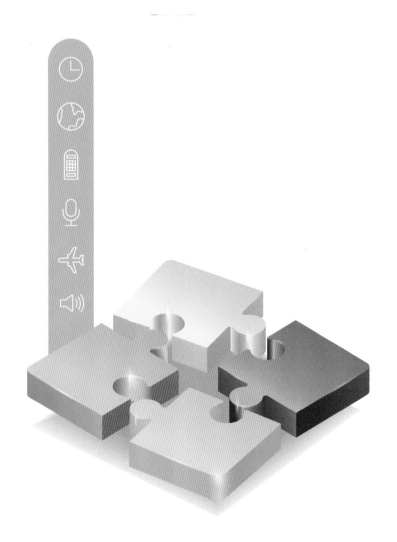

내신전략
고등 영어 문법

BOOK 2

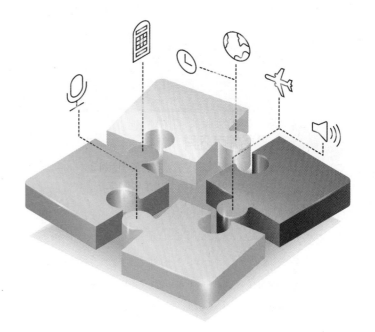

이 책의 구성과 활용

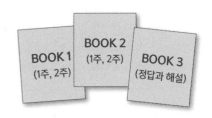

BOOK 1
(1주, 2주)

BOOK 2
(1주, 2주)

BOOK 3
(정답과 해설)

이 책은 3권으로 이루어져 있는데 본책인 BOOK 1·2의 구성은 아래와 같아.

도비라 1주·2주 + 1주·2주

이번 주에 배울 내용이 무엇인지 안내하는 부분입니다. 재미있는 만화를 통해 앞으로 공부할 내용을 미리 살펴봅니다.

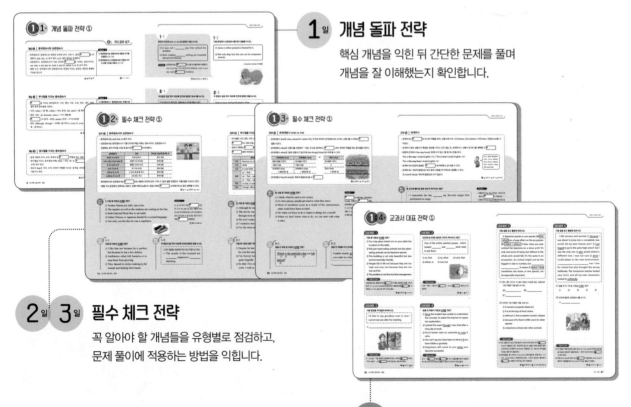

1일 개념 돌파 전략

핵심 개념을 익힌 뒤 간단한 문제를 풀며 개념을 잘 이해했는지 확인합니다.

2일 3일 필수 체크 전략

꼭 알아야 할 개념들을 유형별로 점검하고, 문제 풀이에 적용하는 방법을 익힙니다.

4일 교과서 대표 전략

교과서 문장으로 구성된 대표 유형의 문제를 풀어 볼 수 있습니다. 문제에 접근하는 것이 어려울 때는 '개념 Guide'를 참고할 수 있습니다.

주 마무리와 권 마무리의 특별 코너들로 영어 실력이 더 탄탄해 질 거야!

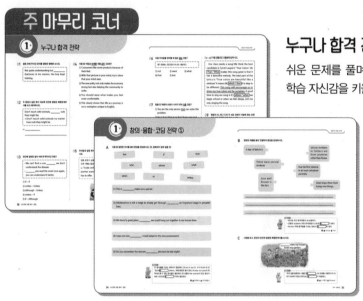

누구나 합격 전략

쉬운 문제를 풀며 공부한 내용을 정리하고
학습 자신감을 키울 수 있습니다.

창의·융합·코딩 전략

융복합적 사고력과 해결력을 길러 주는 문제를
풀며 한 주의 학습을 마무리합니다.

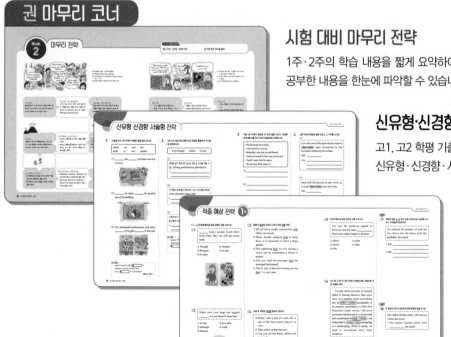

시험 대비 마무리 전략

1주·2주 학습 내용을 짧게 요약하여 2주 동안
공부한 내용을 한눈에 파악할 수 있습니다.

신유형·신경향·서술형 전략

고1, 고2 학평 기출 문장을 바탕으로 한
신유형·신경향·서술형 문제를 제공합니다.

적중 예상 전략

실제 시험에 대비할 수 있는 모의 실전
문제를 2회로 구성하였습니다.

이 책의 차례

1주 동사

- 문장의 형식
- 시제
- 조동사와 가정법
- 태

2주 준동사

- 부정사
- 동명사
- 분사
- 분사구문

권 마무리 코너

BOOK 2

1주 문장의 연결

- 등위접속사
- 종속접속사
- 관계대명사
- 관계부사

2주 다양한 구문

- 비교
- 간접의문문
- 강조
- 도치, 생략, 삽입

권 마무리 코너

1주 문장의 연결

접속사　등위접속사

healthy　smart

He is healthy **and** smart.
낱말　등위접속사　낱말

by day　by night

She worked by day **and** by night.
구　등위접속사　구

blew his whistle

made the car stop

The police officer blew his whistle **and**
절　　　　　　　　　등위접속사
he made the car stop.
절

부사절을 이끄는 종속접속사

I was vacuuming **when** you called me.
주절　　　　종속접속사　　종속절

Unless you study hard, you can't get good grades.
종속접속사　　종속절　　　　　　　주절

명사절을 이끄는 종속접속사

I think **that** he is a thief.
주절　종속접속사　종속절

등위접속사는 낱말과 낱말, 구와 구, 절과 절 등 문법적으로 대등한 관계가 있는 것을 연결합니다.

종속접속사는 주절과 그에 종속되는 종속절을 연결해 주는 접속사입니다. 종속접속사는 부사절을 이끄는 접속사와 명사절을 이끄는 접속사가 있습니다.

관계사 관계대명사 who, which, that ...

This is my friend. My friend is very brave.

This is my friend **who** is very brave.
선행사 　관계대명사
관계사절
선행사를 꾸며 주는 형용사 역할을 하는 형용사절

관계대명사 who, which, that 등은 앞에 나온 명사(선행사)에 관한
정보를 추가하는 형용사 역할을 하는 절을 이끕니다.

관계대명사 what

This is the thing. That loves me.

This is ▮▮▮ **what** loves me.
선행사 없음 　관계대명사
관계사절
is의 보어 역할, 즉 명사절로 쓰인 관계사절

관계대명사 what은 그 자체로 선행사를 포함하고 있어서
명사의 역할을 하는 절을 이끕니다.

관계대명사

This is the house **which** my parents rebuilt.
선행사 　관계대명사 　주어 　동사
관계사절

관계대명사가 이끄는 절은 문장의 필수 성분이
갖춰지지 않은 불완전한 절입니다.

관계부사

This is the house **where** my parents spent most of their time.
선행사 　관계부사 　주어 　동사 　목적어
관계사절

This is the house **in which** my parents spent most of their time.
선행사 전치사+관계대명사 　주어 　동사 　목적어

관계부사가 이끄는 절은 문장의 필수 성분이
모두 갖춰진 완전한 절입니다.

개념 돌파 전략 ①

개념 짚어 보기

개념 ❶ │ 등위접속사와 상관접속사

- 등위접속사: 문법적으로 대등한 단어와 단어, 구와 구, 절과 [❶⬜⬜⬜]을 연결한다. and, but, or 등이 있다. so는 절과 절만을 연결한다.
- 상관접속사: 등위접속사가 다른 단어와 [❷⬜⬜⬜]을 이루는 접속사이다. not only A but also B, both A and B, either A or B 등이 있다.
- 병렬 구조: 등위접속사와 상관접속사로 연결된 어구는 문법상 대등한 형태와 기능을 갖는다.

Quiz 1

(1) 등위접속사는 문법적으로 대등한 어구를 연결한다. (○ / ✕)

(2) 등위접속사나 상관접속사로 연결된 어구는 병렬 구조를 이룬다. (○ / ✕)

🔲 ❶ 절 ❷ 짝

🔲 (1) ○ (2) ○

개념 ❷ │ 부사절을 이끄는 종속접속사

- [❶⬜⬜⬜]을 이끄는 종속접속사: 시간, 원인, 이유, 조건, 양보, 대조, 목적, 결과 등의 종속절을 이끈다.
- 시간: when (~할 때), while (~하는 동안), till, until (~할 때까지)
- 원인, 이유: as, because, since (~이기 때문에)
- [❷⬜⬜⬜]: if (만약 ~라면), unless (만약 ~이 아니라면)
- 양보: although, though (~임에도 불구하고), even if, even though (비록 ~일지라도)

Quiz 2

(1) (등위접속사 / 종속접속사)는 주절과 종속절을 연결한다.

(2) 종속접속사에는 명사절을 이끄는 것과 (형용사절 / 부사절)을 이끄는 것이 있다.

부사절은 문장에서 부사 역할을, 명사절은 명사 역할을 하는 거야.

🔲 ❶ 부사절 ❷ 조건

🔲 (1) 종속접속사 (2) 부사절

개념 ❸ │ 명사절을 이끄는 종속접속사

- 문장 내에서 주어, 보어, 목적어 등 [❶⬜⬜⬜] 역할을 하는 절을 이끈다.
- 명사절을 이끄는 종속접속사에는 that (~라는 것), if, [❷⬜⬜⬜] (~인지 아닌지) 등이 있다.
- 접속사 that은 주어, 보어, 목적어 역할뿐 아니라. 동격을 나타내는 명사절을 이끌기도 한다.

Quiz 3

(1) 접속사 that이 이끄는 절은 (명사절 / 부사절)이다.

(2) 명사절은 문장에서 주어, 보어, (목적어 / 서술어)로 쓰일 수 있다.

🔲 ❶ 명사 ❷ whether

🔲 (1) 명사절 (2) 목적어

1-1

문장의 빈칸에 and, or, but 중 알맞은 것을 쓰시오.

(1) It was not I _____ you that solved the problem.

(2) Both reading _____ writing are essential elements for literacy.

Guide 상관접속사는 ❶ [   ]와 다른 단어를 함께 사용한다. not A but B는 'A가 아니라 B'의 의미이고, both A and B는 'A와 B ❷ [   ]'의 의미이다.

답 ❶ 등위접속사 ❷ 둘 다

1-2

다음 문장에서 상관접속사를 찾아 밑줄을 치시오.

(1) James is either praised or blamed for it.

(2) Not only dogs but also cats can be companion animals.

companion animals 반려동물

2-1

우리말과 같은 뜻이 되도록 빈칸에 알맞은 접속사를 쓰시오.

만약 허락 받지 못한다면, 박물관에서 사진을 찍을 수 없다.
You can't take a picture in the museum _____ you get permission.

Guide '~하지 않으면'의 뜻을 가진 종속접속사는 ❶ [   ]이다. if ~ not과 같은 의미이므로, ❷ [   ] you don't get permission으로도 바꿔 쓸 수 있다.

답 ❶ unless ❷ if

2-2

두 문장이 같은 뜻이 되도록 빈칸에 알맞은 말을 쓰시오.

Start at once, and you'll arrive in time.
= _____ you start at once, you'll arrive in time.

permission 허락

3-1

빈칸에 들어갈 말로 알맞은 것은?

I'm not sure _____ he is in class now or not.
① whether   ② as   ③ that

Guide 이어진 or not으로 보아 '~인지 아닌지'의 의미를 가진 ❶ [   ]가 와야 한다. 종속접속사가 이끄는 절이 I'm not sure의 ❷ [   ]로 쓰였다.

답 ❶ whether ❷ 목적어

3-2

괄호 안에서 알맞은 것을 고르시오.

Some scientists believe (as / that) certain animals use a type of language.

개념 짚어 보기

개념 ④ | 접속사 vs. 전치사

• 접속사 vs. 전치사: 접속사 뒤에는 「주어+❶ [　　] 」 형태의 절이 이어지고, ❷ [　　] 뒤에는 명사나 대명사, 혹은 그를 대신할 구가 이어진다.

	전치사	접속사
시간 (~하는 동안)	during, for	while
원인, 결과 (~ 때문에)	because of, due to, owing to	because, as, since, now that
양보 (~에도 불구하고)	despite, in spite of	though, although

답 ❶ 동사 ❷ 전치사

Quiz 1

(1) 전치사 뒤에는 (명사구 / 명사절)가[이] 온다.
(2) 접속사 뒤에는 (명사구 / 명사절)가[이] 온다.

답 (1) 명사구 (2) 명사절

개념 ⑤ | 관계대명사

• 관계대명사는 두 문장을 이어주는 ❶ [　　] 와 대명사의 역할을 동시에 한다.
• 선행사(사람/사물)와 격(주격, 소유격, 목적격)에 따라 다른 관계대명사를 쓴다.

선행사 ＼ 격	주격	소유격	목적격
사람	who	whose	who(m)
사물	which	whose/of which	which
사람/사물	that	–	that

• 관계대명사는 일반적으로 선행사 뒤에 와서 '~하는, ~한'의 의미로 선행사를 직접 수식하는 ❷ [　　] 절로 쓰인다.

답 ❶ 접속사 ❷ 형용사

Quiz 2

(1) 관계대명사는 접속사와 _____의 역할을 동시에 한다.
(2) 선행사가 사람이고, 소유격을 나타낼 때의 관계대명사는 _____를 쓴다.

답 (1) 대명사 (2) whose

개념 ⑥ | 관계부사

• 관계부사는 접속사와 ❶ [　　] 의 역할을 동시에 한다.
• 시간, 장소, 이유, 방법을 나타내는 선행사에 따라 관계부사가 다르게 쓰이며, 관계부사는 「❷ [　　] +관계대명사」로 바꿔 쓸 수 있다.

	선행사	관계부사	전치사 + which
시간	the time, the day 등	when	in, at, on+which
장소	the place 등	where	in, at, on+which
이유	the reason	why	for which
방법	the way	how	in which

답 ❶ 부사 ❷ 전치사

Quiz 3

(1) 관계부사는 접속사와 _____의 역할을 동시에 한다.
(2) 장소를 나타내는 선행사가 오면 관계부사는 _____을 쓴다.

방법의 관계부사는 선행사나 관계부사 둘 중 하나를 생략하고 사용해. 즉 the way how 를 같이 쓰지 않아.

답 (1) 부사 (2) where

4-1

괄호 안에서 알맞은 것을 고르시오.

No food will be sold (because / because of) it might spoil in the hot weather.

Guide 괄호 뒤에 이어지는 것이 it might spoil ~로 주어와 동사를 갖춘 **❶** ☐ 이므로, 접속사가 와야 한다. 의미는 '**❷** ☐ '이다.

閏 ❶ 절 ❷ ~때문에

4-2

밑줄 친 부분을 어법에 맞게 고쳐 쓰시오.

Even though his serious illness, he is still energetic and active.

➡ _____

energetic 원기왕성한

5-1

빈칸에 들어갈 말로 알맞은 것은?

We purchased two tickets _____ came to a total of $44.

① who ② which ③ of which

Guide **❶** ☐ 는 two tickets이고 빈칸 뒤에 바로 동사가 왔으므로, 사물의 주격 관계대명사 **❷** ☐ 나 that이 필요하다.

閏 ❶ 선행사 ❷ which

5-2

생략된 목적격 관계대명사를 바른 위치에 써 넣으시오.

Childhood friends you've known forever are really special.

6-1

괄호 안에서 알맞은 것을 고르시오.

The bathroom is the place (where / when) bacteria thrive easily.

Guide 선행사가 the place로 **❶** ☐ 를 나타내고 있으므로 관계부사 where가 와야 한다. 관계부사 뒤에는 문장의 필수 성분을 다 갖춘 완전한 **❷** ☐ 이 온다는 것에 유의한다.

閏 ❶ 장소 ❷ 절

6-2

우리말과 같은 뜻이 되도록 주어진 표현과 관계사를 이용하여 영작하시오.

네가 어제 결석한 이유를 내게 말해 보아라.
(the reason, absent)

➡ _____

thrive 번성하다, 잘 자라다

1주 1일 개념 돌파 전략 ②

Example

- **Not only** professionals **but also** non-designers use that program.

  → not only A but also B = B as well as A 이때 동사의 수는 B 와 **❶** 시킨다.

- You have to open the door **not** by pushing **but** by pulling here.

  → 상관접속사 앞뒤로 연결된 어구는 문법적으로 대등한 형태로 와서 **❷** 를 이룬다.

답 ❶ 일치 ❷ 병렬 구조

1

괄호 안에서 알맞은 것을 고르시오.

(1) The film was (either / neither / not) well made nor well acted.

(2) The news was not only exciting but also (shocked / shocking / to shock).

© Getty Images Bank

Example

- **If** you want to have a lot of energy tomorrow, you need to spend a lot of energy today.

  → if가 이끄는 **❶** 의 부사절이다. '~한다면'의 의미이다.

- **Though** we are all experienced shoppers, we are still fooled.

  → though는 '~에도 불구하고'의 양보를 나타내는 부사절을 이끌며, 종속절과 주절의 내용이 **❷** 이다.

답 ❶ 조건 ❷ 반대

2

다음을 우리말로 해석하시오.

He drew in a deep breath before he appeared in front of the audience.

➡ _____

Example

- **Whether** you succeed or fail depends on your effort.

  → 접속사 whether가 이끄는 **❶** 이 문장의 주어로 쓰였다. '네가 성공할지 실패할지'의 의미이다.

- The serious problem is **that** nobody takes responsibility for the accident.

  → 접속사 that이 이끄는 명사절이 문장의 **❷** 로 쓰였다.

답 ❶ 명사절 ❷ 보어

3

다음 문장에서 접속사를 찾아 밑줄 치고, 목적어로 쓰인 명사절에 [ ] 표시하시오.

(1) He pointed out that we had to fix the projector before the meeting.

(2) You have to check if they are based on facts.

Example

- **Although** the wind was blowing hard, it wasn't cold.
  → although는 양보의 부사절을 이끄는 **❶** [　　] 로, 뒤에는 「주어+동사」의 절이 이어진다.

- **Despite** his best efforts over many months, he couldn't do it.
  → despite는 '~에도 불구하고'라는 뜻의 **❷** [　　] 로, 뒤에 명사구 his best efforts가 이어진다.

답 ❶ 종속접속사 ❷ 전치사

4

빈칸에 알맞은 말을 〈보기〉에서 골라 쓰시오. (대·소문자 변형)

┌ • 보기 •
│   during   while   because   because of
└

┌
│ _____ my mother, my journey to independence was completed _____ my childhood.
└

independence 독립

Example

- Most of the things **that** could improve the situation were out of the students' control.
  → 선행사가 -thing(s)로 끝날 때는 관계대명사 **❶** [　　] 을 사용한다.

- There is strict discipline (**that**) we cannot follow.
  → 주격 관계대명사는 생략할 수 없고, 목적격 관계대명사는 생략이 **❷** [　　] 하다.

답 ❶ that ❷ 가능

5

우리말과 같이 뜻이 되도록 알맞은 순서로 배열하시오.

┌
│ 심장이 멎은 사람은 죽은 것으로 간주된다.
│ (has stopped / whose / is considered / a man / heart / dead)
│ ➡ _____
└

Example

- Some buildings **where** the ground was weak were destroyed by an earthquake.
  → 장소를 나타내는 선행사 some buildings가 왔으므로 **❶** [　　] where이 필요하다. 관계부사 뒤에는 완전한 절이 온다.

- I want to know **the reason** such a long delay has happened.
  → the reason 뒤에 관계부사 **❷** [　　] 가 생략된 형태이다. 일반적으로 선행사나 관계부사 중 하나를 생략할 수 있다.

답 ❶ 관계부사 ❷ why

6

괄호 안에서 알맞은 것을 고르시오.

┌
│ The internet is a space (which / where) anybody can make new forms of social interaction.
└

interaction 상호 작용

© nmedia / shutterstock

1주 2일 필수 체크 전략 ①

- 등위접속사는 and, but, or 등이 있다.
- 상관접속사는 등위접속사가 다른 단어와 짝을 이루는 접속사이다. 상관접속사가 연결하는 말이 주어로 쓰일 때 동사의 [❶]에 유의한다.

상관접속사	의미	주어로 쓰일 때 동사의 수
both A and B	A와 B 둘 다	복수 취급
not only A but also B	A뿐만 아니라 B도	B에 맞춤
A as well as B	B뿐만 아니라 A도	A에 맞춤
not A but B	A가 아니라 B	B에 맞춤
either A or B	A 또는 B 둘 중 하나	B에 맞춤
neither A nor B	A도 B도 아닌	B에 맞춤

- 등위접속사와 상관접속사는 [❷]으로 대등한 단어와 단어, 구와 구, 절과 절을 연결한다. 이를 병렬 구조라고 한다.
- 병렬 구조 문장에서 반복되는 조동사, 진행시제의 be동사나 완료시제의 [❸], to부정사의 to 등은 생략될 수 있다.

📋 ❶ 수 ❷ 문법적 ❸ have

필수 예제

1. 다음 중 어법상 어색한 것은?

① Neither Simon nor Sally can swim.
② The teacher as well as the students are waiting in the line.
③ Both Dad and Mom like to eat sushi.
④ Either Chinese or Japanese should be a second language.
⑤ Not only you but also he was a superhero.

Guide

①, ④, ⑤ B의 수에 [❶] 시킨다. ② A as well as B는 'B뿐만 아니라 A도'의 의미이므로, A의 수에 일치시킨다. ③ both A and B는 '둘 다'의 의미로 [❷] 취급한다.

📋 ❶ 일치 ❷ 복수

© gresei / shutterstock

확인 문제 1-1

다음 중 어법상 어색한 것은?

① I like him not because he is perfect but because he has a few defects.
② Antibiotics either kill bacteria or to stop them from growing.
③ They danced in circles making joyful sounds and shaking their hands.

확인 문제 1-2

우리말과 같은 뜻이 되도록 빈칸에 알맞은 말을 쓰시오.

> 그 연구 결과는 인상적이기도 하고 두렵기도 하다.
> → The results of the research are _____ impressive _____ alarming.

전략 ❷ | 부사절을 이끄는 종속접속사

- 부사절은 시간, 원인, 이유, 조건, 양보, 대조, 목적, 결과 등의 의미를 나타내며 주절의 [❶]이나 뒤에 쓰일 수 있다. 주절의 앞에 올 때는 콤마(,)로 연결한다.
- 접속사 뒤에는 [❷]이 이어지고, 비슷한 의미의 전치사 뒤에는 명사나 [❸] 등이 이어진다.

8쪽의 기본적인 종속접속사 외에 다음 종속접속사도 익혀 보자.

	종속접속사	의미	전치사 또는 to부정사 사용 표현
이유	because, as, since, now that	~ 때문에	because of, due to, owing to+명사
시간	while	~하는 동안	during+명사
조건	in case (that)	~할 경우에는	in case of+명사
결과	so ~ that ...	매우 ~해서 …하다	
	so ~ that ... can	매우 ~해서 …할 수 있다	enough+to부정사
	so ~ that ... can't	매우 ~해서 …할 수 없다	too ~ to부정사
목적	so that, in order that	~하기 위해	in order+to부정사
양보	though, although	비록 ~지만, ~에도 불구하고	despite, in spite of+명사

🔑 ❶ 앞 ❷ 절 ❸ 대명사

필수 예제

2. 다음 중 어법상 **어색한** 것은?

① Although he was poor, Mark has received a fair education.
② The movie was so frightening that I had to close my eyes through most of it.
③ We won't make the deadline unless we don't work harder.
④ I wanted to have evidence in case something happened.
⑤ Fry the onion under low heat so that it becomes soft.

Guide

① although: ~에도 불구하고 ② so ~ [❶] ...: 너무 ~해서 …하다
③ unless는 '~하지 [❷]'의 의미이며, if ~ not으로 바꿔쓸 수 있다.
④ in case: ~한 경우에 ⑤ so that: ~하기 위해

🔑 ❶ that ❷ 않으면

확인 문제 2-1

다음 중 어법상 옳은 것은?

① Despite he had trouble with his leg, he won the race.
② I'm forever losing things since I'm quite forgetful.
③ So that I live only a few blocks from work, I walk to work.

확인 문제 2-2

괄호 안에서 알맞은 말을 고르시오.

(During / While) this period, people have worked for more than eighty hours a week.

전략 ❸ | 명사절을 이끄는 종속접속사

- 접속사 that이 이끄는 명사절
  - '~라는 것'의 의미로 주어절, 보어절, 목적어절을 이끈다. 목적어로 쓰인 that절에서 that은 생략이 [❶　　　]하다.
  - 주어 또는 목적어로 쓰인 that절은 가주어나 가목적어를 사용하여 '[❷　　　] ~ that절'로 쓸 수 있다.

    It is interesting [**that** he didn't know the fact].
    가주어　　　　　　　　　　　진주어
  - 동격의 that절은 바로 앞 명사를 설명하여 '명사 = that절'의 관계가 성립한다.

    동격을 이끄는 접속사 that은 생략할 수 없다.

    The news [**that** the building had collapsed] was a shock to her.
    └　＝　┘동격의 that절

가주어 it, 진주어 to부정사 구문과 비슷하지? to부정사 대신 진주어에 절이 올 때 가주어 it, 진주어 that절 구문을 쓰는 거야.

- 접속사 whether, if가 이끄는 명사절
  - whether는 '~인지 아닌지'의 의미로 주어절, 보어절, 목적어절을 이끈다. 뒤에 **or not**을 함께 쓰기도 한다.
  - 명사절을 이끄는 if는 whether와 의미가 같으나, [❸　　　]절만 이끈다.

답 ❶ 가능 ❷ it ❸ 목적어

필수예제

3. 다음 중 밑줄 친 <u>that</u>의 쓰임이 다른 것은?

① He argued <u>that</u> chewing gum prevented sleepiness.
② The point is <u>that</u> we have to handle the issue immediately.
③ I know <u>that</u> the story is not real.
④ <u>That</u> he passed the test was surprising.
⑤ The belief <u>that</u> everybody is equal spread quickly.

Guide

①, ③ 목적어절을 이끄는 접속사 that
② [❶　　　]절을 이끄는 접속사 that ④ 주어절을 이끄는 접속사 that
⑤ [❷　　　]절을 이끄는 접속사 that / the belief = that everybody is equal

답 ❶ 보어 ❷ 동격

확인문제 3-1

빈칸에 들어갈 말로 알맞은 것은?

I can't accept the fact _____ he's dead.

① that　　② whether　　③ if
④ so that　　⑤ as

확인문제 3-2

우리말과 같은 뜻이 되도록 빈칸에 알맞은 말을 쓰시오.

당신이 여성인지 남성인지는 중요하지 않다.
➡ _____ you are a female or a male is not important.

전략 ④ | 관계대명사

- 제한적 용법의 관계대명사는 앞에 나온 선행사를 수식하며, '~한, ~하는'으로 해석한다. 이때 관계대명사는 형용사 역할을 하는 **❶**□□□□ 을 이끈다.

There are many children [**who** suffer from hunger].
　　　　　　선행사　　　↶　　　　형용사절

- 계속적 용법의 관계대명사 앞에는 콤마(,)를 쓰며, 선행사를 보충 설명한다.

- 목적격 관계대명사 who(m), which, that과 「주격 관계대명사+be동사」는 생략할 수 **❷**□□□ .

- 관계대명사가 전치사의 목적어일 경우, 전치사는 관계대명사 **❸**□□□ 에 오거나 관계사절의 끝에 올 수 있다.

「전치사+관계대명사」의 형태로 쓸 때 관계대명사는 생략할 수 없다.

The boy **whom** I had dinner **with** yesterday was Jamie.
= The boy **with whom** I had dinner yesterday was Jamie.

> 계속적 용법으로 쓰일 때는 관계사 앞의 절부터 해석하고, 뒤의 절은 그 뒤에 이어서 해석해.

답 ❶ 형용사절 ❷ 있다 ❸ 앞

필수예제

4. 다음 중 어법상 <u>어색한</u> 것은?

① This is the house which the notorious murder suspect lives in.
② Other small efforts we make everyday can make a difference.
③ The money that I left on the table has disappeared.
④ I'm reading a book about a German man, who helped Jews during the Second World War.
⑤ I have a friend who family is from Japan.

© Getty Images Bank

Guide

① 전치사가 관계대명사절 끝에 왔다. ② small efforts 뒤에 목적격 관계대명사가 **❶**□□□ 되어 있다. ③ 목적격 관계대명사 that이다. ④ 계속적 용법의 주격 관계대명사 who이다. ⑤ '그의 가족'이라는 의미가 되어야 자연스러우므로, who를 소유격 관계대명사 **❷**□□□ 로 수정한다.

답 ❶ 생략 ❷ whose

확인문제 4-1

빈칸에 들어갈 말로 알맞은 것은?

> He was absent from work without permission, _____ made the boss angry.

① who　　② which　　③ in which
④ what　　⑤ it

확인문제 4-2

빈칸에 알맞은 관계대명사를 쓰시오.

> Abraham was named after Abraham Lincoln, _____ was a president of the USA from 1861 to 1865.

1주 2일 필수 체크 전략 ②

1 빈칸에 들어갈 말로 바르게 짝지어진 것은?

> Motivation not only _____ the final behaviors that bring a goal closer _____ creates willingness to expend time and energy on preparatory behaviors.

① drives – but also   ② drives – as

③ drive – and   ④ drives – or

⑤ drive – but

Words

motivation 동기 부여   behavior 행동   willingness 의지   expend (시간, 에너지를) 쓰다, 들이다
preparatory 준비를 위한

Tip

not only A but (also) B: A뿐만 아니라 B도 역시 / 상관접속사로 이어지는 어구는 [❶_____]으로 동일해야 한다. 두 번째 빈칸 뒤에 이어진 동사 creates로 보아, 3인칭 단수 [❷_____]의 형태가 이어짐을 알 수 있다.

답 ❶ 문법적 ❷ 동사

---

2 밑줄 친 if의 쓰임이 어법상 같은 것끼리 묶인 것은?

> ⓐ If I can afford it, I'll buy something for her.
> ⓑ I wonder if my children get along with their friends.
> ⓒ It is not clear if the game will be cancelled because of rain.
> ⓓ A dog owner is responsible if his or her dog bites and injures someone.

① ⓐ, ⓑ – ⓒ, ⓓ   ② ⓐ, ⓒ – ⓑ, ⓓ   ③ ⓐ, ⓓ – ⓑ, ⓒ

④ ⓐ, ⓒ, ⓓ – ⓑ   ⑤ ⓐ – ⓑ, ⓒ, ⓓ

Tip

ⓐ, ⓓ '만약 ~라면'의 조건의 [❶_____] 절을 이끌고 있다. ⓑ, ⓒ '~인지 아닌지'의 목적어 [❷_____] 절을 이끌고 있다.

답 ❶ 부사 ❷ 명사

if가 이끄는 절은 부사절로 쓰일 때도 있고, 명사절로 쓰일 때도 있어.

---

3 우리말과 같은 뜻이 되도록 빈칸에 알맞은 것은?

> 판사는 법정에서 누군가의 범죄가 유죄인지 여부를 결정한다.
> A judge determines _____ someone is guilty of a crime in court.

① whether   ② which   ③ what

④ as if   ⑤ as

Words

judge 판사   determine 결정하다   guilty 유죄의   crime 범죄   court 법정

Tip

'~인지 아닌지'의 의미를 가진 목적어로 쓰인 [❶_____] 절을 이끄는 접속사는 whether가 알맞다. [❷_____]도 올 수 있다.

답 ❶ 명사 ❷ if

4 네모 안에서 어법상 적절한 것끼리 짝지어진 것은?

> • I know he will want to continue playing if / even if / since he gets injured.
> • The farmer changes the dog's food slowly that / so that the dog can adapt to the new food.

① if – that
② even if – that
③ since – so that
④ if – so that
⑤ even if – so that

Words

get injured 부상당하다   adapt 적응하다

5 밑줄 친 that의 쓰임이 나머지와 다른 것은?

① Most believers of religions claim <u>that</u> a creator of the world does exist.
② She hopes <u>that</u> more students will get healthy through instruction.
③ China has many special customs <u>that</u> are particularly shown in traditional ceremonies.
④ Accepting your role in your problems means <u>that</u> you understand the solution lies within you.
⑤ Even though Fred thought <u>that</u> he had finished his homework, he didn't feel relieved.

Words

instruction 훈련, 가르침   ceremony 의식   relieved 안도하는

6 두 문장이 같은 뜻이 되도록 빈칸에 알맞은 것은?

> Though he had a headache, he finished a marathon.
> = _____ his headache he finished a marathon.

① Because of
② Despite
③ During
④ For
⑤ In order to

1주 3일 필수 체크 전략 ①

전략 ❺ │ 관계대명사 what vs. that

- 관계대명사 that은 who, whom이나 which 대신 주격과 목적격 관계대명사로 쓰이며, 선행사를 수식하는 **❶**⬚ 절을 이끈다.

- 관계대명사 what은 선행사를 포함하여 '~하는 것'으로 해석하고, **❷**⬚ , 보어, 목적어 역할을 하는 명사절을 이끈다.

- 관계대명사 what은 앞에 선행사가 없으므로 the thing(s) that으로 바꿔 쓸 수 있다.

관계대명사 that	관계대명사 what	cf.	접속사 that
형용사절을 이끈다.	명사절을 이끈다.		명사절을 이끈다.
선행사 있음	선행사 없음		×
관계대명사 that + 불완전한 절	관계대명사 what + 불완전한 절		접속사 that + 완전한 절

- 관계대명사 that과 what은 계속적 용법으로 쓸 수 **❸**⬚ .

🔳 ❶ 형용사 ❷ 주어 ❸ 없다

필수예제

5. 다음 중 어법상 <u>어색한</u> 것은?

① I think what he said is not correct.

② As time passes, people get used to what they have.

③ Most of accidents occur as a result of the carelessness what could have been avoided.

④ Do what you have to do to improve things for yourself.

⑤ When we don't know what to do, we can start with what is easy.

Guide

❶⬚ 가 있을 때는 관계대명사 that을, 선행사가 **❷**⬚ 때는 관계대명사 what을 사용한다.

① 그가 말한 것 ② 그들이 가진 것 ③ 피할 수 있었을지도 모르는 부주의함 ④ 해야 할 것 ⑤ 쉬운 것

🔳 ❶ 선행사 ❷ 없을

확인문제 5-1

밑줄 친 부분 중 어법상 <u>어색한</u> 것은?

<u>Which</u> is the umbrella <u>what</u> <u>you</u> <u>left</u>
① ② ③ ④
behind?
⑤

확인문제 5-2

밑줄 친 부분을 다섯 단어로 영작하시오.

Explain clearly <u>네가 먹고 싶은 것</u> when you order in a fast-food restaurant.

➡ _____

전략 ❻ | 관계부사

- 관계부사는 [❶　　　　]와 부사의 역할을 하며, 선행사에 따라 시간(when), 장소(where), 이유(why), 방법(how)을 나타낸다.
- 관계부사 앞의 선행사가 특정한 정보를 가지고 있지 않는 한, 관계부사나 선행사 중 하나를 생략할 수 [❷　　　　].
- 방법의 관계부사 the way how는 함께 쓰지 않고, 둘 중 하나만을 쓴다.

  This is **the way** I study English. (O) / This is **how** I study English. (O)

  This is **the way how** I study English. (X)
- 관계부사의 한정적 용법은 「[❸　　　　]+관계대명사」로 바꿀 수 있다.
- 관계부사도 계속적 용법으로 써서 앞의 내용을 추가적으로 설명할 수 있다.

  단, how와 why는 계속적 용법으로 쓰지 않는다.

> 다시 한번 확인하다.
> the time when,
> the place where,
> the reason why,
> the way how

🔑 ❶ 접속사 ❷ 있다 ❸ 전치사

필수 예제

6. 빈칸에 들어갈 말로 바르게 짝지어진 것은?

> - I remember the day _____ my favorite singer first performed on stage.
> - If we lived on a planet _____ nothing ever changed, there would be little to do.

① when – where ② where – when ③ where – why
④ when – why ⑤ why – where

Guide

- 선행사가 the day이므로, 시간의 관계부사 [❶　　　　]이 적절하다.
- 선행사가 the planet(행성)이므로 장소의 관계부사 [❷　　　　]이 적절하다.

🔑 ❶ when ❷ where

© Millena / shutterstock

확인 문제

6-1

빈칸에 들어갈 말로 알맞은 것은?

> Hunger was not the only problem in this area _____ poverty was everywhere.

① why ② which ③ when
④ where ⑤ how

확인 문제

6-2

관계부사가 생략된 곳을 찾아 적절한 관계부사를 써넣어 문장을 다시 쓰시오.

> Every time you get angry, take as deep a breath as you can.

➡ _____

_____

전략 ⑦ | 관계대명사 vs. 관계부사

- 선행사가 시간이나 장소 등이 온다고 해서 모두 관계 [❶____] 가 이어지는 것은 아니다.
- 관계대명사는 주어 대신 주격 관계대명사, 목적어 대신 목적격 관계대명사가 쓰인 것이므로, 관계대명사 뒤에는 주어나 목적어 등 문장의 필수 성분을 다 갖추지 못한 [❷____] 한 절이 온다.
- 관계부사는 부사로 쓰인 것이므로, 관계부사 뒤에는 문장의 필수 성분을 다 갖춘 완전한 [❸____] 이 온다.

This is the house **that** was rebuilt by the poet.
　　　　　　　관계대명사　　주어가 없는 불완전한 절
This is the house **where** the poet wrote his famous poems.
　　　　　　　관계부사　　　　　　　완전한 절

🔑 ❶ 부사 ❷ 불완전 ❸ 절

필수 예제

7. 다음 중 어법상 어색한 것은?

① Imagine the grocery store where you shop the most.
② Paris is the place the accident occurred.
③ This is a station where people used to move to different cities.
④ I'm looking for a team where members help one another.
⑤ Do you know this band where is popular among young people?

© Millena / shutterstock

Guide

①, ③, ④ 장소를 선행사로 하는 장소의 관계부사 [❶____] ② the place 를 선행사로 하는 장소의 관계부사 where이 생략되어 있다. ⑤ 선행사 this band 뒤에 이어지는 절이 주어가 없는 불완전한 형태로 왔으므로 관계부사가 아니라 [❷____] 가 필요하다.

🔑 ❶ where ❷ 관계대명사

확인 문제

7-1

빈칸에 들어갈 말로 알맞은 것은?

> He developed his passion for photography in his teens, _____ he became a staff photographer for his high school paper.

① where　② when　③ that
④ what　⑤ why

확인 문제

7-2

다음 문장에서 어색한 부분을 찾아 고쳐 쓰시오.

> In everyday lives we sometimes make decisions where are irrational and unreasonable.

_____ ➡ _____

전략 ⑧ | 복합관계사

- 관계대명사나 관계부사 뒤에 -ever가 붙은 형태로, 선행사를 [❶] 하고 있다.
- 복합관계대명사는 문장 내에서 주어 또는 목적어 역할을 하는 [❷] 이나 양보의 부사절을 이끈다.

복합관계대명사	명사절	양보의 부사절
who(m)ever	~하는 누구든지 (anyone who)	누가 ~하더라도 (no matter who)
whichever	~하는 어느 것이든지 (anything which)	어느 쪽이[을] ~하더라도 (no matter which)
whatever	~하는 무엇이든지 (anything that)	무엇이[을] ~하더라도 (no matter what)

- 복합관계부사는 시간, 장소의 [❸] 이나 양보의 부사절을 이끈다.

복합관계부사	시간, 장소의 부사절	양보의 부사절
whenever	~할 때마다 언제나 (at any time when)	언제 ~하더라도 (no matter when)
wherever	~한 곳 어디에나 (at any place where)	어디에서 ~하더라도 (no matter where)
however		아무리 ~하더라도 (no matter how)

답 ❶ 포함 ❷ 명사절 ❸ 부사절

---

 8. 다음 중 어법상 <u>어색한</u> 것은?

① I believe whatever my parents say.

② Whatever happens, you have to go on.

③ Whenever you come, I am glad to see you.

④ My dog followed me whoever I went.

⑤ Whoever leaves the office last should switch off the light.

Guide

① 부모님이 말씀하시는 것은 무엇이든 ② 무슨 일이 일어나더라도 ③ 네가 올 때마다 [❶] ④ 내가 가는 곳 어디에나 / whoever를 [❷]로 고쳐야 한다. ⑤ 사무실을 마지막에 나가는 사람은 누구든

답 ❶ 언제나 ❷ wherever

 8-1

우리말과 같은 뜻이 되도록 빈칸에 알맞은 것은?

어떤 쪽으로 결정하더라도, 나는 너를 지지할 것이다.

_____ you decide, I'll support you.

① Whatever   ② Whoever
③ Whichever   ④ However
⑤ Wherever

8-2

우리말과 같은 뜻이 되도록 빈칸에 알맞은 복합관계사를 쓰시오.

누가 문을 두드리더라도 문을 열지 마세요.

➡ _____ knocks on the door, don't open it.

1주 3일 필수 체크 전략 ②

1 다음 중 어법상 <u>어색한</u> 것은?

① What she had said was not accepted by any colleague.

② We all have tough experiences that affect our moods.

③ Students who goals were unrealistic are less confident and more anxious.

④ My uncle is really sensible about what he eats.

⑤ Look at the house of which roof was made of steel.

Words

colleague 동료 affect 영향을 주다 unrealistic 비현실적인 confident 자신감 있는 sensible 분별력 있는

Tip

①, ④ [❶_____]가 없으므로 what ② 선행사 있으므로 that ③ 주격 who vs. 소유격 whose ⑤ 사물의 [❷_____]격 관계대명사 of which

답 ❶ 선행사 ❷ 소유

2 우리말과 같은 뜻이 되도록 빈칸에 알맞은 것은?

> 지구에 존재하는 대부분의 물질들은 많은 다양한 화학 물질들의 혼합물이다.
>
> Most of the materials _____ exist on Earth are mixtures of many different chemical substances.

① who   ② it   ③ what
④ of which   ⑤ that

Tip

[❶_____] Most of the materials가 있으므로, 관계대명사 that이 필요하다. 선행사를 수식하는 [❷_____]절로 쓰였다.

답 ❶ 선행사 ❷ 형용사

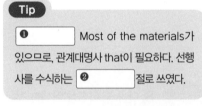

3 네모 안에서 어법상 적절한 것끼리 짝지어진 것은?

> • You can find [that / what] each time your drawing would get a little better.
> • [That / What] is learned in the cradle is carried to the grave.
> • Take tip writers, [that / who] have many skills to write.

① that – That – that   ② that – What – who
③ what – What – who   ④ what – That – who
⑤ that – What – that

Words

cradle 요람 grave 무덤 tip writer 요령을 가지고 글을 쓰는 사람

Tip

• 목적어절을 이끄는 접속사 that 뒤에는 필수 문장 성분이 갖춰진 절이 따른다.
• 이어지는 절이 주어가 없는 불완전한 절이므로, 접속사 [❶_____]은 올 수 없다. 선행사를 포함한 관계대명사가 와야 한다.
• 관계대명사 [❷_____]이나 what은 콤마 뒤의 계속적 용법으로 쓸 수 없다.

답 ❶ that ❷ that

4 다음 중 어법상 <u>어색한</u> 것은?

① The scientist whom we met yesterday is well known for her research.

② There are many houses in the island, which nobody lives.

③ I want to know the reason why the waiting line was so long.

④ Salmon go back to the place they were born.

⑤ Return the book immediately to the library where you borrowed it.

5 빈칸에 들어갈 말로 가장 알맞은 것은?

> _____ you may think, he's innocent.

① Whenever   ② Wherever

③ Whoever   ④ Whatever

⑤ However

Words

innocent 결백한, 무죄의

6 빈칸에 들어갈 말로 바르게 짝지어진 것은?

> • You may leave   ⓐ   you wish.
> •   ⓑ   wants to come is welcome.
> • He always says   ⓒ   comes into his mind.

	ⓐ	ⓑ	ⓒ
①	whenever	Whoever	whatever
②	wherever	Whomever	whichever
③	whenever	Wherever	whoever
④	whatever	Whoever	whenever
⑤	whichever	Whenever	whatever

Words

come into one's mind 생각이 나다, 떠오르다

대표 예제 ①

다음 중 어법상 어색한 것은?

① You may place bread not on your plate but to place on the table.
② Not just meat-eating animals but also plant-eating animals can be keystone species.
③ The building is not only beautiful but also environmentally friendly.
④ People fail in life not because they aim too high and miss, but because they aim too low and hit.
⑤ The problem is not time but time management.

개념 Guide

상관접속사는 문법적으로 ❶[   ] 어구를 연결하여 병렬 구조로 쓴다. ① on your plate와 문법적으로 대등하도록 ❷[   ]를 삭제하고 on the table로 써야 자연스럽다.

답 ❶ 대등한 ❷ to place

대표 예제 ②

다음 문장을 우리말로 해석하시오.

I'd like to say goodbye now in case I cannot see you after the meeting.

➡ _____

개념 Guide

in case는 '~할 경우에 (대비해서)'라는 의미의 ❶[   ]이므로, 「주어+동사 …」의 ❷[   ]이 이어진다는 것에 유의한다.

답 ❶ 접속사 ❷ 절

대표 예제 ③

빈칸에 순서대로 알맞은 것끼리 짝지어진 것은?

One of the artists painted grapes, which looked _____ real _____ birds tried to eat them.

① so, that　② so, what　③ such, that
④ either, or　⑤ not, but

개념 Guide

'너무 ~해서 …하다'의 「❶[   ] ~ that+❷[   ]+동사」가 적절하다.

답 ❶ so ❷ 주어

대표 예제 ④

밑줄 친 부분이 어법상 어색한 것은?

① Since the student was unable to understand the concept, he asked the teacher to repeat her explanation.
② I joined the event though I was tired after a long day at work.
③ You'd better take an umbrella in case it rains.
④ You can't say you have been to Venice if you have ridden a gondola.
⑤ Happiness will come to you when you become successful.

개념 Guide

④ if ~ ❶[   ] 혹은 ❷[   ]를 써서 '곤돌라를 타보지 않았다면, 베니스에 갔다 왔다고 말할 수 없다'가 되어야 자연스럽다.

답 ❶ not ❷ unless

대표 예제 **5**

다음 글을 읽고 물음에 답하시오.

A keystone species is one species (A) that / what has a huge effect on the ecosystem (B) which / where it lives. Have you ever noticed the keystone on a stone arch? It's only one stone of many, but without it, the whole arch would fall. It's the same in an ecosystem. An animal might not be the biggest in size or number, but _____ _____. It means (C) what / that sometimes one stone, or one species, can be especially important.

(1) (A), (B), (C)의 각 네모 안에서 어법에 맞는 표현으로 가장 적절한 것을 골라 쓰시오.

(A) _____ (B) _____

(C) _____

(2) 빈칸에 가장 적절한 것을 고르시오.

① it remains properly balanced

② it is at the top of food chains

③ without it, the ecosystem would collapse

④ because of it, there is little room for other species

⑤ a keystone animal eats other animals

대표 예제 **6**

다음 글을 읽고 물음에 답하시오.

I felt nervous and worried ① because I was about to jump into a completely new world. All my best friends and I ② had hoped to go to the same high school, but I was the only one ③ who would attend a different one. I was not sure ④ what I could adapt to the new environment. _____ _____ was I late for school but also brought the wrong textbooks. The homeroom teacher looked very strict, and all my new classmates looked ⑤ unfriendly.

(1) 밑줄 친 ①~⑤ 중, 어법상 어색한 것은?

① ② ③ ④ ⑤

(2) 빈칸에 알맞은 상관접속사를 쓰시오.

➡ _____ _____

대표 예제 7

우리말과 같은 뜻이 되도록 빈칸에 알맞은 단어를 쓰시오.

> 가장 잘 수행한 사람은 누구든지 1등을 하게 될 것이다.

➡ _____ performs best will win first prize.

개념 Guide

'~하는 사람은 누구든지'는 복합관계대명사 **❶** 로 쓸 수 있다.
anyone **❷** 와 같은 의미이다.

답 ❶ whoever ❷ who

대표 예제 8

밑줄 친 부분이 어법상 어색한 것은?

① Billy stayed in our house while we were away.

② I turned my face so that he couldn't see my tears.

③ The animals live in an area which is green and warm.

④ The process through which the sun produces heat and light has been studied.

⑤ There are times which people have conflict with each other on social issues.

개념 Guide

⑤ 시간의 선행사 뒤에 관계사가 온 경우, 이어지는 절이 완전한지 **❶** 한지 확인한다. people have conflict ~로 완전한 절이 왔고 선행사가 times이므로 **❷** when이 적절하다.

답 ❶ 불완전 ❷ 관계부사

대표 예제 9

다음 글을 읽고 물음에 답하시오.

> Today, I want to tell you about a time ① when creativity met courage. ② During World War II, there was a nurse in Poland. She saw ③ that Jewish people were being treated very unfairly, and she was certain ④ that many children would die. She and her friends found a creative way to help children escape danger. They hid the children in bags, boxes, and baskets. Then they carried each child to safety. <u>At that time other people couldn't imagine they would do that.</u> The nurse's name was Irena Sendler. ⑤ Because her creativity and courage, about 2,500 Jewish children were saved.

(1) 밑줄 친 ①~⑤ 중, 어법상 틀린 것을 찾아 바르게 고쳐 쓰시오.

_____ ➡ _____

(2) 밑줄 친 문장에서 생략된 접속사를 찾아 써 넣어 문장을 다시 쓰시오.

➡ _____

개념 Guide

(1) ⑤ 「because of+**❶** (구)」, 「because+주어+동사」
(2) other people couldn't imagine이 **❷** , they would do that이 목적절이므로, 목적절을 이끄는 접속사 that은 주절의 동사 imagine 뒤에 오면 된다.

답 ❶ 명사 ❷ 주절

대표 예제 10

네모 안에서 어법상 알맞은 것을 고르고, 그 이유를 서술하시오.

> Credibility comes from reliable sources, which / that include the results of recent studies.

정답: _____

이유: _____

_____

개념 Guide

선행사 reliable sources에 대한 추가적인 설명을 덧붙이기 위해 관계대명사의 ❶ [ ] 용법이 사용되었다. 관계대명사 ❷ [ ]과 what은 계속적 용법으로 사용할 수 없다.

답 ❶ 계속적 ❷ that

대표 예제 11

우리말과 같은 뜻이 되도록 〈조건〉에 맞게 영작하시오.

> 선생님은 학생들에게 수업에 대한 질문이 있는지 물었다.

조 건

– 12 단어로 쓸 것

– 다음 단어를 포함할 것

　any, there were, the lesson, about

– 접속사 whether를 사용할 것

➡ _____

_____

개념 Guide

ask의 목적절을 이끄는 ❶ [ ]가 필요하다. '~인지 (아닌지)'의 의미인 접속사 whether 다음에 「주어+❷ [ ]」의 목적절이 온다.

답 ❶ 접속사 ❷ 동사

대표 예제 12

(A), (B), (C)의 각 네모 안에서 어법에 맞는 표현으로 가장 적절한 것은?

> • (A) That / What I learned is that we can contribute to making a better world.
> • We must face the fact (B) that / what Earth is steadily warming.
> • On the day (C) which / when I first started volunteering, they gave me a warm welcome.

	(A)		(B)		(C)
①	What	……	that	……	which
②	What	……	that	……	when
③	That	……	that	……	when
④	What	……	what	……	when
⑤	That	……	what	……	which

개념 Guide

(A) '내가 배웠던 것'이라는 뜻으로 쓰인 선행사를 포함한 ❶ [ ]가 필요하다. (B) the fact와 동격의 내용이 이어지므로, 동격의 ❷ [ ]이 와야 한다. (C) 선행사 the day와 관계사 뒤에 완전한 절이 이어지므로 관계부사가 적절하다.

답 ❶ 관계대명사 ❷ that

1주 4일 교과서 대표 전략 ②

01 밑줄 친 부분이 어법상 어색한 것은?

① With so many reasons <u>why</u> you should go to Miami, what are you waiting for?

② A person <u>who</u> never made a mistake never tried anything new.

③ Susan was not tired <u>though</u> the long walking tour.

④ We are surrounded by so many ways <u>in which</u> we can shop.

⑤ The nurse suggested <u>that</u> my mother avoid drinking too much water.

> **Tip**
> ③ 이어지는 표현이 명사구 the long walking tour(긴 도보 여행)이므로, ❶ [＿＿＿＿] though는 올 수 없다. 전치사인 ❷ [＿＿＿＿]나 in spite of로 고친다.
>
> 🈁 ❶ 접속사 ❷ despite

02 빈칸에 알맞은 말이 순서대로 짝지어진 것은?

> • A lot of students were late for class, ＿＿＿＿ disappointed the teacher.
> • ＿＿＿＿ a white elephant was found, it was given to the king.

① which – Whenever

② at which – Whatever

③ that – Whenever

④ what – Whatever

⑤ it – Whatever

> **Tip**
> • 관계대명사 which의 ❶ [＿＿＿＿] 용법의 선행사는 명사, 어구, 앞 ❷ [＿＿＿＿] 전체 등 다양한 형태로 올 수 있다.
> • '~할 때마다 언제나'의 뜻이 되어야 자연스럽다.
>
> 🈁 ❶ 계속적 ❷ 문장

03 다음 〈보기〉의 밑줄 친 부분과 쓰임이 같은 것은?

> • 보기 •
> The idea comes from the belief <u>that</u> crocodiles weep over the prey.

① An idea <u>that</u> is not dangerous is unworthy of being called an idea at all.

② The line was so long <u>that</u> she had to wait for hours.

③ What surprised me was <u>that</u> he came here.

④ The idea <u>that</u> making a lot of money brings happiness is not always true.

⑤ This is a story about a man and wolves <u>that</u> lived in the jungle.

> **Tip**
> 〈보기〉, ④ ❶ [＿＿＿＿]의 that ①, ⑤ 주격 ❷ [＿＿＿＿]
> ② so ~ that(접속사) ③ 보어절 이끄는 접속사
>
> 🈁 ❶ 동격 ❷ 관계대명사

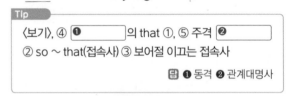

04 의미가 통하도록 네모 안에서 알맞은 접속사를 고르시오.

> Unless / If we reduce the use of natural resources, our planet cannot be saved.

➡ ＿＿＿＿＿＿＿

> **Tip**
> '~하지 않는다면'의 뜻으로 쓸 때는 부정의 의미를 이미 ❶ [＿＿＿＿]한 조건의 접속사 ❷ [＿＿＿＿]를 쓴다.
>
> 🈁 ❶ 포함 ❷ unless

05 다음 중 어법상 <u>어색한</u> 것은?

① James kindly passed the ball to Ethan so that he could score a touchdown.

② Keep some extra batteries and bottled water on hand in case there is an earthquake.

③ I asked him whether he knew about the new project.

④ I was so fascinated by this book that I read it within two hours.

⑤ Because of he had no umbrella, he decided to stay in his school.

> **Tip**
>
> ⑤ 「because of+명사구」, 「because+❶ [ ]」
> ① so that: ~하기 위해 (목적) ② in case: ~하는 것에 대비하여 ③ whether: '~인지 아닌지'로 명사절 목적어 이끄는 접속사 ④ so ~ ❷ [ ] …: 매우 ~해서 … 하다
>
> 답 ❶ 절 ❷ that

06 우리말과 같은 뜻이 되도록 빈칸에 알맞은 말을 쓰시오.

> 나는 James에게 우리는 영화를 볼 것이 아니라 집에 머물러야 한다고 말했다.
>
> I told James that we should _____ see the movie _____ stay at home.

> **Tip**
>
> not A ❶ [ ] B: A가 아니라 B / 상관접속사의 앞뒤에 오는 말은 ❷ [ ]으로 동일해야 한다.
>
> 답 ❶ but ❷ 문법적

[07 ~ 08] 다음 글을 읽고 물음에 답하시오.

> Singers posted stories about their experiences. One singer said, "My sister and I used to sing in choirs together (A) when / if we were younger. We now live in different parts of the world. Without the virtual choir, we wouldn't have been able to sing together again and renew our bond." Another said, "My husband told me (B) that / what I didn't have the voice for the choir. But I wanted to participate (C) despite / although what he said. <u>The virtual choir is what connects me with the world.</u>"

07 윗글의 (A), (B), (C)의 각 네모 안에서 어법에 맞는 표현으로 가장 적절한 것을 골라 쓰시오.

(A) _____

(B) _____

(C) _____

> **Tip**
>
> (A) '우리가 더 어렸을 때'이므로, ❶ [ ]의 접속사 when이 적절하다. (B) told의 목적어를 이끄는 접속사 that이 적절하다. (C) 선행사를 포함한 관계대명사 what절은 what he said = the thing which he said과 같으므로 ❷ [ ] despite의 목적어 자리에 올 수 있다.
>
> 답 ❶ 시간 ❷ 전치사

08 윗글의 밑줄 친 부분을 우리말로 해석하시오.

➡ _____

> **Tip**
>
> 관계대명사 what절이 동사 is의 ❶ [ ]로 쓰인 문장이다. '나를 세상과 ❷ [ ]시켜 주는 것'으로 해석할 수 있다.
>
> 답 ❶ 보어 ❷ 연결

01 괄호 안에 주어진 단어를 알맞은 형태로 쓰시오.

> Not quite understanding but _____ (believe) in his master, the boy kept training.

02 두 문장이 같은 뜻이 되도록 빈칸에 알맞은 복합관계부사를 쓰고 해석하시오.

> Don't touch wild animals, _____ cute they might be.
> = Don't touch wild animals no matter how cute they might be.

➡ _____

_____

03 빈칸에 알맞은 말이 바르게 짝지어진 것은?

> • We can't find a cure _____ we don't understand the disease.
> • _____ you read the novel once again, you can understand it better.

① if – If
② unless – Unless
③ although – Unless
④ unless – If
⑤ if – Although

04 다음 중 어법상 어색한 것을 모두 고르면?

① Consumers like some products because of their feel.

② With that picture in your mind, try to draw that your mind sees.

③ The new policy not only makes the economy strong but also helping the community to unite.

④ You should wear what makes you feel most comfortable.

⑤ This clearly shows that life as a journey is not a metaphor unique to English.

05 우리말과 같은 뜻이 되도록 빈칸에 각각 알맞은 말을 쓰시오.

> 양쪽 모두가 상대방이 제공해야 하는 것을 원하지 않으면 거래는 발생하지 않는다.
> ➡ Trade will not occur _____ both parties want _____ the other party has to offer.

06 다음 우리말을 영작할 때 필요 <u>없는</u> 것은?

> 내가 원하는 것은 돈이 아니라 사랑이다.

① not ② want ③ what
④ that ⑤ but

07 밑줄 친 부분의 쓰임이 나머지 넷과 <u>다른</u> 것은?

① You are the only person <u>that</u> can solve this problem.

② He is the tallest man <u>that</u> I have ever met.

③ You're the only artist in the world <u>that</u> can draw the way you do.

④ Dr. Waitley explains <u>that</u> the winners concentrate on what they want to get.

⑤ I met a relative <u>that</u> I had never seen.

08 우리말과 같은 뜻이 되도록 주어진 표현을 알맞은 순서로 배열하시오.

> 그가 너무 크게 노래를 불러서 나는 독서에 집중할 수 없었다.
>
> (I / concentrate / sang a song / he / so / that / couldn't / loudly / on reading)

➡ _____

_____

[09~10] 다음 글을 읽고 물음에 답하시오.

> Our class needs a song! We think the best candidate is Cyndi Lauper's "True Colors." (A) That / What makes this song great is that it has a beautiful melody. The best part of the lyrics is "True colors are beautiful like a rainbow." It means (B) which / that it is okay to be different. <u>This song will encourage us to show our true colors and be ourselves.</u> A good time to sing our song is (C) where / when we begin school or when we feel sleepy. Let's be one, singing the song.

09 윗글의 (A), (B), (C)의 각 네모 안에서 어법에 맞는 표현으로 가장 적절한 것을 골라 쓰시오.

(A) _____

(B) _____

(C) _____

© Dreamerdesign / shutterstock

10 윗글의 밑줄 친 부분을 우리말로 해석하시오.

➡ _____

_____

창의·융합·코딩 전략 ①

A 다음 중 알맞은 단어를 골라 문장을 완성하시오. (단, 중복되지 않게 넣을 것)

but	if	that
who	where	what
when	as	unless

(1) This is _____ makes you special.

(2) Adolescence is not a stage to simply get through, _____ an important stage in people's lives.

(3) We found a great place _____ we could hang out together in our leisure time.

(4) I was not sure _____ I could adapt to the new environment.

(5) Do you remember the woman _____ phoned me last night?

> **Tip**
> (1) 명사절을 이끄는 관계사가 필요하다. (2) not A but B: A가 아니라 B (3) 「장소+❶ _____ where」 뒤에 완전한 절이 온다. (4) was not sure의 목적어로 올 수 있는 명사절이 필요하다. (5) 선행사 the woman이 있고 동사가 바로 나오므로 ❷ _____ 주격이 필요하다.
>
> 답 ❶ 관계부사 ❷ 관계대명사

B 알맞은 퍼즐을 골라 연결하여 문장을 완성하시오.

A fear of failure is

whose mothers or fathers are from countries other than Korea.

There were several students

that his first interest in art was caricature portraits.

Less well known is the fact

what stops them from trying new things.

C 그림을 보고, 문장의 빈칸에 알맞은 복합관계사를 쓰시오.

_____ visits my house loves my garden.

창의·융합·코딩 전략 ②

D tic-tac-toe를 하면서 만난 단어를 활용하여 자유롭게 문장 세 개를 완성하시오.

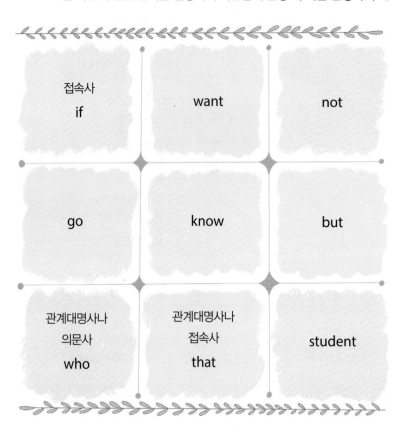

접속사 if	want	not
go	know	but
관계대명사나 의문사 who	관계대명사나 접속사 that	student

> **Tip**
> • 접속사 if는 부사절을 이끌어 '~한다면'의 의미로 쓰이거나, 명사절을 이끌어 '~인지 (아닌지)'의 의미로 쓰인다.
> • 관계대명사 who는 사람 ❶ ⬜⬜⬜ 가 있어야 한다. 의문사로 쓰였을 때는 '누구'의 뜻이다.
> • that이 관계대명사로 쓰였을 때는 반드시 앞에 선행사가 와야 하며, ❷ ⬜⬜⬜로 쓰였을 때는 뒤에 「주어+동사」가 이어진다.

답 ❶ 선행사 ❷ 접속사

E 밑줄 친 ⓐ~ⓔ에 대해 <u>잘못</u> 설명한 사람은?

Without a doubt, dinosaurs are a popular topic for kids across the planet. ⓐ <u>Though</u> we don't know a lot about dinosaurs, ⓑ <u>what</u> we do know is fascinating to children of all ages. "I think ⓒ <u>the reason</u> kids like dinosaurs so much is ⓓ <u>that</u> dinosaurs were big, were different from anything alive today, and are extinct. I think it's the mystery of dinosaurs — the fact ⓔ <u>that</u> there are still so many things we don't know — that inspires them to use that topic in their paintings."

© Kanate / shutterstock

ⓐ though는 양보의 접속사야. although도 같은 의미야.

Sarah

ⓒ the reason 뒤에 관계부사 why가 생략된 형태야.

Jane

ⓑ 여기서 what은 선행사를 포함한 관계대명사로 쓰여서 what we do know는 '우리가 확실히 아는 것'으로 해석할 수 있어.

Amy

ⓔ the fact와 동격을 이루는 that이야.

Ann

ⓓ 여기 쓰인 that은 앞의 so와 함께 '너무 ~해서 …하다'로 쓰인 거야.

Judy

Tip
ⓓ의 that은 앞에 나온 so와 관계가 없고, is의 [❶   ]절을 이끄는 접속사로 쓰였다. so much는 문장의 동사 like를 수식하는 [❷   ]이다.

답 ❶ 보어 ❷ 부사

 2주 다양한 구문

비교

I think my dog is **as cute as** your dog.

I think my dog **is much cuter** than your dog.

I think my dog is **the cutest** in the world.

원급 비교는
「as+원급+as」

비교급 비교는
「비교급+than」

최상급 비교는
「the+최상급」

간접의문문

I want to know....

What do you do on Saturdays?
의문사 조동사 주어 동사

Do you like to play soccer?
조동사 주어 동사

I want to know **what you do** on Saturdays.
　　　　　　　　　의문사 주어 동사

I want to know **if[whether] you like** to play soccer.
　　　　　　　　　if/whether　주어 동사

의문문이 다른 문장 속에 포함될 때는 문장의 어순이 달라집니다.
의문사나 if[whether] 뒤에 「주어+동사」의 순서로 온다는 것에 유의합니다.

강조, 도치, 생략, 삽입

강조

They will come back home tomorrow.

It is tomorrow **that** they will come back.
　　　강조하고자 하는 어구

강조하고 싶은 어구가 있으면 「it+be동사」와
that 사이에 넣습니다.

도치

A huge castle stands on the hill.
　주어　　　　동사

On the hill stands a huge castle.
　　　　　　　동사　　　　주어

부정어구, 장소·방향의 부사구 등이 문장 맨 앞에
오면 「(조)동사+주어」로 어순이 달라집니다.

생략

I noticed **that** he is a singer **whom**
I met yesterday.

that　　whom

I noticed he is a singer I met
yesterday.

문장을 간결하게 쓰기 위해,
반복되거나 문맥상 유추 가능한 정보를
삭제할 수 있습니다.

삽입

That news is fake news.

That news, **I am sure**, is fake news.

부가적인 설명을 위해 단어나 구, 절 등을 문장에 추가, 삽입할 수 있습니다.

1주 1일 개념 돌파 전략 ①

○● 개념 짚어 보기

개념 ❶ | 비교구문

• 비교구문이란 비교 대상들 사이의 성질, 상태, 수량 등의 정도 차이를 비교하는 것으로, 형용사나 부사의 원급, 비교급, ❶[   ]을 활용하여 만든다.

원급	as+형용사/부사의 원급+as	~만큼 …한/하게
비교급	형용사/부사의 비교급+than	~보다 더 …한/하게
최상급	the+형용사/부사의 최상급 (+in/of ~)	(~ 중에서) 가장 …한/하게

• 비교구문의 병렬 구조: 비교구문에서 비교되는 두 대상은 ❷[   ]적으로 동일한 것이 온다.

답 ❶ 최상급 ❷ 문법

Quiz 1

(1) '~보다 더…한/하게'를 나타내려면 '형용사/부사의 비교급 뒤에 (as / than)을 [를] 쓴다.

(2) 비교구문의 비교되는 두 대상은 문법적으로 (같게 / 다르게) 쓴다.

답 (1) than (2) 같게

개념 ❷ | 원급 비교 / 비교급 비교

• 원급 비교의 기본 형태는 「as+형용사/부사의 원급+as」이다.
• 원급 비교의 부정 표현은 not을 ❶[   ] 앞에 넣어 「not as[so]+형용사/부사의 원급+as」로 쓴다.
• 비교급 비교의 기본 형태는 「형용사/부사의 비교급+than」이다.
• 비교급의 열등 비교는 「❷[   ]+원급+than」(~보다 덜 …한/하게)로 쓴다.

답 ❶ as ❷ less

Quiz 2

(1) 원급 비교의 기본 형태는 「as+원급+_____」이다.

(2) 비교급 비교의 기본 형태는 「비교급+_____」이다.

답 (1) as (2) than

개념 ❸ | 최상급 비교

• 최상급 비교의 기본 형태는 「❶[   ]+형용사/부사의 최상급 (+in/of ~)」이다.
• 「one of the+최상급+❷[   ] 명사」는 '가장 …한 것들 중의 하나'의 뜻이다.
• 동일 인물이나 사물의 비교일 경우, 혹은 부사의 최상급에서는 the를 생략하기도 한다.

답 ❶ the ❷ 복수

Quiz 3

(1) 최상급 비교의 기본 형태는 「_____+최상급」이다.

(2) 동일한 것을 비교하거나, 부사의 최상급에서는 the를 생략할 수 (있다 / 없다).

답 (1) the (2) 있다

1-1

괄호 안에서 알맞은 것을 고르시오.

> (1) Today seems as hot (as / than) yesterday.
>
> (2) I think her blouse is less colorful than (me / mine).

Guide (1) as+형용사나 부사의 **❶** ☐ +as ~: ~만큼 … 한/하게 (2) 비교급+**❷** ☐ ~: ~보다 …한/하게 비교구문은 병렬 구조로 쓴다.

답 ❶ 원급 ❷ than

1-2

빈칸에 주어진 형용사의 알맞은 형태를 쓰시오.

> (1) James is the _____ of his siblings. (smart)
>
> (2) This sofa is much _____ than my bed. comfortable)

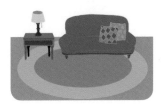

2-1

우리말과 같은 뜻이 되도록 빈칸에 알맞은 말을 쓰시오.

> 내 셔츠는 미나의 것만큼 예쁘지 않다.
> My shirt is not _____ Mina's.

Guide 원급 비교의 부정: not as[so]+원급+**❶** ☐ / 앞의 as를 **❷** ☐ 로 쓰는 경우가 많다.

답 ❶ as ❷ so

2-2

두 문장이 같은 뜻이 되도록 빈칸에 알맞은 말을 쓰시오.

> This information is not so useful as the information I heard yesterday.
>
> = This information is less _____ the information I heard yesterday.

3-1

빈칸에 들어갈 말로 알맞은 것은?

> I'm not sure he is _____ in our class.
> ① as handsome as
> ② more handsome than
> ③ the most handsome

Guide 최상급 '~ 중에서 가장 …한'의 의미인 「**❶** ☐ +장소/집단」이 뒤에 있으므로, 빈칸에 알맞은 것은 최상급 the **❷** ☐ handsome이다.

답 ❶ in ❷ most

3-2

우리말과 같은 뜻이 되도록 괄호 안의 말을 활용하여 문장을 완성하시오.

> 여러분은 태권도 전체에서 가장 어려운 기술 중 하나를 마스터했다.
> ➡ You have mastered _____
>   _____ in all of *taekwondo*. (difficult, skill)

○ 개념 짚어 보기

개념 ❹ | 간접의문문

• 간접의문문이란 의문사가 있거나 없는 ❶⬚ 이 다른 문장의 일부로 사용되는 형태를 말한다.
• 간접의문문의 어순은 「의문사 + ❷⬚ + 동사」, 「의문사(주어) + 동사」 또는 「if [whether] + 주어 + 동사」이다.

Quiz 1

(1) 의문사가 있는 간접의문문은 「의문사 + ⬚ + 동사」

(2) 의문사가 없는 간접의문문은 「⬚ + 주어 + 동사」

답 ❶ 의문문 ❷ 주어

답 (1) 주어 (2) if [whether]

나는 궁금해. 너는 어디 갔다 온 거니? = 나는 네가 어디 갔다 온 건지 궁금해.

개념 ❺ | 강조

• 재귀대명사나 the very를 사용하여 (대)명사를 강조할 수 있다.
• 조동사 ❶⬚ 를 사용하여 동사를 강조할 수 있다.
• it ~ that 강조 구문을 사용하여 강조하고자 하는 어구를 it과 that ❷⬚ 에 넣어 강조할 수 있다.

Quiz 2

(1) 명사 강조에는 ⬚ 나 the very를 쓴다.

(2) 동사 강조에는 ⬚ 를 동사 앞에 쓴다.

답 ❶ do ❷ 사이

답 (1) 재귀대명사 (2) do

개념 ❻ | 도치, 생략, 삽입

• ❶⬚ : 강조하고자 하는 어구 등을 문장 맨 앞에 두고 이어지는 문장의 어순을 바꾸는 것으로, 「강조어구 + (조)동사 + 주어」의 어순이 된다.
• 생략: 문장을 간략하게 쓰기 위해, 반복되거나 문맥상 유추 가능한 정보를 삭제하는 것이다.
• 삽입: 부가적인 설명을 위해 단어나 구, 절 등을 문장에 ❷⬚ 하는 것이다.

Quiz 3

(1) 도치한다는 것은 강조하고자 하는 말 뒤에 (주어 + 동사 / 동사 + 주어)의 순서로 쓰는 것이다.

(2) 문장을 간결하게 쓰기 위해 단어, 구, 절 등을 (생략 / 삽입)할 수 있다.

답 ❶ 도치 ❷ 추가

답 (1) 동사 + 주어 (2) 생략

4-1

주어진 표현을 알맞은 순서로 배열하여 문장을 완성하시오.

> I don't know _____ there.
> (she / didn't / why / go)

Guide ❶ [____] 가 있는 의문문이 I don't know의 목적어절로 올 때 의문사 뒤의 어순은 「의문사+❷ [____] +동사」의 순서로 쓴다.

답 ❶ 의문사 ❷ 주어

4-2

다음 문장에서 어색한 부분을 찾아 어법에 맞게 고치시오.

> I asked her whether could I run for election.
> _____ ➡ _____

run for election 선거에 출마하다

5-1

우리말과 같은 뜻이 되도록 빈칸에 알맞은 것은?

> 내가 시장에 간 건 바로 어제였다.
> _____ was yesterday _____ I went to the market.
> ① That – when ② It – that ③ It – itself

Guide ❶ [____] 하고자 하는 말이 무엇인지 먼저 확인한 후, 시제에 따라 It is[was]와 ❷ [____] 사이에 강조하고자 하는 말을 넣는다.

답 ❶ 강조 ❷ that

5-2

밑줄 친 부분을 강조하는 문장으로 다시 쓰시오.

> My parents <u>show</u> great care for each other.
> ➡ My parents _____ great care for each other.

6-1

괄호 안에서 알맞은 것을 고르시오.

> Hardly (I arrived / did I arrive) on time because of the heavy traffic.

Guide 부정어인 ❶ [____] 가 문두에 오면 문장의 주어와 동사가 도치되는데 동사가 일반동사 과거형 arrived이므로 「Hardly+조동사 did+❷ [____] +본동사」의 순서로 쓴다.

답 ❶ hardly ❷ 주어

6-2

밑줄 친 부분을 문두로 보내어 강조하는 문장을 완성하시오.

> Once a rich man lived <u>in a village</u>.
> ➡ Once in a village _____.

> • 부정어(구)+조동사/be동사/have동사+주어+본동사
> • 장소·방향의 부사구+동사+주어

개념 돌파 전략 ②

Example

- It is possible to make a plastic bag which is **as strong as** steel.
  → 「as+형용사의 [**❶**] +as」를 사용하여 '강철만큼 강한'의 의미가 되었다.

- He turned and disappeared **as quickly as** he had come.
  → 「as+부사의 원급+ [**❷**] 」를 사용하여 '그가 왔던 것만큼 빠르게'의 의미로 동사 turned and disappeared를 수식하고 있다.

답 ❶ 원급 ❷ as

Example

- I walk to school everyday because walking is **more refreshing than** taking a bus.
  → 「형용사의 [**❶**] +than」을 사용하여 '버스를 타는 것보다 더 상쾌한'의 의미이다. 비교 대상은 walking과 taking a bus이다.

- The actions of others often speak volumes **louder than** their words.
  → 「부사의 비교급+ [**❷**] 」을 사용하여 '더 큰소리로'의 의미로 동사 speak를 수식하고 있다. 비교 대상은 the actions와 their words이다.

답 ❶ 비교급 ❷ than

Example

- Of the 5 countries, the United States won **the most** medals in total, about 120.
  → 형용사 many의 최상급인 most 앞에 [**❶**] 를 넣어 '가장 많은 메달'의 의미가 되었다.

- Learning to ski is **one of the most embarrassing experiences**.
  → 「one of the+ [**❷**] +명사의 복수형」은 '가장 …한 것들 중 하나'의 의미이므로, '가장 당황스러운 경험들 중 하나'로 해석된다.

답 ❶ the ❷ 최상급

1

괄호 안에서 알맞은 것을 고르시오.

(1) She met a beautiful woman who wore a dress as white (as / than) snow.

(2) They eat as (much / more) as possible while they can.

2

다음을 우리말로 해석하시오.

Technology makes society much more complex.

➡ _____

© Wichy / shutterstock

3

우리말과 같은 뜻이 되도록 주어진 표현을 알맞은 순서로 배열하시오.

1800년대 후반, 철도 회사들은 미국에서 가장 큰 기업들이었다.
(In / were / the late 1800s, / the U.S. / companies / the railroads / the biggest / in).

➡ _____

Example

- Everyone knows **what the symbol means**.
  → Everyone knows+What does the symbol mean?을 한 문장으로 쓸 때 「의문사+주어+❶ [____]」의 어순으로 쓴다.

- Can you tell me **who is waiting for me**?
  → 의문사가 ❷ [____]로 쓰인 의문문의 경우 간접의문문으로 쓸 때 「의문사+동사」의 어순이 된다.

❶ 동사 ❷ 주어

4

다음 두 문장으로 간접의문문을 완성하시오.

- Let me know ...
- How are social networks changing people?

➡ Let me know _____.

© Violetkaipa / shutterstock

Example

- You'd better buy some fruit **yourself** when you go on a trip.
  → 대명사 you를 강조할 때 재귀대명사 ❶ [____]를 쓸 수 있다.

- He **did** look so pale that I was afraid he might fall down.
  → 동사 looked를 강조하기 위해 대동사 ❷ [____]를 써서 did look으로 쓸 수 있다.

❶ yourself ❷ do

5

밑줄 친 부분을 강조하는 강조 구문으로 다시 쓰시오.

I met an old friend of mine in San Francisco <u>by chance</u>.

➡ _____

Example

- **On the platform stood lots of people** waiting for their train.
  → 장소의 부사구가 강조되어 문두에 오는 경우, 주어와 동사가 도치되어 「장소의 부사구+동사+❶ [____]」의 어순으로 쓸 수 있다.

- **Little do I know** about him, but I like him.
  → ❷ [____]인 little이 문두에 오면 문장의 주어, 동사가 도치되어 「Little+조동사+주어+본동사」의 순서로 쓴다.

❶ 주어 ❷ 부정어

6

괄호 안에서 알맞은 것을 고르시오.

Seldom (the man was / was the man) seen by his neighbors.

2주 2일 필수 체크 전략 ①

전략 ❶ | 원급 비교

- as + 형용사/부사의 원급 + as: ～만큼 …한/하게
- not as[❶ _____] + 형용사/부사의 원급 + as: ～만큼 …하지 않은
- the same ~ as를 사용하여 원급 비교구문을 쓸 수 있다.

  This apple is **the same** weight **as** this orange.

  = This apple is **as heavy as** this orange.
- 원급을 활용한 관용 표현

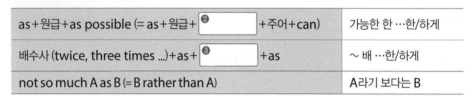

as + 원급 + as possible (= as + 원급 + ❷ _____ + 주어 + can)	가능한 한 …한/하게
배수사 (twice, three times …) + as + ❸ _____ + as	～ 배 …한/하게
not so much A as B (= B rather than A)	A라기 보다는 B

답 ❶ so ❷ as ❸ 원급

필수 예제

1. 다음 중 어법상 <u>어색한</u> 것은?

① Be as specific as possible when you teach children.

② His car is three times as more expensive as mine.

③ Mars rotates at almost exactly the same speed as Earth.

④ At high altitudes, the brain doesn't function as clearly as normal.

⑤ The temperature will rise to as high as 43 degrees Celsius next month.

Guide

① as + 원급 + as ❶ _____ = as + 원급 + as + 주어 + can ② 「배수사 + as ~ as」는 원급 활용 표현이므로, more expensive를 ❷ _____ 로 고쳐 쓴다. ③ the same ~ as 원급 비교 ④, ⑤ as + 부사의 원급 + as

답 ❶ possible ❷ expensive

확인 문제 **1-1**

빈칸에 들어갈 말로 알맞은 것은?

> Using a cell phone while driving is as dangerous _____.

① as driving drunk

② as drive drunk

③ than driving drunk

확인 문제 **1-2**

우리말과 같은 뜻이 되도록 빈칸에 알맞은 말을 쓰시오.

> 나는 그것이 첫 번째 도전의 두 배만큼 어려웠 다고 생각한다.
>
> ➡ I think it was _____ _____ _____ _____ the first challenge.

전략 ❷ | 비교급 비교

- 형용사/부사의 비교급+❶_____ : ~보다 더 …한/하게
- less+원급+than: ~보다 덜 …한/하게 (열등 비교)
- 비교급을 강조할 때는 비교급 앞에 ❷_____ , even, still, far, a lot 등을 쓴다.
- -or로 끝나는 형용사는 비교급 변화하지 않으며, than 대신 to를 쓴다.
  senior to(~보다 연상인), junior to(~보다 연하인), superior to(~보다 우수한), inferior to(~보다 열등한)
- 비교급을 활용한 관용 표현

the+비교급 ~, the+비교급 …	~하면 할수록 더 …하다
비교급+❸_____+비교급	점점 더 …한/하게
no more than (= only)	단지, 겨우
no less than (= as many/much as)	~만큼이나, 자그마치
not more than (= at most)	기껏해야
not less than (= at least)	적어도

The higher the expectation, the more difficult it is to be satisfied.

🔒 ❶ than ❷ much ❸ and

필수 예제

2. 다음 중 어법상 어색한 것은?

① Lakes and rivers are much smaller than oceans.
② The number 799 feels significantly less than 800.
③ The restaurant is more crowded than usual.
④ Unfortunately, the delivery of your desk will take longer than expected due to the damage.
⑤ The more energy this battery can store, the most energy you can use.

Guide

① 비교급 강조: ❶_____+비교급 ② 열등 비교 less than ③, ④ 비교급 비교 ⑤ '~하면 할수록 더 …하다'는 「the+비교급 ~, the+❷_____ …」

🔒 ❶ much ❷ 비교급

확인 문제

2-1

괄호 안에서 알맞은 말을 고르시오.

> The global final energy consumption for indoor cooling was over three times larger in 2016 (as / than) in 1990.

확인 문제

2-2

우리말과 같은 뜻이 되도록 주어진 표현을 활용하여 문장을 완성하시오.

> 난 내 배낭이 네 것보다 훨씬 더 무겁다고 생각해. (backpack, heavy, lot)

 _____

전략 ❸ | 최상급 비교

- the+형용사/부사의 최상급(+ [❶_____] / of ~): (~ 중) 가장 …한/하게
- [❷_____] of the+최상급+복수 명사: 가장 …한 것 중의 하나
- the+최상급+명사(+that)+주어+have ever+과거분사: 지금까지 ~한 것 중 가장 …한
- 원급이나 비교급을 사용하여 최상급을 표현할 수 있다.

no (other)+단수 명사+단수 동사+as+원급+as ~	그 어떤 것[명사]도 ~만큼 …하지 않다
no (other)+[❸____] 명사+단수 동사+비교급+than ~	그 어떤 것[명사]도 ~보다 …하지 않다
비교급+than any other+단수 명사	다른 어떤 것[명사]보다도 더 …한

He is **the tallest** teacher in my school.

= **No (other) teacher** in my school is **as tall as** him.

= **No (other) teacher** in my school is **taller than** him.

= He is **taller than any other teacher** in my school.

답 ❶ in ❷ one ❸ 단수

필수 예제 **3.** 다음 중 어법상 어색한 것은?

① Winning an Olympic gold medal is the highest achievement for athletes.

② The observatory is one of the best place to observe stars and planets.

③ What is the most precious thing in your life?

④ Rio de Janeiro is the most energetic city that I have ever visited.

⑤ Nobody is as old as me of all the students in this club.

Guide

① the+최상급 ② one of the+최상급+[❶____] 명사: 가장 …한 것 중의 하나 ③ the+최상급+in 범위 ④ the+최상급+명사(+that)+주어+have ever+과거분사: 지금까지 ~한 것 중 가장 …한 ⑤ nobody is as [❷____] as ~: 그 어떤 것도 ~만큼 …하지 않다

답 ❶ 복수 ❷ 원급

확인 문제 **3-1**

빈칸에 들어가기에 알맞은 것은?

> That was the _____ movie I've ever seen.

① bad   ② worse

③ much worse   ④ worst

⑤ badly

확인 문제 **3-2**

두 문장이 같은 뜻이 되도록 빈칸에 알맞은 말을 쓰시오.

> Dr. Lee is more famous than any other doctor in my town.
>
> = _____ _____ _____ in my town is as famous as Dr. Lee.

전략 ❹ │ 간접의문문

- 간접의문문이란 의문사가 있거나 없는 의문문이 다른 문장의 일부분으로 사용되는 의문문을 말한다.
- 의문사가 있는 간접의문문의 어순은 「의문사+ ❶ [   ] +동사」인데, 의문사가 주어로 쓰일 때는 「의문사(주어)+동사」이다.

I want to know. + **What do you do** on Saturdays?
　　　　　　　　　의문사 조동사 주어 동사
= I want to know **what you do** on Saturdays.
　　　　　　　　　의문사 　주어 동사

I'm not sure. + **Who stole** my watch?
　　　　　　　　의문사(주어) 동사
= I'm not sure **who stole** my watch.
　　　　　　　의문사(주어) 동사

- 의문사가 없는 간접의문문의 어순은 「❷ [   ] [whether]+주어+동사」이다.

I want to know. + **Do you have** a credit card?
　　　　　　　　　조동사 주어 동사

= I want to know **if[whether] you have** a credit card.
　　　　　　　　　if[whether] 　주어 동사

- how much, how old 등 「how+형용사/부사」의 경우 한 덩어리로 취급한다.

© MSSA / shutterstock

- think, believe, guess, imagine, suppose 등 추측이나 생각을 나타내는 동사가 의문사 의문문에 있는 경우, 간접의문문을 쓸 때 의문사를 문장의 맨 ❸ [   ] 에 둔다.

「의문사+do you think [believe, guess, imagine, suppose]+주어+동사?」

What do you **think I should do**?
의문사　　　　　　주어　동사

답 ❶ 주어 ❷ if ❸ 앞

필수예제

4. 다음 중 어법상 어색한 것은?

① Why don't you call him and ask why he sent it to you?
② I wonder if James had come to her birthday party.
③ I don't know whether or not my teacher is married.
④ Where do you think she was born?
⑤ Do you suppose who stole my mobile phone?

Guide

① 의문사가 있는 간접의문문의 어순: 「의문사+주어+동사」 ②, ③ 의문사가 ❶ [   ] 간접의문문의 어순: 「if [whether]+주어+동사」 ④, ⑤ 생각, 추측의 동사를 간접의문문으로 쓸 때 의문사를 문장의 맨 ❷ [   ] 에 둔다.

답 ❶ 없는 ❷ 앞

확인문제 4-1

다음을 영작할 때 네 번째 오는 단어로 알맞은 것은?

당신은 당신의 치과 치료가 언제 끝날 거라고 생각하세요?

① do　　② when　　③ you
④ think　　⑤ dental treatment

확인문제 4-2

다음 문장에서 어색한 부분을 찾아 바르게 고치시오.

This theory explains in part why does time feel slower for children.

_____ ➡ _____

1 빈칸에 들어갈 말로 바르게 짝지어진 것은?

> • I heard its size is about four times _____ than a soccer field.
> • It is one of the _____ botanic gardens in the country.

① large – bigger
② large – biggest
③ larger – bigger
④ larger – biggest
⑤ largest – biggest

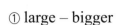

Words

botanic garden 식물원

2 다음 중 어법상 바르게 쓰인 것의 개수는?

> ⓐ This festival, one of Greenville's largest event, began in 1995.
> ⓑ The much you drink energy drinks, the more you become dependent on them.
> ⓒ The V-neck is most unique than the round one.
> ⓓ We can get a room much cheaper if we book early.

① 1개　　② 2개　　③ 3개　　④ 4개　　⑤ 없음

3 우리말과 같은 뜻이 되도록 빈칸에 알맞은 것은?

> 이 접이식 키보드는 내 가방에서 훨씬 더 적은 공간을 차지할 것이다.
> ➡ This foldable keyboard will take up _____ space in my bag.

① less
② much less
③ much little
④ less much
⑤ more less

Words

foldable 접을 수 있는　take up 차지하다

4 빈칸에 들어갈 말로 알맞은 것을 두 개 고르면?

> Can you tell me _____ your notebook computer?

① as he used
② if he used
③ why did he use
④ what he used
⑤ where he used

© Komkrit Noenpoempisut / shutterstock

5 문장의 의미가 나머지와 다른 하나는?

① He is the smartest teacher in my school.
② No other teacher in my school is as smart as him.
③ He is one of the smartest teachers in my school.
④ No other teacher in my school is smarter than him.
⑤ He is smarter than any other teacher in my school.

One of the smartest teachers는 '가장 멋있는 선생님들 중 한 분'의 의미야.

6 다음 중 어법상 어색한 것은?

① Do you think how old the temple is?
② I wonder if the man has a driver's license.
③ I asked him what made him uncomfortable.
④ Can you tell me where the origin of mankind is?
⑤ How do you suppose he solved the problem?

Words

temple 사찰 driver's license 운전면허 origin 기원

전략 ❺ | 강조

- (대)명사 강조: 재귀대명사나 the very를 사용하여 (대)명사를 강조한다.

  This is **the very watch** that I have long desired to have.
       강조 └────┘↑

  Mike himself admitted the truth.
  ↑└──┘ 강조

  cf. 재귀대명사가 강조 용법으로 쓰인 경우 재귀대명사를 생략해도 문장이 어색하지 않다. 반면, 재귀 용법으로 쓰였을 때에는 목적어로 쓰인 것이므로 생략할 수 [❶   ].

  Mike talked to **himself** in the mirror.

- 동사 강조: 조동사 do를 동사 [❷   ]에 넣는다. do는 수, 시제에 따라 do/does/did로 쓴다.

  We **do need** at least five participants to hold classes!
  강조 └──┘↑

- 부정어 강조: not (~) at all로 써서 '절대[❸   ] ~ 아니다'로 강조한다.

  Your voice is **not** blending in with the other girls' **at all.**

  🔑 ❶없다 ❷앞 ❸결코

필수예제 5. 다음 중 어법상 어색한 것은?

① You look do great today.
② I want her to come here and apologize herself.
③ Sports do not really interest me at all.
④ My little brother does believe that Santa Claus really exists.
⑤ This is the very book that I need for my test.

Guide

①, ④ 동사 강조: do/does/did 사용. 위치는 동사 [❶   ]

② 명사나 대명사 강조: 재귀대명사. 이때 재귀대명사는 [❷   ] 가능

③ 부정어 강조: not ~ at all

⑤ 명사 강조: 명사 앞에 the very

🔑 ❶앞 ❷생략

확인문제 5-1

밑줄 친 부분 중 어법상 어색한 것은?

The teacher did asked students to be
       ①   ②   ③
in class on time.
   ④   ⑤

확인문제 5-2

다음을 우리말로 해석하시오.

The very fuel of success is our optimistic belief that we can impact situations.

➡ _____
_____

전략 ⑥ | It ~ that 강조 구문

- 「It is/was+that」강조 구문: 강조하고자 하는 어구를 it is/was와 $\boxed{①}$ 사이에 넣는다.

  강조되는 어구에 따라 that을 who, when, where 등으로 바꿔 쓰기도 한다.

  It is tomorrow **that[when]** they will come back home.

- 그밖의 It ~ that 구문

  ① 가주어 it, $\boxed{②}$ that 구문: that 이하의 진주어 대신 가주어 it이 쓰인 구문이다.

  It is true **that** I went to her birthday party last Saturday.
  가주어   진주어

  ② 동사 believe, think, consider, say, expect가 that 절을 이끄는 문장이 수동태로 쓰일 때 It ~ that ... 형태가 된다.

  It is often believed **that** Shakespeare did not always write alone.
  believe의 수동태

  ③ It seems that 구문: it seems that 절은 '~인 것 같다'의 의미이다. 「seem+$\boxed{③}$」로 바꿔 쓸 수 있다.

  It seems that he succeeds in everything that he tries.

  = He **seems to succeed** in everything that he tries.

  📋 ❶ that ❷ 진주어 ❸ to부정사

필수예제

6. 다음 중 〈보기〉의 밑줄 친 부분과 쓰임이 같은 것은?

> • 보기 •
>
> It is the weakness of life <u>that</u> makes life precious.

① It is said <u>that</u> the man is a thief.

② It seems <u>that</u> he is no longer volunteering.

③ It is interesting <u>that</u> he didn't know the fact.

④ It is believed <u>that</u> water may still exist as underground ice.

⑤ It is from advertising <u>that</u> the company earns a lot of profit.

Guide

〈보기〉It ~ that $\boxed{①}$ 구문

①, ④ 동사 say와 believe 뒤에 that 명사절 수동태

② It seems that ~

③ 가주어 it, $\boxed{②}$ that절

⑤ It ~ that 강조 구문

📋 ❶ 강조 ❷ 진주어

확인문제 6-1

다음 중 that이 들어갈 위치로 알맞은 것은?

> ① It is ② true ③ Jamie ④ was ⑤ a good storyteller.

확인문제 6-2

우리말과 같은 뜻이 되도록 주어진 표현을 알맞은 순서로 배열하시오.

> 한국 전쟁이 발발한 것은 바로 1950년이었다.
> (the Korean War / in 1950 / it / broke out / was / that)

➡ _____

전략 ❼ | 도치

- 도치는 「주어+동사+기타 어구」의 어순에서, [①] 하고자 하는 어구가 있을 때 그것을 문장 맨 앞으로 보내 「강조 어구+(조)동사+주어」의 순서로 쓰는 것을 말한다.
- 강조어구

장소, 방향 등의 부사(구)	
보어	
부정어(구) no, not, never, little 등	
준부정어 hardly, rarely, scarcely, seldom 등	+(조)동사+[②]
so / neither[nor]	
there / here	
not only ~ but (also)	

© VectorNes / shutterstock

*부사구나 보어가 문두에 오는 경우 주어가 대명사이면 일반적으로 도치되지 [③].

답 ❶ 강조 ❷ 주어 ❸ 않는다

---

7. 다음 중 어법상 어색한 것은?

① There are many reasons for me not to go there.
② My brother didn't like jazz, and neither did I.
③ On the hill stood a giant with a big horn.
④ Never the dogs bothered the farmer's lambs again.
⑤ Not only did he wear jeans to go to work but also wore sandals.

Guide

① There+동사+주어 ② neither+[❶]+주어 ③ 장소의 부사구+동사+주어 ④ [❷] never+조동사+주어+동사 ⑤ Not only+조동사+주어+동사 ~ but also

답 ❶ 동사 ❷ 부정어

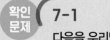
7-1
다음을 우리말로 해석하시오.

> Only recently have humans created various languages.

➡ _____

7-2
밑줄 친 never를 문장 맨 앞으로 가져와 문장을 다시 쓰시오.

> She has <u>never</u> dreamed of being a winner of an Academy Award.

➡ _____

전략 ⑧ | 생략, 삽입

• 생략: 문장을 간결하게 쓰기 위해 반복되거나 문맥상 유추 가능한 정보를 [❶____]하는 것을 말한다.

| 동사의 중복 |
| 분사구문, 부사절의 주어가 주절의 주어와 같을 때 「주어+동사」 |
| 수동태 분사구문의 Being, Having been |
| 목적절을 이끄는 접속사 [❷____] |
| 목적격 관계대명사 who(m), which, that |
| 주격 관계대명사+be동사 |
| 등위접속사로 연결된 to부정사의 to |

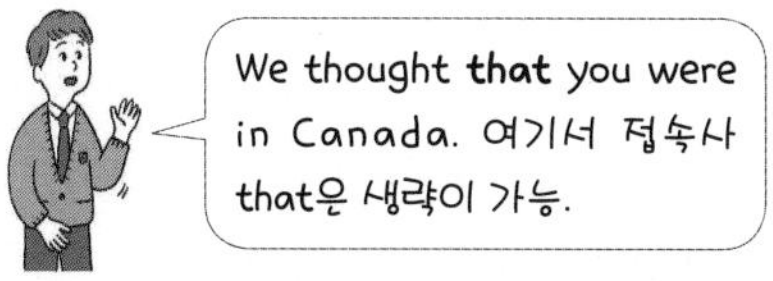

We thought **that** you were in Canada. 여기서 접속사 that은 생략이 가능.

• 삽입: 부가적인 설명을 위해 단어나 구, 절 등을 문장에 [❸____]하는 것이다. 일반적으로 앞뒤에 콤마(,)를 넣어 삽입한다. 부가적인 설명이 필요한 위치에 삽입할 수 있다.

That news, **I am sure**, is fake news.
　　　　　　삽입

답 ❶ 삭제 ❷ that ❸ 추가

필수예제

8. 다음 중 밑줄 친 부분을 생략할 수 <u>없는</u> 것은?

① Serene's mother said that she <u>herself</u> had tried to succeed many times.
② It was my mother <u>that</u> first introduced me to meditation.
③ Did you listen to the mp3 file <u>which</u> I had attached?
④ <u>Being</u> interested in movies, she usually goes to the movies alone.
⑤ The above graph shows <u>that</u> the number of jobs in Korea in 2011 increased.

Guide

① 강조 용법의 재귀대명사
② it ~ that 강조 구문. 강조 구문의 that은 생략할 수 [❶____].
③ 관계대명사의 목적격
④ 수동태 분사구문
⑤ 목적절 이끄는 [❷____]

답 ❶ 없다 ❷ 접속사

확인문제 8-1

생략할 수 있는 부분을 찾아 괄호로 묶으시오.

> Look at the woman who is drinking a cup of coffee alone in the cafe.

확인문제 8-2

다음을 우리말로 해석하시오.

> The news that there was a big explosion, surprisingly, was true.

➡ _____

2주 3일 필수 체크 전략 ②

1 밑줄 친 부분이 어법상 어색한 것은?

① Only then <u>did</u> she turn and retrace her steps to the shore.

② There <u>lived</u> a woman who had no children.

③ Hardly <u>could</u> I imagine where the animal was hiding.

④ Inside the car <u>was</u> the injured driver calling 911.

⑤ Never before these subjects <u>had</u> been considered appropriate for artists.

Words

retrace 되돌아가다 shore 해안 injure 부상을 입히다 appropriate 적절한

Tip

보어 강조, 장소·방향 등의 부사(구), 부정어(구), 준부정어, ❶ ▢▢▢▢[here] 등이 문두에 오면 「(조)동사+주어」의 순서로 ❷ ▢▢▢ 된다.

답 ❶ there ❷ 도치

© Kzenon / shutterstock

2 우리말과 같은 뜻이 되도록 빈칸에 알맞은 것은?

> 나의 할아버지는 군인이셨는데, 돌아가신 때는 바로 2차 세계 대전 때이다.
>
> ➡ My grandfather was a soldier, and _____ was in the Second World War that he died.

① when ② it ③ what

④ which ⑤ that

Tip

'돌아가신 때는 바로 ～'의 의미로 언제 돌아가셨는지 ❶ ▢▢ 하고 있으므로 강조 구문이 되려면 ❷ ▢▢ ～ that 이 필요하다.

답 ❶ 강조 ❷ it

3 다음 중 알맞은 것끼리 짝지어진 것은?

> • Einstein who / himself said that he could become smart owing to his violin.
>
> • Some historical evidence indicates that coffee did / do originate in the Ethiopian highlands.
>
> • It was by chance what / that I met an old friend of mine in New York.

① himself – do – that ② who – do – what

③ himself – did – that ④ himself – did – what

⑤ who – did – that

Words

owing to ～ 때문에, ～ 덕분에 evidence 증거 indicate 가리키다, 나타내다 by chance 우연히

Tip

• 주어를 강조하는 ❶ ▢▢▢▢▢ 가 올 수 있다.

• ❷ ▢▢ 를 강조하는 do는 문장의 시제와 주어의 수에 따라 변화한다. 내용상 과거시제여야 하므로, did가 적절하다.

• It was ～ that이 없어도 문장이 성립하면 강조 구문이다.

답 ❶ 재귀대명사 ❷ 동사

4 다음 중 밑줄 친 부분을 생략할 수 <u>없는</u> 것은?

① The window opened by <u>itself</u> and it rained into the room.

② The man <u>whom</u> we saw yesterday is a famous Japanese actor.

③ I want to know <u>the reason</u> why he is waiting for her so long.

④ When <u>I was</u> young, I used to pull my grandfather's beard.

⑤ You can come with me if you want to <u>come with me</u>.

Words

by itself 저절로   beard (턱)수염

5 빈칸에 들어갈 말이 공통으로 알맞은 것은?

> • It was about 600 years ago _____ the first clock with a face and an hour hand was made.
>
> • It seems _____ the criminals thought this as their daily business.

① what ② how ③ one
④ that ⑤ which

Words

criminal 범죄자

6 어법상 알맞은 문장을 <u>모두</u> 고른 것은?

> ⓐ Never she could believe her eyes.
>
> ⓑ Little do I know how to make it, I will put the puzzle together.
>
> ⓒ Hardly could I sleep last night because of the terrible noise.

① ⓐ ② ⓐ ⓑ ③ ⓑ ⓒ
④ ⓐ ⓒ ⑤ ⓐ ⓑ ⓒ

2주 4일 교과서 대표 전략 ①

대표 예제 1

다음 중 어법상 어색한 것은?

① We must also do much more research.

② The teacher tried to explain the concept as clearly as she could.

③ When making decisions, the more options we have, the more we suffer.

④ It will be one of the best travel experiences of your life.

⑤ You may not know as many metaphors than native speakers.

개념 Guide

원급 비교 「as+형용사/부사의 ❶ [   ] +as」
비교급 비교 「형용사/부사의 비교급+❷ [   ]」

답 ❶ 원급 ❷ than

대표 예제 2

우리말과 같은 뜻이 되도록 주어진 표현을 알맞은 순서로 배열하시오.

그는 음악사에서 가장 위대한 연주자 중 한 명이다.

(history / is / in / of / performers / he / music / one / the greatest)

➡ _____

개념 Guide

❶ [   ] of the+최상급+❷ [   ] 명사+in ~ : ~에서 가장 …한 것들 중 하나

답 ❶ one ❷ 복수

대표 예제 3

다음 두 문장을 한 문장으로 연결하여 쓰시오.

I was not sure. +
Could I adapt to the new environment?

➡ _____

개념 Guide

의문사가 ❶ [   ] 간접의문문: 「if[whether]+❷ [   ] +동사」의 어순

답 ❶ 없는 ❷ 주어

대표 예제 4

네모 안에서 어법상 알맞은 것을 고르고, 그 이유를 쓰시오.

It was a new training suit what / that changed the team.

정답: _____

이유: _____

_____

개념 Guide

강조 구문으로 쓰인 문장은 「it+be동사 ~ that」이 없어도 문장의 ❶ [   ] 가 통한다. 강조 구문으로 쓰기 전 원 문장은 A new training suit ❷ [   ] the team.이다.

답 ❶ 의미 ❷ changed

대표 예제 5

다음 글을 읽고 물음에 답하시오.

> You can see for (A) [you / yourself] 양력이라는 힘이 어떻게 작용하는지. Cut a strip of paper about 4cm wide. Hold one end of the strip near your lips, and blow slowly and evenly over the paper. The other end of the strip will rise. This is because the air blown out over the top of the paper moves quickly, so its pressure is lower (B) [as / than] the still air under the paper. The still air, with a higher pressure, pushes the paper upward into the (C) [lower / higher] pressure air.

(1) (A), (B), (C)의 각 네모 안에서 문맥상 알맞는 말로 가장 적절한 것은?

	(A)	(B)	(C)
①	you	⋯ as	⋯ lower
②	yourself	⋯ than	⋯ higher
③	you	⋯ as	⋯ higher
④	yourself	⋯ than	⋯ lower
⑤	yourself	⋯ as	⋯ higher

(2) 밑줄 친 우리말과 같은 뜻이 되도록 주어진 표현을 알맞은 순서로 배열하시오.

> works / how / lift / the force / of

➡ _____

개념 Guide

(1) (A) for oneself: [❶_____]의 관용 표현
　(B) 비교급 비교: 「형용사/부사의 비교급+than」
　(C) 높은 압력의 공기가 낮은 압력의 공기 쪽으로 움직인다.
(2) 간접의문문의 어순: 「의문사+주어+[❷_____]」

답 ❶ 재귀대명사 ❷ 동사

대표 예제 6

다음 글을 읽고 물음에 답하시오.

> "Does she have a problem?" Lisa said to me. "I thought you were friends." "Yes, (a) (I / did / so)," I said. "But she has been avoiding me for two weeks now. She promised to help me prepare for the physics exam, but she ignored all my calls and texts. (b) 그녀는 누가 자기의 친구들인지 기억하지 못해!" I said with anger.

(1) (a)에 주어진 표현을 알맞은 순서로 쓰시오.

➡ _____

(2) 밑줄 친 (b)의 우리말과 같은 뜻이 되도록 조건에 맞게 영작하시오.

> ● 조건 ●
> - 7 단어로 쓸 것
> - 동사는 축약형으로 쓸 것
> - 현재시제 간접의문문으로 쓸 것

➡ _____

개념 Guide

(1) 긍정문 동의: [❶_____]+동사+주어
　부정문 동의: neither+동사+주어
(2) 동사의 축약형: does not = doesn't
　간접의문문의 어순: 「의문사+[❷_____]+동사」로 도치

답 ❶ so ❷ 주어

대표 예제 7

우리말과 같은 뜻이 되도록 빈칸에 알맞은 말을 쓰시오.

> 이것 때문에 결국 개를 싫어하게 될 줄은 전혀 몰랐다.

➡ Never _____ that I would end up hating dogs because of this.

개념 Guide

부정어가 문장 맨 앞에 왔으므로 ❶ [ ]시킨다. 일반동사 과거시제이므로 조동사 ❷ [ ]가 필요하다.

답 ❶ 도치 ❷ did

대표 예제 8

다음 중 밑줄 친 부분을 생략할 수 없는 것은?

① Take advantage of any chances that are available to you.

② The triangle represents aggressive feelings and the square represents calm moods.

③ The animals live in an area which is green and warm.

④ When it is added to water, acid produces a sharp flavor.

⑤ He is stronger and taller than most of his friends are.

개념 Guide

「주격 관계대명사+be동사」, ❶ [ ] 사용한 동사, 분사구문의 「주어+동사」, 비교구문의 반복 동사 등은 생략할 수 있다. 주격 관계대명사는 생략할 수 ❷ [ ].

답 ❶ 반복 ❷ 없다

대표 예제 9

(A), (B), (C)의 각 네모 안에서 어법에 맞는 표현으로 가장 적절한 것은?

> • Even though both teams tried their best, (A) it / which was my team that won.
> • (B) Even / Very more importantly, they help break down barriers between people by inspiring and connecting the world through music.
> • It seemed (C) that / to everyone had his or her own way of thinking.

	(A)	(B)	(C)
①	it	Even	to
②	which	Very	that
③	it	Even	that
④	which	Even	that
⑤	it	very	to

개념 Guide

(A) 강조 구문: it ~ ❶ [ ]
(B) 비교급 ❷ [ ] 수식어: even, much, a lot, still 등
(C) It seems that+절 (주어+동사)

답 ❶ that ❷ 강조

대표 예제 10

밑줄 친 부분 중 어법상 어색한 것은?

Tinker Hatfield has become one of the most
　　　　　　　①　　　　 ②　　　 ③
influential shoe designer in the world.
　 ④　　　　 ⑤

개념 Guide

[❶] of the+최상급+복수 명사: [❷] …한 것들 중 하나

답 ❶ one ❷ 가장

대표 예제 11

우리말과 같은 뜻이 되도록 〈조건〉에 맞게 영작하시오.

지리 정보 시스템만큼 혁신적인 기술은 없었다.

조 건

－ 12 단어로 쓸 것
－ 다음 단어를 포함하여 현재완료 시제로 쓸 것
　other, technology, revolutionary,
　the geographic information system
－ 원급 표현을 사용한 최상급의 의미로 쓸 것

➡ _____

_____

개념 Guide

• 원급 표현을 사용한 최상급: no (other)+단수 명사+단수 동사+
as+[❶]+as …
• 현재완료 시제: have/has+[❷]

답 ❶ 원급 ❷ 과거분사(p.p.)

대표 예제 12

다음 글을 읽고 물음에 답하시오.

The *Sillok* is (a) 가장 잘 보존된 문화적 기록들 중 하나 in the world. Without these strict rules, the *Sillok* could not have gained such great credibility. The *Sillok* is considered more objective and reliable than the historical records of any other nation. (b) <u>Only after a king died the *Sillok* of his reign was published.</u>

(1) 밑줄 친 (a)의 우리말과 같은 뜻이 되도록 주어진 표현을 어법에 맞게 활용하여 영작하시오.

(well-preserved, cultural, record)

➡ _____

(2) 밑줄 친 (b)에서 어법상 어색한 부분을 찾아 바르게 고쳐 문장을 다시 쓰시오.

➡ _____

개념 Guide

(1) one of the+[❶]+복수 명사: 가장 …한 것들 중 하나
(2) Only after가 이끄는 부사절이 문장 맨 [❷]에 왔으므로, 주어와 동사는 도치된다.

답 (1)❶ 최상급 ❷ 앞

교과서 대표 전략 ②

01 다음 중 밑줄 친 부분을 생략할 수 <u>없는</u> 것은?

① She used water <u>itself</u> — water pressure — instead of scrubbers.

② The mayor <u>herself</u> thanked him for his heroic art.

③ If you want to protect <u>yourself</u> from colds, regular exercise may be the ultimate immunity booster.

④ Junho <u>himself</u> tried to solve the problem because no one else volunteered.

⑤ He <u>himself</u> built gardens and spent his later life painting them.

> **Tip**
> 재귀대명사의 재귀 용법로 쓰인 경우 **❶**〔　　　〕할 수 없다. 재귀대명사의 **❷**〔　　　〕용법으로 쓰인 경우 생략할 수 있다.
>
> 답 ❶ 생략 ❷ 강조

재귀 용법은 자기 자신을 목적어로 하는 거야. 재귀대명사의 관용적 표현에서도 재귀대명사는 생략할 수 없어.

02 다음 중 어법상 알맞은 것을 고르시오.

> Even if you can't make upcycled products (A) you / yourself , you can still help out by using them. Upcycling is (B) very / much easier than you think.

(A) ＿＿＿＿＿＿＿　　(B) ＿＿＿＿＿＿＿

> **Tip**
> (A) 대명사를 강조하는 **❶**〔　　　〕 yourself
> (B) **❷**〔　　　〕을 강조할 때는 much가 적절하다.
>
> 답 ❶ 재귀대명사 ❷ 비교급

03 〈보기〉의 밑줄 친 부분과 쓰임이 같지 <u>않은</u> 것은?

> • 보기 •
> It is mobile technology <u>that</u> allows us to enjoy sports anywhere.

① An expensive gift is nice, but it is the careful concern <u>that</u> counts.

② It was my parents <u>that</u> always encouraged me to do my best.

③ It is hard work <u>that</u> makes things happen and creates change.

④ It was generally accepted <u>that</u> blue was for boys and pink for girls in the past.

⑤ It was my uncle <u>that</u> received this new care from our neighbor last Saturday.

> **Tip**
> 〈보기〉, ①, ②, ③, ⑤: It ~ that **❶**〔　　　〕 구문
> ④ 「accept＋that 명사절」의 **❷**〔　　　〕태
>
> 답 ❶ 강조 ❷ 수동

04 우리말과 같은 뜻이 되도록 주어진 표현을 알맞은 순서로 배열하시오.

> 남아메리카에서 나는 어디로 가야 한다고 생각하세요?
> (South America / I / think / where / do / you / should go / in / ?)

➡ ＿＿＿＿＿＿＿＿＿＿＿＿＿＿＿＿

> **Tip**
> 생각을 나타내는 동사 **❶**〔　　　〕가 의문사 의문문에 있는 경우, 간접의문문을 쓸 때 의문사를 문장의 맨 **❷**〔　　　〕에 쓴다.
>
> 답 ❶ think ❷ 앞

05 다음 중 어법상 어색한 것은?

① In real life, people are not the same, nor they want to be.

② Hardly did I expect that you would come here!

③ Among the countries she visited were Canada and South Africa.

④ Never had the acting student dreamed of meeting the star of the show.

⑤ Not until yesterday did I realize the box my mom had left me.

> **Tip**
> ① 부정어 nor 뒤에 「(조)동사＋주어」의 어순으로 **❶_____** 된다. ② 준부정어 hardly 뒤에 도치된다.
> ③ **❷_____** Among the countries she visited 뒤에 「동사＋주어」로 도치된다. ④ 부정어 never 뒤에 도치된다. ⑤ Not until 뒤에 도치된다.
>
> 답 ❶ 도치 ❷ 부사구

06 우리말과 같은 뜻이 되도록 괄호 안의 말을 빈칸에 알맞은 형태로 쓰시오.

> 십대들이 좋은 습관을 기르는 데 더 노력하면 할수록, 그들의 두뇌의 연결은 더 강해질 것이다.

➡ _____ (hard) teens work at building good habits, _____ (strong) those connections in their brains will be.

> **Tip**
> the＋**❶_____** ~, the＋**❷_____** …: ~하면 할수록 더 …하다
>
> 답 ❶ 비교급 ❷ 비교급

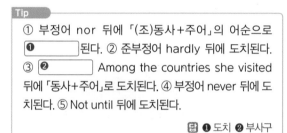

© jilis / shutterstock

[07 ~ 08] 다음 글을 읽고 물음에 답하시오.

> (a) The world has become closer and close, and people are most interconnected than ever before. What is a global citizen? First, a global citizen is aware of the global issues that affect our lives and makes an effort to solve them. Second, a global citizen believes that all human beings are equal and treats others fairly and with respect. (b) 세계 시민이 더 활동적일수록 세상은 더 좋은 곳이 될 것입니다!

07 윗글의 (a)에서 어법상 어색한 곳을 두 군데 찾아 바르게 고치고 해석하시오.

- _____ ➡ _____
- _____ ➡ _____
- 해석: _____
  _____

> **Tip**
> 비교급＋and＋**❶_____** : 점점 더 ~하다 /
> **❷_____** ＋than ever before: 전보다 더 ~한
>
> 답 ❶ 비교급 ❷ 비교급

08 윗글의 밑줄 친 우리말 (b)와 같은 뜻이 되도록 〈조건〉에 맞게 영작하시오.

> [조건]
> – 13 단어로 쓸 것
> – active, good, place, world를 포함할 것
> – the＋비교급 ~, the＋비교급 …을 활용할 것

➡ _____
  _____

> **Tip**
> the＋**❶_____** ~, the＋비교급 …: ~하면 할수록 더 …하다 / good의 비교급은 **❷_____**
>
> 답 ❶ 비교급 ❷ better

01 빈칸에 들어갈 말로 알맞은 것이 바르게 짝지어진 것은?

> • You know flowers say _____ more than you think.
> • Irony is critical, but generally less aggressive _____ satire.
>
> *satire 풍자

① a lot – than
② much – as
③ very – than
④ even – as
⑤ the – than

02 다음 문장에서 어색한 부분을 찾아 바르게 고치고, 우리 말로 해석하시오.

> Not only I explained the problem to the student, but I even suggested solutions.

_____ ➡ _____

➡ _____

03 다음 문장에서 생략된 단어를 두 군데 찾아 써 넣으시오.

> I realized the man I came across yesterday at the park was a famous singer.

04 다음 중 어법상 어색한 것은?

① You can know how amazing the airports are.
② Do you know how the very first hamburger was made?
③ No one could imagine where the animal had come from.
④ Do you know what is your problem?
⑤ He asked me how often the bus runs.

05 다음 중 문장의 쓰임이 나머지 넷과 다른 것은?

① It is this plants' immobility that causes them to make chemicals.
② It is expected that the church will be completed sometime in 2026.
③ It is commonly thought that drinking lots of water is good for skin.
④ It is widely believed that social concerns and trends are reflected in mass media.
⑤ It is believed that emotion expressed in music can be understood through a culturally learned association.

06 다음 문장에서 삽입된 부분을 괄호로 묶으시오.

> We reflect in particular on the mistreatment of those who were Stolen Generations.

07 밑줄 친 부분의 쓰임이 〈보기〉와 같은 것은?

> • 보기 •
> I repaired the bicycle <u>myself</u>.

① He is famous for saying "Know <u>yourself</u>".

② He stepped on a shard of glass, so he cut <u>himself</u>.

③ You can prepare <u>yourself</u> for the information you are about to read.

④ She <u>herself</u> built her own house and spent the rest of her life there.

⑤ Stop for ten seconds before buying something and ask <u>yourself</u> if you really need it.

08 다음 두 문장을 한 문장으로 연결하여 쓰시오.

> Do you think? +
> How long will it take to go to Daegu?

➡ _____

[09~10] 다음 글을 읽고 물음에 답하시오.

> Today, I'll talk about how LEDs make our lives better. First, one of the best-known (A) advantage / advantages of LEDs is the long lifespan. LED bulbs are used in lamps and last for over 17 years before you need to change them. Second, LEDs use (B) very / much low amounts of power. Next, LEDs are (C) very / much brighter than traditional bulbs. So, (D) (visible / they / foggy / make / more / in / conditions / traffic lights). Finally, thanks to their small size, LEDs can be used in various small devices. Any light you see on a computer keyboard is an LED light.

09 윗글의 (A), (B), (C)의 각 네모 안에서 어법에 맞는 표현으로 가장 적절한 것을 골라 쓰시오.

(A) _____

(B) _____

(C) _____

10 윗글의 (D)의 괄호 안에 주어진 표현들을 다음 우리말과 같은 뜻이 되도록 알맞은 순서로 배열하시오.

> 그것들은 안개 낀 상황에서 신호등을 더 잘 보이게 합니다.

➡ _____

A 그림을 보고, 상황을 <u>잘못</u> 묘사한 사람을 고르면?

This apple is about the same weight as this orange.

This pear is twice as heavy as this orange.

No other fruit is as heavy as this watermelon.

창준 ☐

☐ 미나

☐ 세은

200 g
150 g
400 g
1000 g
200 g

☐ 승호

자영 ☐

This orange is heavier than any other fruit.

This tomato is not so heavy as this apple.

> **Tip**
> • the same A as B: B와 같은 정도의 A
> • twice as+❶⬚⬚⬚⬚+as ~: ~의 2배만큼 …한
> • No (other)+단수 명사+단수 동사+as+원급+as ~: ~만큼 …한 것은 없다
> • 비교급+than any other+❷⬚⬚⬚⬚ 명사: ~보다 …한 것은 없다
> • not so+원급+as ~: ~만큼 …하지 않은
>
> 답 ❶ 원급 ❷ 단수

B 주어진 사다리를 타고 간접의문문을 완성하시오.

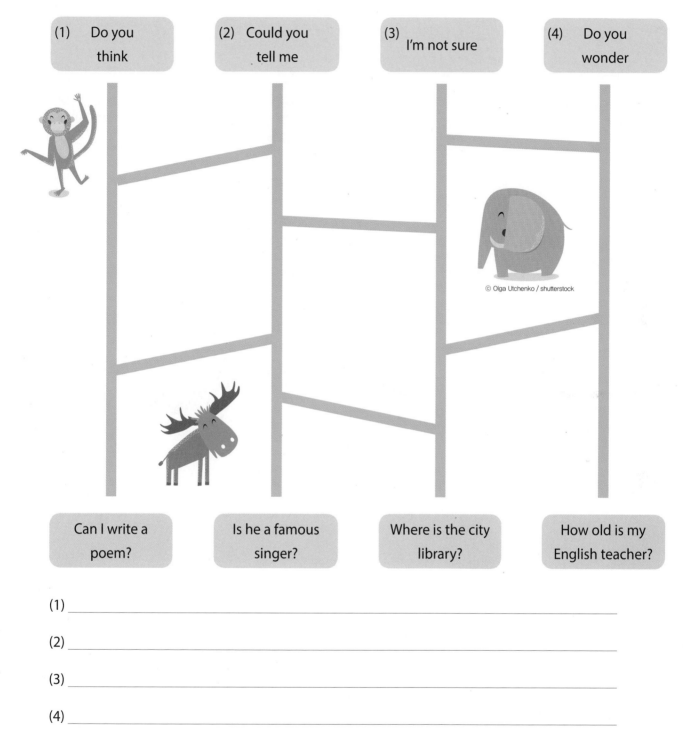

(1)　Do you think

(2)　Could you tell me

(3)　I'm not sure

(4)　Do you wonder

© Olga Utchenko / shutterstock

Can I write a poem?

Is he a famous singer?

Where is the city library?

How old is my English teacher?

(1) _____

(2) _____

(3) _____

(4) _____

Tip

생각을 나타내는 동사 think가 간접의문문으로 쓰일 때 의문사를 문장 맨 **①**〔　　　　　〕에 오게 한다. 의문사 없는 의문문은 **②**〔　　　　　〕나 whether로 연결한다. 의문사가 있는 간접의문문의 어순은 「의문사＋주어＋동사」의 순서이다.

답 **①** 앞 **②** if

창의·융합·코딩 전략 ②

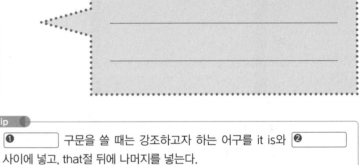

C 다음 단어들을 모두 사용하되 겹치지 않고 한번에 선을 그어 강조 구문으로 쓰인 문장을 완성하시오.

English	textbook	that
is	it	I
for	looking	am

겹치지 않으려면 ⊔◑⊏⅃⊓ 등과 같은 순서로 움직이면 되지!

_____

_____

_____

Tip

❶[   ] 구문을 쓸 때는 강조하고자 하는 어구를 it is와 ❷[   ] 사이에 넣고, that절 뒤에 나머지를 넣는다.

답 ❶ 강조 ❷ that

D 다음 중 건너뛰어도 되는 단어가 있다면 제외하고 문장을 완성하시오.

Start ➡ she / runs / the / shoe / factory / by / herself ➡ Finish

© Iva Villi / shutterstock

➡ _____

Tip

재귀대명사가 ❶[   ] 용법으로 쓰인 경우는 생략할 수 있고, 재귀 용법이나 관용 표현인 경우 생략할 수 없다. 여기서는 '(도움 없이) 혼자'의 의미인 by herself로 쓰였으므로 생략할 수 ❷[   ].

답 ❶ 강조 ❷ 없다

E 밑줄 친 ⓐ, ⓑ에 대해 <u>잘못</u> 설명한 사람은?

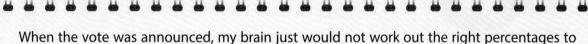

When the vote was announced, my brain just would not work out the right percentages to discover ⓐ <u>whether we had the necessary two-thirds majority.</u> Then one of the technicians turned to me with a big smile on his face and said, "You've got it!" At that moment, the cameras outside took over and out there in the yard ⓑ <u>there a scene of joy was almost beyond belief.</u>

ⓐ의 whether는 discover의 목적어절을 이끄는 접속사야.

소영

ⓐ의 whether 뒤에는 「동사+주어」의 순서로 had we necessary two-thirds majority 로 고쳐야 해.

정인

ⓐ의 whether는 if로 바꿔 쓸 수 있어.

미연

ⓑ는 there 뒤에 「동사+주어」의 순서로 there was a scene of joy로 고쳐야 해.

윤아

ⓑ의 there는 유도 부사야.

지혜

Tip

ⓐ 의문사 없는 간접의문문의 형태로, 「whether + ❶ [   ] + 동사」의 순서로 온다. ⓑ 유도부사 there 뒤에는 주어와 동사가 ❷ [   ] 되어 「동사+주어」의 순서로 온다.

답 ❶ 주어 ❷ 도치

여1: 들어와서 놓아요. 누구라도 환영해요.
여1: 왜 아무도 들어오지 않는지 모르겠어.
여2: 내 생각엔 여기가 너무 깨끗해서 아이들이 들어올 수 없는 거 같아.
여1: 네 말이 맞았어. 고마워. 이게 내가 원하던 거야.

상관접속사
등위접속사가 다른 단어와 짝을 이루는 접속사로, not only A but also B, both A and B, either A or B 등이 있다.

부사절을 이끄는 종속접속사
시간, 이유, 조건, 양보, 대조 등의 부사 역할을 하는 절을 이끄는 접속사로, when, as, because, since, if, unless, although, even if 등이 있다.

명사절을 이끄는 종속접속사
문장 내에서 주어, 보어, 목적어 등 명사 역할의 절을 이끄는 접속사로, that, if, whether가 있다.

관계부사
접속사와 부사의 역할을 하며, 시간, 장소, 이유, 방법을 나타내는 선행사에 따라 when, where, why, how가 있다.

관계대명사 that과 what
• that은 선행사를 수식하는 형용사절을 이끈다.
• what은 선행사를 포함하여 '~하는 것'의 의미로, 주어, 보어, 목적어 역할을 하는 명사절을 이끈다.

관계대명사
두 문장을 이어주는 접속사와 대명사의 역할을 하며 who(m), whose, which, that, what 등이 있다.

관계대명사와 관계부사
• 관계대명사는 문장의 주어나 목적어 역할을 하므로, 불완전한 절을 이끈다.
• 관계부사는 부사 역할을 하므로, 완전한 절을 이끈다.

복합관계대명사/복합관계부사
• who(m)ever, whichever, whatever가 있으며 명사절이나 양보의 부사절을 이끈다.
• whenever, wherever, however가 있으며 시간, 장소의 부사절이나 양보의 부사절을 이끈다.

GOOD
JOB!

This ring is a magic ring itself. This is more precious than anything else in the world.

But not until now did I know the fact that it's a source of evil.

I realized what I have to do.

남: 이 반지는 마술 반지 그 자체야. 이건 이 세상 그 어떤 것보다 더 귀한 거야.
남: 하지만 이제야 그것이 악의 근원이라는 것을 나 알았지.
남: 내가 무엇을 해야 하는지 깨달았어.

원급 비교
- 「as + 형용사/부사의 원급 + as」
- 원급 비교의 부정 표현은 「not as[so] + 형용사/부사의 원급 + as」

비교급 비교
- 「형용사/부사의 비교급 + than」
- 비교급 비교를 강조하는 수식어 much, still, a lot, even 등

최상급 비교
- 「the + 형용사/부사의 최상급 (in/of ~)」
- 「one of the + 최상급 + 복수 명사」: 가장 ~한 것 중의 하나

It ~ that 구문
- It is/was ~ that 강조 구문
- 가주어 it ~진주어 that절
- it was believed[thought, considered, said, expected] that절
- It seems that절

강조
- (대)명사 강조: 재귀대명사나 the very
- 동사 강조: 대동사 do/does/did + 동사
- 부정어 강조: not (~) at all

간접의문문
- 의문사가 있는 간접의문문: 「의문사 + 주어 + 동사」
- 의문사가 없는 간접의문문: 「if[whether] + 주어 + 동사」

도치
- 장소, 방향 등의 부사(구), 보어
- 부정어(구) no, not, never, little 등
- 준부정어 hardly, rarely, seldom 등
- so/neither[nor], there/here, not only ~ but (also) 등

생략
- 동사의 중복
- 분사구문, 부사절의 「주어 + 동사」
- 분사구문의 Being, Having been
- 목적절 이끄는 접속사 that
- 목적격 관계대명사 등

GOOD JOB!

신유형·신경향·서술형 전략

1 그림을 보고 〈보기〉에서 적절한 말을 골라 쓰시오.

━ • 보기 • ━
either	not	and	but
both	or	nor	neither

(1) _____ she _____ her sister now live in U.S.A.

(2) _____ his sister _____ his brother was at his wedding.

(3) The *taekwondo* performance took place _____ in the gym _____ in the park.

> **Tip**
> • both A and B: A와 B 【❶ _____】 다
> • neither A nor B: A도 B도 아닌
> • not A 【❷ _____】 B: A가 아니라 B
>
> 답 ❶ 둘 ❷ but

2 〈보기〉의 접속사와 괄호 안의 표현을 활용하여 우리말을 영작하시오.

━ • 보기 • ━
even though	unless	in case

(1)
> 허락을 받지 못한다면 당신은 공연 중 사진을 찍을 수 없다. (during, performance, permission)
>
> ➡ _____
>
> _____

(2)
> 이 상황이 맘에 들지 않더라도, 너는 너의 일을 계속해야 한다. (situation, keep -ing)
>
> ➡ _____
>
> _____

(3)
> 나중에 배가 고파질 경우에 대비해서, 내가 샌드위치를 좀 만들게. (sandwiches, get hungry, later on)
>
> ➡ _____
>
> _____

> **Tip**
> • unless: 만약 ~이 아니라면 (if ~ 【❶ _____】)
> • even though: 비록 ~일지라도
> • 【❷ _____】: ~할 경우에 (대비해서)
>
> 답 ❶ not ❷ in case

3 다음 〈보기〉에서 알맞은 두 개의 절을 고르고, 적절한 관계대명사를 써서 의미가 통하도록 연결하시오.

> • 보기 •
> • She lectured on a topic.
> • I returned the money.
> • Yesterday I ran into an old friend.
> • I had borrowed it from my roommate.
> • I hadn't seen him for years.
> • I know very little about it.

(1) _____

_____

(2) _____

_____

(3) _____

_____

> **Tip**
> 두 문장에서 **❶** [_____] 명사와 대명사를 찾아 대명사를 **❷** [_____]로 바꿔 관계대명사절을 만든다.
> 관계대명사는 사물일 때 which, 사람일 때 who(m)을 사용하고 둘 다 that으로 바꿔 쓸 수 있다. (1) a topic = it (2) the money = it (3) an old friend = him
>
> 답 **❶** 공통된[일치된] **❷** 관계대명사

4 네모 안에서 알맞은 말을 고르고, 그 이유를 쓰시오.

(1)

> Corn was one of the agricultural products that / what were introduced to the European settlers by the Indians.
>
> 정답: _____
>
> 이유: _____
>
> _____
>
> _____

(2)

> Now, with that picture in your mind, try to draw that / what your mind sees.
>
> 정답: _____
>
> 이유: _____
>
> _____

> **Tip**
> 앞에 **❶** [_____]가 있는지를 먼저 확인한다. 선행사가 있으면 that, 없으면 **❷** [_____]을 쓴다.
>
> 답 **❶** 선행사 **❷** what

© Africa Studio / shutterstock

5 우리말과 같은 뜻이 되도록 괄호 안에 주어진 표현을 알맞은 순서로 배열하시오.

(1)

> 재활용은 거의 항상 새로운 제품을 만드는 것보다 더 적은 자원을 사용한다.

(than / resources / new products / recycling / almost / always / uses / fewer / making)

➡ _____

_____

(2)

> 채소와 과일을 많이 먹을수록, 암에 걸릴 가능성은 작아진다.

(the less / you eat / the more / of getting cancer / fruits and vegetables / chance / you have)

➡ _____

_____

> **Tip**
> (1) 비교 대상은 recycling과 making new products 이고, 비교급 비교의 기본 형태는 「비교급+ ⓿ _____」으로 쓴다.
> (2) 비교급 비교의 관용 표현 '~하면 할수록 더 …하다'는 「the+비교급 ~, ❷ _____+비교급 …」으로 쓴다.
>
> 답 ⓿ than ❷ the

© Monticello / shutterstock

6 다음을 간접의문문으로 쓰시오.

> No one really knows for sure ....

(1) How big is the universe?

➡ No one really knows for sure _____

_____.

(2) Why do mothers love their children unconditionally?

➡ No one _____

_____.

(3) What is the world's largest fish?

➡ _____

_____

> **Tip**
> 의문사가 있는 간접의문문은 「⓿ _____+주어+동사」의 어순으로 쓴다. 의문사 ❷ _____ big은 한 덩어리로 취급한다.
>
> 답 ⓿ 의문사 ❷ how

7 다음을 밑줄 친 부분을 강조하는 문장으로 다시 쓰시오.

(1)

> Consumers find <u>the uncertainty of the result</u> attractive.

➡ _____

_____

(2)

> Serene's mother said that <u>she</u> had tried many times before succeeding at Serene's age.

➡ _____

_____

(3)

> Skilled workers may have used simple tools, but their specialization <u>resulted</u> in more productive work.

➡ _____

_____

> **Tip**
> (1) 단어 또는 긴 어구를 강조할 때는 it ~ **❶** _____ 강조 구문으로 쓴다.
> (2) 대명사를 강조할 때는 **❷** _____ 대명사를 쓴다.
> (3) 동사를 강조할 때는 동사 앞에 do[does / did]를 넣는다.
>
> 🄰 ❶ that ❷ 재귀

© Stephen Coburn / shutterstock

8 다음 글을 읽고, 〈조건〉과 〈힌트〉에 맞게 필요한 부분을 영작하시오.

> One day, Gutenberg playfully asked himself: "What if I took a bunch of these coin punches and put them under the wine press so that they left images on paper?" In the end, his idea of linking the two devices led to the birth of the modern printing press. This changed history forever. Gutenberg did not pull his idea out of thin air. He knew about the two devices of his era. He knew (a) <u>그것들이 어떻게 작동했는지를</u> and (b) <u>그것들이 무엇을 할 수 있었는지를</u>. In other words, the roots of the invention were already there. (c) <u>Gutenberg가 했던 것은</u> was view the two devices in a new way and combine them.

> [조건]
> 1. 간접의문문, 또는 관계대명사절을 활용하시오.
> 2. 다음 단어를 적절하게 사용하시오.
>   work, do, how, what
> [힌트]
> (a)와 (b)는 목적어 자리, (c)는 주어 자리

(a) _____

(b) _____

(c) _____

> **Tip**
> (a)(b) 간접의문문은 「의문사+주어+**❶** _____」의 어순으로 쓴다.
> (c) 관계대명사 what은 선행사를 **❷** _____ 하고 있으며 '~하는 것'으로 해석한다.
>
> 🄰 ❶ 동사 ❷ 포함

[01~02] 빈칸에 들어갈 말로 알맞은 것을 고르시오.

01

> _____ many people brush their teeth often, they can still get rotten teeth.

① Though   ② Despite

③ Because   ④ In case

⑤ In spite

02

> Make sure your bags are tagged _____ you can identify them later.

① so that   ② now that

③ although   ④ while

⑤ because

© Creative Stall / shutterstock

03 밑줄 친 that의 쓰임이 나머지 넷과 다른 것은?

① We all have tough experiences <u>that</u> affect our moods.

② Many people suppose <u>that</u> to keep bees, it is necessary to have a large garden.

③ The lightning <u>that</u> we see during a storm can be sometimes a threat to people.

④ Did you read the message <u>that</u> the principal had posted?

⑤ This is one of the most boring movies <u>that</u> I've ever seen.

04 다음 중 어법상 어색한 문장의 개수는?

> ⓐ Molly, who is just 16 years old, is one of the best tennis players in USA.
>
> ⓑ Take notice of that she says.
>
> ⓒ Can you see the house which roof is green?
>
> ⓓ What I want to have for dinner is noodle soup.
>
> ⓔ Jenny is my friend, that I have known for 10 years.

① 1개   ② 2개   ③ 3개   ④ 4개   ⑤ 5개

05 빈칸에 들어갈 말로 알맞은 것을 고르시오.

> Fez was the medieval capital of Morocco and the place _____ Moroccan culture began to prosper.

① where   ② when

③ which   ④ what

⑤ why

06 (A), (B), (C)의 각 네모 안에서 어법에 맞는 표현으로 가장 적절한 것은?

>   Twenty-three percent of people admit to having shared a fake news story on a popular social networking site, (A) | either / neither | accidentally or on purpose, according to a 2016 Pew Research Center survey. The news ecosystem has become so overcrowded and complicated (B) | that / which | I can understand (C) | what / why | navigating it is challenging. When in doubt, we need to crosscheck story lines ourselves.

	(A)	(B)	(C)
①	either	that	what
②	neither	that	why
③	either	that	why
④	neither	which	what
⑤	either	which	why

07 생략된 말을 두 개 찾아 바른 위치에 넣어 문장을 다시 쓰고, 우리말로 해석하시오.

> He realized the number of nails the boy drove into the fence each day gradually decreased.

➡ 문장: _____

_____

➡ 해석: _____

_____

08 두 문장의 의미가 같도록 빈칸에 알맞은 말을 쓰시오.

> She makes friends easily with anyone whom she meets.
> = She makes friends easily with _____ she meets.

서술형

09 빈칸에 공통으로 알맞은 말을 쓰시오.

> • _____ you follow these rules, you can be on good terms with your teacher.
> • Mom said to stop for ten seconds before buying something and ask myself _____ I really need it.

➡ _____

서술형

10 (A)와 (B)의 네모 안에서 어법에 맞는 표현을 고르고, 문장을 해석하시오.

> The Barnum Effect is the phenomenon (A) [where / which] someone reads or hears something very general but believes (B) [what / that] it applies to them.

➡ (A) _____ (B) _____

➡ 해석: _____

_____

서술형

[11~12] 다음 우리말을 〈조건〉에 맞게 영작하시오.

11

> 그가 듣고 싶었던 것은 최신 이슈에 대한 뉴스였다.

— 조건 —

1. 다음 표현을 활용할 것
   hear, news, recent, issue
2. 관계대명사를 사용할 것
3. 11 단어로 쓸 것

➡ _____

12

> 나는 보다 잘 맞는 다른 직업을 찾을 수 있을 것이라고 생각했다.

— 조건 —

1. 다음 표현을 활용할 것 (필요시 형태를 바꿀 것)
   think, would be able to, another, a, good, match(n.)
2. 관계대명사 that을 사용할 것
3. 접속사를 생략하지 말고 넣을 것
4. 비교급을 사용할 것

➡ _____

[13~14] 다음 글을 읽고 물음에 답하시오.

The brain makes up just two percent of our body weight but ① uses 20 percent of our energy. In newborns, it's no less than 65 percent. That's partly ② why babies sleep all the time to use as an energy reserve when needed. Our muscles use ③ even more of our energy, about a quarter of the total, but we have a lot of muscle. Actually, per unit of matter, the brain uses by far more energy than our other organs. That means ④ what the brain is the most expensive of our organs. But it is also marvelously efficient. Our brains require only about four hundred calories of energy a day — about the same ⑤ as we get from just a blueberry muffin.

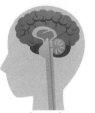

© Kotikoti / shutterstock

13 윗글의 밑줄 친 ①~⑤ 중, 어법상 어색한 것은?

①   ②   ③   ④   ⑤

(서술형)

14 윗글의 밑줄 친 부분을 바르게 해석하시오.

➡ _____

[15~16] 다음 글을 읽고 물음에 답하시오.

Honesty is a fundamental part of every strong relationship. Use it to your advantage by being open with (A) which / what you feel and giving a truthful opinion when asked. Follow this simple policy in life — never lie. When you develop a reputation for always telling the truth, you will enjoy strong relationships based on trust. People (B) who / what lie get into trouble when someone threatens to uncover their lie. By living true to yourself, you'll avoid a lot of headaches. 진실이 아무리 고통스러울지라도 don't be afraid to be honest with your friends. In the long term, lies with good intentions hurt people much more than (C) tell / telling the truth.

15 윗글의 (A), (B), (C)의 각 네모 안에서 어법에 맞는 표현으로 가장 적절한 것은?

	(A)	(B)	(C)
①	which	what	tell
②	what	who	telling
③	which	who	tell
④	what	what	telling
⑤	what	who	tell

(서술형)

16 윗글의 밑줄 친 우리말과 같은 뜻이 되도록 주어진 단어들을 알맞은 순서로 배열하시오.

matter / no / how / the truth / painful / is

➡ _____

01 밑줄 친 부분의 쓰임이 나머지 넷과 다른 것은?

① Your answer depends on how you view the questions.

② This is why men's clothes have buttons on the right since most people are right-handed.

③ I am not sure if I can make it.

④ She wonders how big the famous art center is.

⑤ The fairy tale is totally different from what I read when I was young.

02 주어진 문장의 밑줄친 부분과 바꿔 쓸 수 없는 것은?

> I think no other student is as energetic as Celine in our school.

① no other student is more energetic than Celine

② Celine is the most energetic student

③ Celine is more energetic than any other student

④ Celine is more energetic than anyone else

⑤ Celine is as energetic as any other student

03 다음 중 어법상 어색한 것은?

① Since they moved in, never have I had a good night's sleep.

② More precisely, not one morning have I been able to sleep past five.

③ Little did he know that people would go to any length to connect with each other.

④ Hardly I arrived on time because there was a car accident on my way to school.

⑤ Not only do I dedicate myself to baseball, but I study hard as well.

04 빈칸에 들어갈 말로 알맞은 것을 모두 고르면?

> Smokers are _____ more subject to heart attacks than non-smokers.

① much　　　　② such

③ a lot　　　　④ very

⑤ so

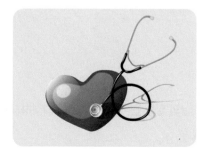

05 다음 중 어법상 <u>어색한</u> 문장의 개수는?

> ⓐ Let me know how is technology changing people.
> ⓑ Not until yesterday did I read the letter.
> ⓒ Can you see the library of which door is round?
> ⓓ New York is one of the most diverse city in the world.
> ⓔ Hardly did I arrive on time because of the heavy traffic.

① 1개　② 2개　③ 3개　④ 4개　⑤ 5개

06 다음 중 어법상 <u>어색한</u> 것을 바르게 고쳐 쓴 것은?

> Mammals tend to be ⓐ <u>least</u> colorful than other animal groups, but zebras are strikingly dressed in black-and-white. What purpose do such high contrast patterns serve? The colors' roles aren't always obvious. The question of ⓑ <u>what</u> zebras can gain from having stripes ⓒ <u>has puzzled</u> scientists for more than a century. To try to solve this mystery, wildlife biologist Tim Caro spent more ⓓ <u>than</u> a decade studying zebras in Tanzania. He saw ⓔ <u>that</u> flies seemed to avoid landing on the stripes.

① ⓐ least → less
② ⓑ what → that
③ ⓒ has puzzled → have puzzled
④ ⓓ than → as
⑤ ⓔ that → what

서술형

07 우리말과 같은 뜻이 되도록 주어진 단어를 활용하여 문장을 완성하시오.

> 에펠탑은 세계에서 가장 인기 있는 구조물 중 하나이다.
> (The Eiffel Tower, popular, structure)

➡ _____

_____

서술형

08 밑줄 친 우리말과 같은 뜻이 되도록 주어진 단어들을 알맞은 순서로 배열하시오.

> I wondered <u>그가 왜 디지털 기술에 대한 부정적인 태도를 고수하는지</u>.
> (his / why / negative / he / toward / held on to / attitudes / digital / technologies)

➡ _____

_____

서술형

09 밑줄 친 ①~⑤ 중, 어법상 틀린 것을 찾아 바르게 고치고 그 이유를 쓰시오.

> You can easily lose motivation ① <u>when</u> you face the plain reality of the road to success. The road is paved with grey stones and offers ② <u>less</u> intense emotions than ③ <u>those</u> imagined at the beginning. When you reach the end and ④ <u>look</u> back at the road, however, you'll realize how much more valuable, colorful, and meaningful ⑤ <u>was it</u> than you anticipated it to be in the moment.

정답: _____ ➡ _____

이유: _____

_____

서술형

10 빈칸에 알맞은 말을 순서대로 쓰시오.

> • _____ bigger the team, the more possibilities exist for diversity.
> • The factory was _____ larger than I expected.

➡ _____, _____

서술형

11 다음 우리말을 〈조건〉에 맞게 영작하시오.

> 그의 끊임없는 실패에도 불구하고 그를 격려해 준 것은 바로 언젠가 그가 성공할 것이라는 믿음이다.

• 조건 •
1. 다음 표현을 활용할 것
   belief, succeed, someday, cheer, despite, constant, failures
2. 동격의 that을 사용할 것
3. It ~ that 강조 구문을 사용할 것

➡ _____

_____

서술형

12 우리말과 같은 뜻이 되도록 주어진 단어들을 알맞은 순서로 배열하시오.

> 2015년 그 회사의 제품 판매량은 2014년의 그것만큼 높지 않았다.

(products / in 2014 / not / the sales / were / as / in 2015 / those / as / of the company's / high)

➡ _____

_____

[13~14] 다음 글을 읽고 물음에 답하시오.

We notice repetition among confusion, and the opposite: we notice a break in a repetitive pattern. Some repetition gives us a sense of security, in that we know ① what is coming next. We like some predictability. We arrange our lives in largely repetitive schedules. Randomness is ② more challenging and more frightening for most of us. With "perfect" chaos we are frustrated by having to adapt and react again and again. But "perfect" regularity is perhaps ③ very more horrifying in its monotony than ④ randomness is. Such perfect order does not exist in nature; there ⑤ are too many forces working against each other. Either extreme, therefore, feels threatening.

13 윗글의 밑줄 친 ①~⑤ 중, 어법상 어색한 것은?

①   ②   ③   ④   ⑤

서술형

14 다음 주어진 철자를 보고 대조적인 의미로 쓰인 단어를 윗글에서 찾아 쓰시오.

repetition, r_____, p_____,
m_____

confusion, c_____, r_____

[15~16] 다음 글을 읽고 물음에 답하시오.

In an experiment, researchers presented participants with two photos of faces and asked participants to choose the photo (A) that/ what they thought was more attractive, and then handed participants that photo. Using a clever trick, when participants received the photo, it had been switched to the photo not chosen by the participant — the (B) much / less attractive photo. Remarkably, most participants accepted this photo as their own choice and then gave arguments for why had they chosen that face in the first place. This revealed a striking mismatch between our choices (C) and / but our ability to rationalize outcomes.

15 윗글의 (A), (B), (C)의 각 네모 안에서 문맥상 알맞은 말로 가장 적절한 것은?

	(A)	(B)	(C)
①	that	much	but
②	what	less	but
③	that	less	and
④	what	much	and
⑤	what	less	and

© Trendsetter Imagesl / shutterstock

서술형

16 윗글의 밑줄 친 문장에서 어색한 부분을 찾아 고쳐 문장을 다시 쓰시오.

➡ _____

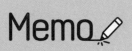

빠르게 외우고 오~래 기억한다!

3초 보카

철자 이미지 연상법

단어의 철자와 뜻을 이미지로 표현해
보기만 해도 저절로 외워지는
'철자 이미지 연상법' 적용

즐거운 어휘공부

영단어 암기, 더 이상 미룰 수 없다!
달달 외우는 지루한 암기는 NO
3초 보카로 재미있는 어휘 공부

자기주도학습 OK

기출 예문으로 보는 Usage와 수능 Tip
MP3와 어휘테스트 출제프로그램으로
집에서도 학원처럼 관리 가능

3초 보고 30년 기억하는 영어 어휘 비책! 고등: 예비고 | 수능: 고1~2

book.chunjae.co.kr

교재 내용 문의 ·························· 교재 홈페이지 ▶ 고등 ▶ 교재상담
교재 내용 외 문의 ·················· 교재 홈페이지 ▶ 고객센터 ▶ 1:1문의
발간 후 발견되는 오류 ············ 교재 홈페이지 ▶ 고등 ▶ 학습지원 ▶ 학습자료실

★ 고등 **11종** 영어 교과서
필수 학습 내용 반영!

실력향상 필수학습!
고득점을 예약하자!

내신전략

고등 영어 **문법**

BOOK 3
정답과 해설

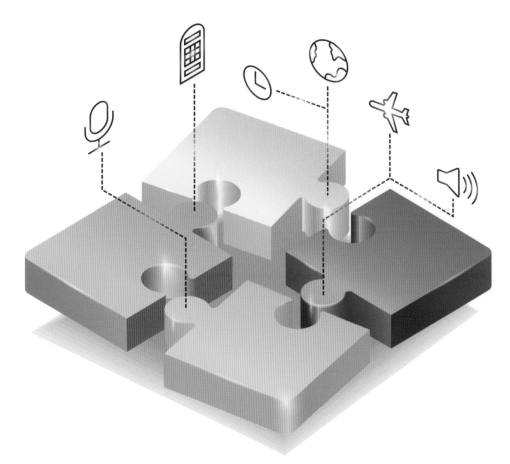

천재교육

정답과 해설
포인트 3가지

▶ 혼자서도 이해할 수 있는 친절한 문제 풀이

▶ 필수 문법 point 중심의 자세한 해설

▶ 전 문항 해석 및 지문별 주요 구문 분석 수록

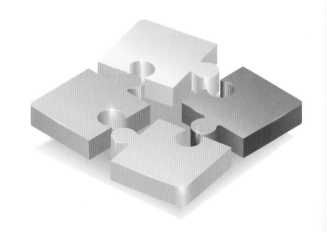

Book 1

정답과 해설

정답과 해설

1주 – 동사

1주 1일 개념 돌파 전략 ①

pp. 8~11

1-1 (1) 1형식 (2) 2형식 (3) 5형식	**4-1** should, 네 여동생은 집에 일찍 돌아와야 한다.
1-2 true	**4-2** sounds → sound
2-1 is **2-2** is → are	**5-2** ② **5-2** were[was]
3-1 ② **3-2** has rained	**6-1** The lost dog was found by me **6-2** built

1-1

(1) 장소의 부사구 in the east of Asia는 문장의 형식에서 고려하지 않는다. 주어(Korea)와 동사(lies)가 문장의 필수 성분인 1형식 문장이다.

(2) 보어는 주어를 보충하는 주격보어, 목적어를 보충하는 목적격보어가 있다. 주어(My teacher)+동사(is)+주격보어(handsome and reliable)인 2형식 문장이다.

(3) 목적어 him을 보충 설명하는 목적격보어 honest가 온 5형식(S+V+O+OC) 문장이다.

해석 (1) 한국은 아시아의 동쪽에 놓여 있다.
(2) 나의 선생님은 아주 잘생기고 믿을 만하다.
(3) 그녀는 그가 정직하다고 믿었다.

어휘 reliable 믿을 만한, 신뢰할 만한

1-2

주어(His dream)와 동사(came) 뒤에 온 형용사 true는 주격보어로 쓰였다. 동사 come은 여기서 자동사로, '(어떤 일이) 일어나다'의 의미이다.

해석 그의 꿈은 결국 실현되었다.

어휘 come true 실현되다

2-1

주어 부분 The difference between two balls 중 핵심 주어는 The difference이고 between two balls는 핵심 주어를 수식하는 전치사구 수식어구이므로 동사는 단수 동사 is가 온다.

어휘 difference 차이, 차이점

2-2

주어 부분 The students of my school 중 핵심 주어는 The students이고 of my school은 전치사구 수식어구이므로 동사 is를 복수형 are로 고친다.

해석 우리 학교의 학생들이 축제를 즐기고 있다.

어휘 festival 축제

3-1

때를 나타내는 부사구 last night가 명백한 과거 시점을 나타내고 있으므로, 과거시제로 쓴다.

해석 어젯밤에 비가 몹시 내렸다.

어휘 heavily 심하게, 세게

3-2

부사구 since yesterday morning은 '어제 아침부터'의 뜻이다. 「since+과거 시점」은 현재완료와 자주 사용되는 표현이다.

해석 어제 아침부터 비가 온다.

4-1

조동사는 동사 앞에 위치하며, 주어의 수에 따라 변화하지 않는다. should는 의무나 당위를 나타내는 조동사로 '～해야 한다'로 해석할 수 있다.

must는 의무를 나타낸다면, should는 마땅히 해야 할 당위성을 나타내는 경우에 많이 쓰여.

4-2

조동사 뒤에 오는 동사는 동사의 원형이어야 하므로, sounds를 원형 sound로 고쳐 쓴다.

해석 그 이야기가 이상하게 들릴 수도 있겠지만, 사실이다.

5-1

가정법 과거는 현재 사실에 대한 반대를 나타내며, 「If+주어+
동사의 과거형/were ~, 주어+조동사의 과거형+동사원형 …」
으로 쓴다. 주절의 동사가 would help이므로, if절의 동사는
과거형 had가 적절하다.

해석 내가 시간이 있다면 당신을 도울 텐데.

5-2

주절의 동사가 would go이므로, if절의 동사 am을 과거형인
were[was]로 고친다.

해석 내가 너라면, 외국어를 배우기 위해 해외로 갈 텐데.

6-1

능동문의 목적어 the lost dog을 주어 자리에 쓰고, 동사를
「be동사+과거분사」로 바꾼다. 시제가 과거형인 found이므로
was found로 써야 한다.

해석 나는 잃어버린 개를 공원에서 찾았다.

어휘 lost 잃어버린

6-2

the house와 동사 build의 관계를 살펴본다. 집은 '지어지는'
것이므로 수동태로 써야 한다. 과거분사 built가 적절하다.

해석 그 집은 3년 전에 지어졌다.

© romakoma / shutterstock

1주 1일 개념 돌파 전략 ②

pp. 12~13

1 (1) Good medicine tastes bitter.　　(2)형식
　　　 (S)　　　　 (V)　 (SC)

　 (2) He made them fix the watch.　　(5)형식
　　　 (S)　 (V)　 (O)　　 (OC)

2 has been painting

지난 달 이래로, Kate는 자화상을 그리고 있다.

3 (1) is → are　　(2) are → is

4 must

5 If Mary had studied harder, she would have passed the test.

6 The thief was caught by the police officer yesterday.

1 Example

• 주어가 Such a terrible accident, 동사가 should never happen인 1형식 문장이다. again은 부사이므로 문장의 필수 성분이 아니며 문장의 형식에 영향을 주지 않는다.

해석 그러한 끔찍한 사고는 다시는 일어나서는 안 된다.

• 동사가 수여동사인 teach의 과거형 taught이고, 간접목적어 his students, 직접목적어 the history of Korea인 4형식 문장이다.

해석 그는 그의 학생들에게 한국사를 가르쳤다.

(1) 주어가 Good medicine, 동사가 tastes이며, bitter는 형용사로 주어를 보충 설명하는 주격보어이므로 2형식 문장이다.

해석 좋은 약은 맛이 쓰다.

어휘 bitter (맛이) 쓴

(2) 동사 made 뒤에 목적어 them과 목적격보어 fix the watch가 온 5형식 문장이다. make가 사역동사이므로 목적격보어는 동사원형이 왔다.

해석 그는 그들에게 시계를 고치게 했다.

어휘 fix 수리하다

2 Example

• 일반적 사실, 습관, 반복적 행동, 불변의 진리, 격언, 속담 등을 나타낼 때는 현재시제로 쓴다.

해석 비너스는 사랑과 아름다움의 여신이다.

어휘 goddess 여신

• 부사구 「in+연도」와 함께 명백한 과거의 한 시점에 발생한 일은 과거시제로 쓴다.

해석 2010년에 그는 서울에서 태어났다.

「since+과거 시점」은 완료시제와 함께 쓰이는 부사구이다. 여기서는 현재완료 진행시제인 「have/has been+-ing」가 적절하다.
어휘 self-portrait 자화상

내용상 '제한 속도를 지켜야 한다'고 해야 하므로 조동사는 must가 적절하다. must not은 '금지'의 의미이다.
해석 운전 중에는 제한 속도를 지켜야 한다.
어휘 follow 따르다   speed limit 제한 속도

3 Example
• from the other team은 주어의 수식어구이고 핵심 주어는 The players로 복수 명사이므로, 복수 동사 are running이 왔다.
해석 다른 팀에서 온 선수들이 달리기를 하고 있다.
• of jobs in South Asia가 주어의 수식어구이고 핵심 주어는 The number로 단수 명사이므로, 동사는 단수 동사 is가 왔다.
해석 남아시아의 일자리 수는 다섯 지역 중 가장 많다.
어휘 region 지역

(1) 핵심 주어는 The products로 복수형이고 at the grocery store는 주어의 수식어구이므로, 동사는 복수 동사 are가 와야 한다.
해석 그 식료품점의 상품들은 신선하다.
어휘 product 생산품   grocery store 식료품점
(2) 주어는 a glass of milk로 셀 수 없는 명사 앞에 단위 표현 a glass가 왔으므로, 단수 취급해야 한다.
해석 냉장고에 우유 한 잔이 있다.
어휘 refrigerator 냉장고

셀 수 없는 명사는 항상 단수 취급해.

5 Example
• 가정법 과거는 현재의 사실과 반대되는 내용으로, 「If+주어+동사의 과거형/were ~, 주어+조동사의 과거형+동사원형 …」으로 쓴다.
해석 그가 키가 크다면, 모델이 될 수 있을 텐데.
• 가정법 과거완료는 과거의 사실과 반대되는 내용으로, 「If+주어+had+p.p. ~, 주어+조동사의 과거형+have+p.p. …」로 쓴다.
해석 내가 더 빨리 걸었더라면, 나는 그 기차를 탈 수 있었을 텐데.

우리말 해석에서 과거시제임을 알 수 있으므로, if절에는 「had+p.p.」, 주절에는 「조동사의 과거형+have+p.p.」의 가정법 과거완료 문장을 만든다.
어휘 pass 통과하다

6 Example
• '건물이 지진에 의해 붕괴된'의 의미로, 동작을 당한 대상에 중심을 둔 수동태 문장이다. 능동문은 An earthquake destroyed some buildings.가 된다.
해석 몇몇 건물들이 지진에 의해 붕괴되었다.
어휘 destroy 파괴하다   earthquake 지진
• 행위자가 일반인이거나, 중요하지 않거나, 불분명한 경우 생략할 수 있다.
해석 공원의 꽃들은 매일 물을 준다.
어휘 water 물을 주다

능동문을 수동태로 바꾸려면 목적어를 주어로, 주어를 「by+목적격」으로 쓴다. 동사는 「be동사+p.p.」로 쓰는데, 능동문의 시제가 과거형이므로 「was+p.p.」로 써야 하는 것에 유의한다.
해석 경찰관이 어제 도둑을 잡았다. / 도둑이 어제 경찰관에 의해 잡혔다.
어휘 catch 잡다

4 Example
• '~해야 한다'의 의무, 당위를 나타내는 조동사 should가 왔다.
해석 책을 빌릴 때는 이 카드를 보여 주어야 한다.
어휘 borrow 빌리다
• '~할 수 있다'의 가능을 나타내는 조동사 can이 왔다.
해석 비타민 C는 피부를 보호하는 데 도움을 줄 수 있다.
어휘 protect 보호하다   skin 피부

필수 예제 **1** ②	확인 문제 **1-1** ⑤	확인 문제 **1-1** wider
필수 예제 **2** ②	확인 문제 **2-1** ⑤	확인 문제 **2-2** (1) is　(2) know
필수 예제 **3** ③, ④	확인 문제 **3-1** ②	확인 문제 **3-2** earns
필수 예제 **4** ⑤	확인 문제 **4-1** ④	확인 문제 **4-2** has been speaking

필수 예제 1

② resemble은 목적어를 필요로 하는 타동사이므로 2형식이 아니라 3형식 문장이다.

① 주어 This machine, 동사 works가 문장의 필수 성분인 1형식 문장이다. 이어지는 부사(구)는 문장의 형식에 영향을 주지 않는다. ③ that절 이하가 동사 thought의 목적어로 쓰인 3형식 문장이다. ④ 「수여동사 ask+간접목적어(you)+직접목적어(a favor)」의 4형식 문장이다. ⑤ 「help+목적어+(to)부정사」의 5형식 문장이다.

해석 ① 이 기계는 전기에 의해 자동으로 작동된다.

② 그는 외모가 그의 할아버지를 닮았다.

③ 그 선수는 경기가 불공정하다고 생각했다.

④ 부탁 하나 드려도 될까요?

⑤ 부자는 농부가 씨앗을 사는 것을 도왔다.

어휘 work (기계 장치 등) 작동되다　automatically 자동으로　electricity 전기　resemble 닮다　appearance 외모　unfair 불공정한　seed 씨앗

확인 문제 1-1

⑤ 「주어+keep+목적어+목적격보어(형용사)」의 5형식 문장이다.

① '~처럼 들린다'의 의미로 쓰인 동사 sound는 주격보어를 필요로 하는 불완전 자동사이다. 주격보어로 형용사는 올 수 있으나, 부사는 올 수 없다. / strangely → strange ② marry는 '~와 결혼하다'로 해석하나 전치사 with가 불필요한 타동사이다. ③ 4형식 문장은 수여동사 buy 뒤에 「간접목적어(사람)+직접목적어(사물)」의 순서로 와야 하므로, He bought his wife a jewelry로 쓰거나 3형식 문장으로 쓰려면 간접목적어 앞에 전치사를 써서 He bought a jewelry for his wife.로 써야 한다. ④ 타동사 raise(들어올리다, 일으키다)와 자동사 rise(오르다, 일어나다)를 혼동하지 않도록 한다. / raised → rose

해석 ① 이상하게 들릴지 모르지만 그것은 사실이다.

② 그녀는 유명한 작가와 결혼했다.

③ 그는 부인에게 보석을 사 주었다.

④ 태양이 지평선 위로 떠올랐다.

⑤ 난로는 당신을 따뜻하게 해 준다.

어휘 jewelry 보석　horizon 지평선　stove 난로

확인 문제 1-2

grow는 상태의 변화를 나타내는 동사로, 2형식에 쓰여 주격보어가 필요하다. 주격보어 자리에는 부사는 올 수 없고 형용사가 오므로 형용사 wide의 비교급 wider가 적절하다.

어휘 tree ring 나이테

필수 예제 2

② 「the number of+복수 명사」는 단수 취급하므로 are를 is로 고쳐야 한다.

① 동명사 주어는 단수 취급한다. ③ 「the rest of+복수 명사」는 복수 취급한다. ④ 「each of+복수 명사」는 단수 취급한다. ⑤ 「a number of+복수 명사」는 복수 취급한다.

해석 ① 그들의 영화에서 집중을 얻기는 쉽다.

② 응답자들의 수가 감소하고 있다.

③ 나머지 펭귄들은 다음에 무슨 일이 일어나는지 지켜본다.

④ 각 5개국은 모두 40개의 메달을 땄다.

⑤ 하늘에 수많은 별들이 반짝이고 있다.

어휘 respondent 응답자　in total 전체로서, 통틀어

© Nikelser Kate / shutterstock

확인 문제 2-1

⑤ 「each of+복수 명사」는 단수 취급하므로 has가 적절하다.

① 「one of+복수 명사」는 단수 취급하므로 have는 has로 고쳐야 한다. ② to부정사구 주어는 단수 취급하므로 are를 is로 고쳐야 한다. ③ 「분수(1/3)+of+복수 명사」는 복수 취급하므로

was를 were로 고쳐야 한다. ④ 「the percentage of+복수 명사」는 단수 취급하므로 were를 was로 고쳐야 한다.

해석 ① 쌍둥이 중 한 명은 파란 눈을 가지고 있다.

② 새로운 것을 시작하는 것은 항상 어렵다.

③ 접시들의 3분의 1이 금이 갔다.

④ 2016년 스마트폰의 비율은 2019년의 그것과 동일하다.

⑤ 학생들 각자는 음악적 능력을 개발할 기회를 가지고 있다.

어휘 cracked 금이 간, 깨진 opportunity 기회 ability 능력

확인 2-2

(1) 「most of+단수 명사」는 단수 취급하므로 is가 적절하다.

(2) some of you에서 you는 문맥상 '여러분 중 몇 명'의 의미가 되어 단수를 가리킬 수 없으므로 복수 취급하여 know가 적절하다.

해석 (1) 대부분의 눈은 한 시간 안에 녹을 것이다.

(2) 여러분 중 일부는 이미 알고 계시겠지만, 우리는 푸드 드라이브를 시작하고 있습니다.

어휘 food drive (자원봉사 등을 위한) 음식 기부 운동, 푸드 드라이브

필수 예제 3

① 일반적 사실은 현재시제로 쓴다. ② 역사적 사실은 과거시제로 쓴다. ③ 조건의 부사절에서는 현재시제가 미래시제를 대신하므로, will snow는 snows로 바꾼다. ④ 인지동사인 realize는 진행형으로 쓸 수 없다. / was realizing → realized ⑤ 불변의 진리는 현재시제로 쓴다.

해석 ① 올림픽은 4년마다 열린다.

② 한국전쟁은 1950년에 발발했다.

③ 내일 눈이 온다면 나는 집에 있을 것이다.

③ 나는 그의 이름이 제임스 본드였다는 것을 깨달았다.

③ 지구는 태양 주위를 돈다.

확인 문제 3-1

역사적 사실을 나타내고 있으므로 과거시제로 쓴다.

해석 마리 퀴리는 1898년 라듐을 발견했다.

확인 문제 3-2

시간이나 조건의 부사절에서는 미래시제 대신에 현재시제를 쓴다. 3인칭 단수이므로 -s를 넣는 것에 유의한다.

해석 그가 장학금을 받으면 공부에 매진할 수 있을 것이다.

어휘 earn 벌다 scholarship 장학금 concentrate on -ing ~에 집중하다

필수 예제 4

⑤ last night으로 명백한 과거 시점을 나타내는 부사구가 있으므로 현재완료 시제는 올 수 없다. / has not eaten → didn't eat

① 과거보다 더 먼저 발생한 일은 대과거(had+p.p.)로 쓴다. ② 과거에 발생한 일로, when 부사절과 주절의 시제는 일치시킨다. ③ 「for+기간」은 현재완료 시제와 함께 쓴다. ④ '깨달은' 시점보다 '놓고 온' 시점이 더 먼저이므로, 대과거를 쓴다.

해석 ① 그녀는 그를 전에 본 적이 있기 때문에 단번에 알아보았다.

② 그가 캠핑을 갔을 때, 그는 그곳에서 Susan을 만났다.

③ 그들은 3년 동안 울산에 살고 있다.

④ 나는 카페에 노트북을 두고 온 것을 깨달았다.

⑤ 그는 어젯밤에 아무것도 먹지 않았다.

어휘 recognize 알아보다, 인정하다 realize 깨닫다, 알아차리다

확인 문제 4-1

④ 「since+과거 시점」은 완료시제와 함께 쓰이므로, 과거시제 문장에는 적합하지 않다. 「in+연도」, when, ago 등은 과거시제와 함께 쓰인다.

해석 Tony는 2020년에[12살 때/어제/3년 전에] 파리에 있었다.

확인 문제 4-2

시간을 나타내는 부사구 「since+과거 시점」이 쓰였으므로, 현재완료 진행시제가 적절하다.

해석 Ted는 지난 월요일부터 그의 상사에게 그의 휴가에 대해 이야기해 오고 있었다.

어휘 boss 상사, 사장 vacation 휴가

1주 2일 필수 체크 전략 ②

1 ①   2 ③   3 ④   4 ②   5 ①   6 ⑤

1 · stay는 '~한 상태로 있다'는 의미의 불완전 자동사이므로 보어를 필요로 한다. 2형식 문장(S+V+SC)의 주격보어 자리에는 명사나 형용사가 올 수 있고 부사는 올 수 없으므로 형용사 calm이 적절하다.
· 지각동사 watch가 5형식 문장(S+V+O+OC)으로 쓰일 때 목적격보어 자리에는 원형부정사(동사원형)나 분사가 올 수 있다. to부정사는 올 수 없다.

해석 · 화재 경보가 울렸을 때 모두들 침착했다.
· 나는 내 아들이 친구들과 축구를 하는 것을 보았다.

어휘 stay calm 침착하다   fire alarm 화재 경보   go off (경보 등이) 울리다

2 ① 부분 표현 「half of+복수 명사」는 복수 취급한다. 부분 표현의 경우 뒤에 단수 명사가 오면 단수 취급한다는 것에 주의한다. ② 「every+단수 명사」는 단수 취급한다. ③ 「분수+of+불가산명사」는 단수 취급한다. 불가산명사의 경우 복수형을 쓸 수 없으므로, 항상 단수 취급한다는 것에 주의한다. ④ 부분 표현 「most of+복수 명사」는 복수 취급한다. ⑤ 「each of+단수 명사」는 단수 취급한다.

해석 ① 학생들의 절반이 외로워하고 고향을 그리워했다.
② 마을에는 집집마다 앞마당이 있다.
③ 소금의 3분의 2를 물에 넣었다.
④ 양파의 대부분은 수프에 사용해야 한다.
⑤ 각각의 이러한 현상은 개인의 경험에 의해 형성된다.

어휘 two-thirds $\frac{2}{3}$ phenomena *pl.* 현상 (← phenomenon)

3 ① 「since+과거 시점」은 현재완료 시제와 함께 쓰므로 volunteered를 has volunteered로 고친다. ② 역사적 사실은 항상 과거시제로 쓰므로 creates를 created로 고친다. ③ 조건의 부사절이 오면 부사절에서는 미래시제 대신 현재시제를 쓰고, 주절은 그대로 미래시제로 쓰므로 will go를 go로 고친다. ④ 불변의 진리는 항상 현재시제로 쓰므로 바르게 쓰였다. ⑤ 명백한 과거 yesterday가 있으므로 현재완료 시제는 올 수 없다. has cried를 cried로 고쳐야 한다.

해석 ① 그는 지난달부터 고아원에서 자원봉사를 해 오고

있다.
② 세종대왕이 한글을 창제했다는 것은 누구나 알고 있다.
③ 만약 여러분이 산책을 한다면, 여러분의 반려견은 여러분을 따라갈 것이다.
④ 우리 선생님은 해가 동쪽에서 뜬다고 말씀하셨다.
⑤ Laila는 어제 친구들과 싸워서 울었다.

어휘 orphanage 고아원

4 ②는 「주어+수여동사 send+간접목적어 me+직접목적어 a vacuum machine」의 4형식 문장이고, 나머지는 모두 5형식 문장이다. 5형식 문장의 목적격보어 자리에는 동사에 따라 명사, 형용사, to부정사, 원형부정사, 분사 등이 올 수 있다.

〈보기〉 S+make+O+형용사 OC (5형식)
① S+advise+O+to부정사 OC (5형식)
③ S+지각동사 see+O+원형부정사 OC (5형식)
④ S+call+O+명사 OC (5형식)
⑤ S+사역동사 let+O+원형부정사 OC (5형식)

해석 〈보기〉 그의 집에서 열린 집들이는 우리를 행복하게 했다.
① 변호사는 나에게 진실을 말하라고 충고했다.
② 내 남동생이 나에게 진공청소기를 보냈다.
③ 우리는 모퉁이에 경찰차가 멈추는 것을 보았다.
④ 친구들은 나를 걸어 다니는 사전이라고 부른다.
⑤ 그는 그의 아이들을 모래밭에서 놀게 했다.

어휘 housewarming party 집들이
lawyer 변호사
vacuum machine 진공청소기

5 · 「the number of+복수 명사」는 '~의 수'의 뜻으로, 뒤에 복수 명사가 와도 단수 취급한다는 점에 유의한다. 반면, a number of는 '많은'의 뜻으로 복수 명사와 함께 써서 복수 취급한다.

- 「each of+복수 명사」는 '~의 각각'의 뜻으로, 단수 취급 한다.
  해석 · 이 반에 안경을 쓴 남학생의 수는 5명이다.
  · 쌍둥이들 각자는 등산을 좋아한다.
  어휘 twin 쌍둥이

6 동사가 was destroyed로 과거시제이므로, 과거를 나타내 는 부사구(ago, when, last, the day before yesterday

등)와 함께 쓸 수 있다. 그러나 현재완료와 주로 쓰이는 「since+과거 시점」과는 함께 쓸 수 없다.
해석 그 집의 지붕은 며칠 전[내가 거기 있었을 때 / 어젯밤 / 그저께] 폭풍으로 파괴되었다.
어휘 destroy 파괴하다   storm 폭풍, 폭풍우

1 3일 필수 체크 전략 ①

pp. 20~23

필수 예제 **5** ①	확인 문제 **5-1** ④	확인 문제 **5-2** He should have taken his son to the hospital.
필수 예제 **6** ③	확인 문제 **6-1** ⑤	확인 문제 **6-2** If you had not saved my life, I would not have survived.
필수 예제 **7** ④	확인 문제 **7-1** ②, ⑤	확인 문제 **7-2** were called
필수 예제 **8** ②	확인 문제 **8-1** ④	확인 문제 **8-2** have been struck

필수 예제 **5**
'~했음에 틀림없다'의 의미로 과거 사실에 대한 강한 추측을 나 타낼 때는 조동사 must have p.p.를 쓴다.
should have p.p.: ~했어야 한다
shouldn't have p.p.: ~하지 말았어야 한다
could have p.p.: ~했을 수도 있다
cannot have p.p.: ~했을 리가 없다
어휘 complete 완성하다

확인 문제 **5-1**
주절에 주장을 나타내는 동사 insist가 있으므로, that절의 동 사는 「(should)+동사원형」이 온다. ④ comes를 동사원형 come이나 should come으로 써야 적절하다.
해석 나의 상사는 수리공이 더 일찍 와야 한다고 주장했다.
어휘 insist 주장하다, 고집하다   repairman 수리공

확인 문제 **5-2**
'~했어야 한다'의 의미로 과거에 대한 유감, 후회를 나타낼 때 조동사 should have p.p.를 쓴다.

필수 예제 **6**
if 가정법 문장에는 일반적으로 조동사의 과거형이 포함되어 있 으므로, 조동사를 확인한다. ③은 조건을 나타내는 if 부사절이 이끄는 조건문이다. 그밖에 I wish, as if, if it were not for, without 등을 이용하여 가정법 문장을 쓸 수 있다.
해석 ① 시에서 더 많은 공동체 정원을 지어준다면 좋으련만.
② 그는 아무 일도 없었던 것처럼 일을 계속했다.
③ 시간이 부족하다면 하루에 한 번 정도만 제대로 먹어도 된다.
③ 물이 없다면 생명체는 살아남을 수 없다.
⑤ 당신의 도움이 없다면 나는 보고서를 완성하지 못할 것이다.
어휘 community 공동체   survive 생존하다

확인 문제 **6-1**
①, ② as if나 as though는 '마치 ~인 것처럼'의 뜻으로 절을 이끈다. ③, ④ 가정법을 이끄는 I wish나 if의 경우에도 뒤에 「주어+동사」의 절이 와야 하므로, 답이 될 수 없다. ⑤ If it were not for는 '~이 없다면'의 뜻으로, 이어서 명사가 온다. 「Without+명사」와 같은 뜻이다.
해석 나의 가족이 없다면 난 곤경에 처할 것이다.
어휘 be in trouble 곤경에 처하다, 어려움을 겪다

확인 문제 6-2

가정법 과거완료는 「If+주어+had+p.p. ~, 주어+조동사의 과거형+have+p.p. …」로 쓰면 된다. if절이나 주절 모두 부정문이므로 not을 조동사 뒤에 넣는다는 점에 유의한다.

어휘 save 구하다

필수 예제 7

④ 지각동사의 수동태는 목적격보어 자리에 온 원형부정사를 to부정사로 바꿔 쓴다. (→ 능동문 We heard a cat cry out on the roof.)
① 4형식의 직접목적어를 주어로 쓴 수동태이다. 간접목적어 앞에 전치사 for가 왔다. (→ 능동문 I made Susan a chocolate cake.) ② 3형식의 수동태이다. (→ 능동문 His simple gesture of thoughtfulness moved me.) ③ 5형식의 목적어를 주어로 쓴 5형식의 수동태이다. (→ 능동문 Her parents believed her honest.) ⑤ 사역동사의 5형식 수동태이다. (→ 능동문 Their teacher made the kids keep quiet.)

해석 ① 내가 Susan을 위해 초콜릿 케이크를 만들었다.
② 나는 그의 사려 깊은 태도에 감동 받았다.
③ 그녀의 부모님은 그녀를 정직하다고 믿었다.
④ 지붕 위에서 고양이 한 마리가 울부짖는 소리가 들렸다.
⑤ 아이들은 선생님에 의해 조용해졌다.

어휘 gesture 몸짓   thoughtfulness 사려 깊음   cry out 울부짖다

확인 문제 7-1

4형식 문장을 수동태로 쓸 때 간접목적어를 주어로 하는 것과 직접목적어를 주어로 하는 것의 두 가지 형태로 만들 수 있다. 주어 They는 일반인 주어이므로 생략되었다.
② 「간접목적어+be동사+p.p.+직접목적어(+by+행위자)」
⑤ 「직접목적어+be동사+p.p.+전치사+간접목적어(+by+행위자)」

해석 그들은 그 과학자에게 상을 수여했다.

확인 문제 7-2

수동태의 과거는 「was/were+p.p」로 쓰므로 call을 주어의 수에 맞게 were called로 고친다.

해석 한 회의에서 로봇들은 '돌보미 기계'로 불리었다.

어휘 conference 회의, 콘퍼런스   caring 돌보는

필수 예제 8

② 동사 resemble은 수동태로 쓸 수 없다. → He resembled his father.
① 「was/were+being+p.p.」의 과거진행 시제의 수동태 문장이다. ③, ⑤ by 이외의 전치사를 사용하는 관용적 표현의 수동태로, be amazed at은 '~에 놀라다', be related to는 '~와 관계가 있다'의 의미이다. ④ 「have/has+been+p.p.」의 현재완료 시제의 수동태 문장이다.

해석 ① 약이 조제되는 중이었다.
② 그는 그의 아버지를 닮았다.
③ 그는 바람의 힘에 놀랐다.
④ 긍정적인 자기 대화에 대해 많이 글로 써지고 언급되어 왔다.
⑤ 고용인들의 선택은 그들의 요구와 관계가 있다.

어휘 resemble 닮다   positive 긍정적인   self-talk 자기 대화   employee 고용인   selection 선택   be related to ~와 관계가 있다   need 필요, 요구, 욕구

확인 문제 8-1

be involved in은 by 이외의 전치사를 사용하는 수동태의 관용적 표현으로, '~와 관련되다, 관여하다'의 뜻이다.

해석 전쟁 기간 동안, 그는 해군 무기 연구에 관여했다.

어휘 naval 해군의   weapon 무기   research 연구

확인 문제 8-2

strike는 '부딪히다'이고 문장에서는 '수 세기에 걸쳐 ~ 부딪혀 왔다'로 쓰였으므로, 현재완료 수동태로 쓰는 것이 적절하다. 현재완료 시제의 수동태는 「have/has+been+p.p.」의 형태로 쓴다.

어휘 theatrical 극적인   quality 질, 품질

다시 한번 확인하자. 진행시제의 수동태는 「be동사+being+p.p.」, 완료시제의 수동태는 「have동사+been+p.p.」야.

그러니까 과거진행 수동태는 was being struck, 현재완료 수동태는 has been struck처럼 쓰면 되는구나.

1주 **3**일 필수 체크 전략 ②

| **1** ② | **2** ④ | **3** ④ | **4** ① | **5** ⑤ | **6** ⑤ |

1 ① ② 주장, 요구, 명령, 제안의 동사의 목적어로 쓰인 that절에서 동사는 「should+동사원형」, 혹은 동사원형으로 쓴다. ③ should 뒤에 동사원형을 써서 '~해야만 한다'의 의무, 당위를 나타낸다. ④ should have p.p.는 '~했어야 한다'의 과거에 대한 후회를 나타낸다. ⑤ must have p.p.는 '~했음에 틀림없다'의 과거의 강한 추측을 나타낸다.

[해석] ① 그들은 그에게 3일 후에 단체 여행에 참가할 것을 요청했다.

② 그녀는 간호사들이 비행 중에 승객들을 돌볼 것을 항공사에 제안했다.

③ 하이킹 프로그램에서 참가자는 10세 이상이어야 한다.

④ 그것은 전혀 효과가 없었다. 난 처음부터 도움을 청했어야 했다.

⑤ 한 소년이 울고 있다. 그는 뭔가 무서운 것을 본 게 틀림없다.

[어휘] request 요청하다 flight 비행 participant 참가자 scary 두려워하는

2 과거 사실에 대한 반대를 나타낼 때는 가정법 과거완료를 쓴다.: 「If+주어+had+p.p. ~, 주어+조동사의 과거형+have+p.p. …」 내용상 '당하지 않았을 텐데'이므로 부정문 wouldn't have had가 되어야 한다.

3 4형식 문장을 수동태로 바꿀 때는 두 가지로 바꿔 쓸 수 있다. 간접목적어가 주어로 올 때: 「주어(간접목적어)+be동사+p.p.+직접목적어+by+행위자」/ 직접목적어가 주어로 올 때: 「주어(직접목적어)+be동사+p.p.+전치사+간접목적어+by+행위자」 따라서 빈칸에 알맞은 것은 was awarded와 to him이다.

[해석] Royal Society가 그에게 수학 금메달을 수여했다.

[어휘] award 수여하다

4 '~했을 리가 없다'의 과거에 대한 부정 추측의 표현은 조동사 cannot을 사용하여 「cannot have+과거분사(p.p.)」로 쓴다. ② must have eaten: 먹었음에 틀림없다 (강한 추측) ③ should have eaten: 먹었어야 했다 (유감, 후회)

④ shouldn't have eaten: 먹지 말았어야 했다 (부정 유감, 후회) ⑤ might have eaten: 먹었을지도 모른다 (약한 추측)

[어휘] rotten 부패한, 썩은

5 혼합 가정법은 과거에 일어나지 않은 사건으로 인해 현재까지 영향을 받는 경우에 주로 쓰인다. 내용상 if절에는 과거의 상황과 반대, 주절에는 현재의 상황과 반대의 내용이 이어지므로, if절은 가정법 과거완료, 주절은 가정법 과거인 혼합가정법으로 써야 한다. 그러므로 if절에는 가정법 과거인 「had+p.p.」, 주절에는 가정법 과거인 「조동사+동사원형」을 쓰고, 명백히 현재임을 나타내는 부사 now를 덧붙인다.

6 ⓐ '~에 의해 생성되다'의 의미로 produce, create 동사를 수동태로 써서 ① is produced by나 ② is created by로 쓸 수 있다. ⓑ '~으로 이루어지다'의 의미로 쓰는 ③ consist of는 수동태로 쓰지 않는다는 것에 유의한다. ④ be composed of는 '~으로 이루어지다, 구성되다'의 뜻이며, by 이외의 전치사를 수반하는 수동태의 관용적 표현이다. ⓒ occur는 '~이 발생하다'는 의미로, 수동태를 쓰지 않는 수동태 불가 동사이다.

[해석] • 이러한 종류의 전기는 마찰에 의해 생산된다.

• 물은 수소와 산소로 구성되어 있다.

• 진화는 새로운 환경에 대한 적응의 결과로 일어났다.

[어휘] electricity 전기 friction 마찰 hydrogen 수소 oxygen 산소 evolution 진화 adaptation 적응 consist of ~으로 구성되다 be composed of ~으로 구성되다

대표 예제 1 ③　　　대표 예제 2 If I had had the ability, I would have been quieter.　　　대표 예제 3 is regarded as
대표 예제 4 ④　　　대표 예제 5 (1) 정답: ① learning → learn　이유: 조동사 can이 문두에 온 의문문으로, 조동사 뒤에는 동사원형이 와야 하므로, learning을 learn으로 고쳐야 한다.　(2) 실수를 할 때, 실수로부터 배우려고 노력하라.　　　대표 예제 6 (1) (A) are (B) created　(C) is　(2) thrust is created by the airplane's engines and propellers　　　대표 예제 7 ⑤
대표 예제 8 a lot of people were killed and injured　　　대표 예제 9 정답: ⑤ rapid → rapidly　이유: 현재진행 시제로 쓰인 1형식 의문문으로, 동사 is ~ declining을 수식하는 부사가 필요하다.　　　대표 예제 10 If she had invited me to her party, I would have bought her a present.　　　대표 예제 11 nervous, worried　　　대표 예제 12 (A) is　(B) was built　(C) are

대표 예제 1

① 관계대명사 that절(that gives the correct answer)이 핵심 주어 The group을 수식하고 있는 형태로, 핵심 주어는 단수 명사 The group이므로 단수 동사 gets가 알맞다. ② 「each+단수 명사」는 '각각의 ~'의 뜻으로 단수로 받는다. ③ 「the number of+복수 명사」는 '~의 개수'의 뜻으로 단수 취급한다. ④ 「a number of+복수 명사」는 '많은 ~'의 의미로 복수로 받는다. ⑤ 「both A and B」는 복수 취급한다.
해석 ① 정답을 맞힌 그룹이 1점을 얻는다.
② 나라마다 고유한 문화가 있다.
③ 최근 초식 동물의 수가 증가하고 있다.
④ 많은 사람들이 한 줄로 기다리고 있다.
⑤ 수컷과 암컷 모기 둘 다 사람을 무는가?
어휘 male 수컷의　female 암컷의　mosquito 모기

대표 예제 2

조건에서 과거 사실에 대한 반대를 나타내는 가정법 과거완료를 사용하도록 지시하였으므로, 「If+주어+had+p.p. ~, 주어+조동사의 과거형+have+p.p. …」로 쓴다. '능력이 있다'는 have the ability, '더 조용히 지내다'는 be quieter로 쓸 수 있다.
어휘 ability 능력

대표 예제 3

주어진 단어 regard를 '~로 간주되다'의 의미로 쓰려면 수동 형태인 「be+과거분사」가 필요하다. 이때 관용적으로 전치사 by 대신 as를 쓴다는 것에 유의한다. 내용상 현재시제로 써야 하므로 is regarded as가 적절하다.
어휘 purposeful 목적이 있는, 중대한　departure 출발　destination 목적지, 도착지

대표 예제 4

④ 지각동사 heard의 목적격보어 자리에는 원형부정사나 현재분사가 와야 하므로, to say는 올 수 없다. / to say → say [saying]
① 「have to+동사원형」은 '~해야만 한다'의 의무를 나타낸다.
② 「should+동사원형」은 '(마땅히) ~해야만 한다'의 의무, 당위를 나타내며, focus on 뒤에 두 개의 목적어 guiding과 keeping이 and로 연결된 병렬 구조이다. 「keep+목적어+형용사」는 '~을 …한 상태로 유지하다'의 뜻이다. ③, ⑤ 가정법 과거완료 문장이다.
해석 ① 수수께끼를 풀려면 창의적으로 생각해야 한다.
② 안내견은 주인을 안내하고 안전하게 지키는 데 집중해야 한다.
③ 새 것을 주문하는 데 그렇게 오래 걸리지 않았다면 나는 더 일찍 그것을 해냈을 텐데.
④ 나는 엄마가 탄 빵에 대해 아빠에게 미안하다고 말하는 것을 들었다.
⑤ 가게가 열렸더라면 나는 그것을 샀을 텐데.
어휘 riddle 수수께끼　guide dog 안내견　burnt 탄, 태운

가정법 과거완료는 「If+주어+had+p.p. ~, 주어+조동사 과거형+have+p.p. …」.

대표 예제 5

(1) ① 조동사 Can이 문두에 온 의문문이다. 조동사 뒤에는 동사원형이 와야 하므로 learning을 learn으로 고쳐야 한다. ② 주어가 동명사구 Creative thinking이므로 단수 취급한다. ③ 「has+never+p.p.」의 현재완료가 쓰였다. 현재완료는 과거의 행위가 현재까지 영향을 미칠 때 사용하므로 적절하다. ④ be based on은 '~에 기반을 두다'의 뜻으로 by 이외의 전치사를 쓰는 수동태 표현이다. ⑤ 조동사 will은 미래의 의지를 나타낸다.

(2) when이 이끄는 부사절과 동사 try가 문두에 온 명령문 문장이다. 이때 them은 mistakes를 가리킨다.

해석 이와 같이 유명한 발명가들처럼 다르게 또는 더 창의적으로 생각하는 것을 배울 수 있을까? 다행히도, 그 대답은 '예'이다. 창의적 사고는 기술이고, 우리는 이것을 향상시킬 수 있다. 또한 실수하는 것을 두려워하지 말라. 정말 실수를 했을 때는, 그것으로부터 배우려고 노력하라. 언젠가 Albert Einstein이 말한 것처럼, "실수를 해 본 적이 없는 사람은 어떤 새로운 것도 시도해 본 적이 없는 것이다." 가장 중요한 것은, 창의성이 지식과 경험에 기반하고 있다는 것을 잊지 말아라. 여러분은 새로운 것을 계속해서 배울 필요가 있다. 그러한 방법으로, 여러분은 창의성을 위한 도구들을 가지게 될 것이다.

어휘 creatively 창의적으로   improve 개선하다   be afraid of ~을 두려워하다   creativity 창의성   tool 도구

대표 예제 6

(A) 유도부사 there 뒤에는 「동사+주어」의 순서로 도치되므로, 이어지는 주어의 수를 잘 확인하여야 한다. 주어가 four main forces이므로 동사의 수는 복수형인 are가 알맞다. (B) 주어가 Lift(양력)이고 압력의 차이로 인해 '만들어진다'고 하였으므로, 수동태가 필요하다. (C) if로 시작되는 문장이고 이어지는 주절의 시제가 will rise로 미래시제인 것으로 보아, 조건의 부사절로 쓰인 문장이다. 조건의 부사절에서는 현재시제가 미래시제를 대신하므로 is가 적절하다.

해석 비행과 관련 있는 4가지 주된 힘, 즉 양력, 중력, 추력, 항력이 있다. 양력(lift)은 비행기 날개 위로 흐르는 공기와 날개 아래로 흐르는 공기 간의 압력 차이로 만들어진다. 양력은 중력(weight)에 반대되는 힘인데, 그것은 지속적으로 비행기를 아래로 끌어당기는 중력이다. 양력의 양이 중력의 양보다 더 크면 비행기는 떠오를 것이다. 동시에, 추력(thrust)은 비행기의 엔진과 프로펠러에 의해 만들어지는데 이는 비행기를 앞으로 밀어 준다.

어휘 force 힘   be involved in ~와 관련되다   lift 양력   weight 중력   thrust 추력   drag 항력   pressure 압력   oppose 반대하다   gravity (지구) 중력   constantly 끊임없이, 항상   propeller 프로펠러

대표 예제 7

2형식에서 look, seem, feel, taste, sound 등의 동사 뒤에는 주격보어가 필요하다. 이 주격보어 자리에 부사는 올 수 없고

형용사나 명사가 올 수 있다. ① friendly는 명사에 -ly가 붙은 형용사임에 주의한다.

해석 ① 주민들이 친절해 보인다.
② 그것은 복잡해 보인다.
③ 원단이 부드럽게 느껴진다.
④ 국물이 약간 신 맛이 난다.
⑤ 그것은 이상하게 들린다.

어휘 resident 주민   complicated 복잡한   fabric 원단, 천   sour (맛이) 신   weirdly 이상하게, 기묘하게

대표 예제 8

역사적 사건인 2차 세계 대전의 일이므로 과거시제로 써야 한다. a lot of를 쓰라고 했으므로 복수형 주어 a lot of people에 맞게 동사의 수도 복수형으로 일치시킨다. 또한 주어진 동사가 kill(죽이다), injure(부상을 입히다)이므로 '죽었다', '부상 당했다'로 쓰려면 수동태 were killed, were injured로 써야 한다. 중복되는 were는 생략이 가능하다.

해석 2차 세계 대전에서 많은 사람들이 죽고 부상 당했다.

어휘 injure 부상을 입히다, 해치다

대표 예제 9

① 현재까지의 경험을 묻는 현재완료이다. ② 현재완료 문장에 「since+과거 시점」이 바르게 쓰였다. ③ 현재완료 문장에 「for+기간」이 바르게 쓰였다. ④ 주어 they(sea turtles)가 '멸종되는' 것이므로, 수동태로 써야 한다. ⑤ 문장은 1형식 문장이고 진행시제의 동사 is ~ declining을 수식하는 말이 필요하므로, 동사를 수식하는 부사 rapidly로 써야 알맞다.

© fenkieandreas / shutterstock

해석 M: 너는 바다거북에 대해 배운 적이 있니?

W: 응. 바다거북은 공룡 시대부터 있었지, 그렇지 않아?

M: 맞아. 그들은 오랫동안 우리와 함께 있었어. 그런데 지금 그들은 멸종 위기에 처해 있어. 나는 정말 바다거북이 걱정돼.

W: 멸종 위기라고? 개체 수가 급격히 줄어들고 있다는 말이야?

M: 응. 난 말레이시아 지역의 바다거북에 대한 한 연구를 봤어.

1986년에는 600개의 장수거북 둥지가 있었는데, 2000년
에는 거의 아무것도 없었어.

W: 정말 끔찍하다.

어휘 dinosaur 공룡 endangered 멸종 위기에 처한
decline 감소하다 rapidly 급격히 region 지역 terrible
끔찍한

대표 예제 10

직설법 문장을 가정법으로 바꿔 쓸 때는 시제를 먼저 확인해야
한다. 직설법 문장이 과거시제이므로, 가정법은 과거 사실에 대
한 반대를 나타내는 가정법 과거완료로 쓴다. 내용상 반대가 되
도록 가정하므로 직설법이 부정문이면 가정법은 긍정문으로 쓴
다./ 가정법 과거완료: 「If+주어+had+p.p. ~, 주어+조동사
의 과거형+have+p.p. …」

해석 그녀가 나를 파티에 초대하지 않았기 때문에 나는 그녀에
게 선물을 사 주지 않았다.

대표 예제 11

feel은 보어를 필요로 하는 불완전자동사이다. 주격보어 자리에
부사는 올 수 없고, 형용사가 와야 한다. 그러므로 happily는 올
수 없다. 주어가 사람인 I이므로, 사람의 감정을 나타내는 과거분
사형 형용사만 올 수 있다. 그러므로 형용사 exciting은 올 수
없다.

해석 나는 완전히 새로운 세계로 뛰어들 참이었기 때문에 긴장
되었다/걱정되었다.

어휘 be about to 막 ~하려던 참이다 jump into ~로 뛰
어들다 nervous 긴장된

대표 예제 12

(A) 「an amount of+셀 수 없는 명사」는 '~의 양'이라는 뜻으
로 단수 취급하므로, 동사는 is가 와야 한다. (B) 탑골이 '건설한'
것이 아니라 '건설된' 것이므로 수동태 was built로 써야 알맞
다. (C) 「both of+복수 명사」는 '~ 둘 다'의 뜻으로 항상 복수
취급하므로 are가 알맞다.

해석 • 전 세계에서 엄청난 양의 플라스틱 폐기물이 발생하고
있다.

• 그 탑은 고려시대인 1348년에 세워졌다.

• 나는 수학과 과학을 듣고 싶지만, 둘 다 월요일과 수요일에 있
다.

어휘 enormous 거대한, 막대한 generate 산출하다, 생기
게 하다 dynasty 왕조

1주 4일 교과서 대표 전략 ②

pp. 30~31

01 ⑤   **02** ④

03 정답: interacts 이유: 주어가 The acid로 단수이고, in sodas는 수식어구로 동사의 수에 영향을 주지 않으므로 동사는 단수
형이 와야 한다.

04 The ticket will not be refunded unless the show is canceled.

05 ③   **06** (should) replace

07 정답: ⓒ sees → (had never) seen 이유: had never traveled, had never seen의 형태로 대과거의 시제가 이어져야
하므로, (had never) seen이 와야 한다.

08 Rousseau produced twenty-six jungle paintings in the final six years of his life.

01 ⑤ suggest 뒤에 당위를 나타내는 that절이 오면 동사는
「(should+) 동사원형」이 와야 하므로 avoided를
avoid 또는 should avoid로 고쳐야 한다.

① suggest, insist, propose, request 등 명령, 요구,

주장, 제안 등을 나타내는 동사 뒤에 당위를 나타내는 that
절이 오면 동사는 「(should+) 동사원형」을 쓴다. ②
might have p.p.: ~였을지도 모른다 (과거에 대한 약한
추측) ③ must have p.p.: ~였음에 틀림없다 (과거에 대

한 강한 추측) ④ should have p.p.: ~했어야 한다 (과거에 대한 유감, 후회)

[해석] ① 그들은 우리에게 Greenland 국립 박물관에 같이 가자고 제안했다.

② Kandinsky는 일련의 음표를 시각적인 형태로 바꾸려고 의도했을지도 모른다.

③ Susan은 긴 도보 여행 때문에 피곤했음에 틀림없다.

④ 그는 계단에서 넘어져 다리를 다쳤다. 그는 좀 더 조심했어야 했다.

⑤ 의사는 내 여동생에 고기를 너무 많이 먹는 것을 피하라고 제안했다.

[어휘] intend 의도하다 a series of 일련의 musical notes 음표 consume 소비하다

02 • 주어가 The novels of Kafka이므로 '읽혀진다'는 의미의 수동태가 필요하다. 또한 「for+기간」은 완료시제와 함께 쓰이므로 현재완료가 필요하다. 따라서 현재완료 수동태 have been read가 적절하다.

• 현재의 사실을 나타내는 문장으로, 주어가 English이므로 수동태로 써야 한다.

[해석] • Kafka의 소설들은 수십 년 동안 읽혀 왔다.

• 영어는 전 세계에 걸쳐 많은 나라에서 사용된다.

[어휘] decade 10년

03 동사의 수는 주어를 수식하는 수식어구 안의 명사의 수와는 관련이 없다. 주어가 단수이면 동사도 단수, 주어가 복수이면 동사도 복수로 쓴다. 주어 부분 The acid in sodas에서 핵심 주어는 The acid로 단수이므로, 동사도 단수로 받는다. in sodas는 전치사구 수식어구이다.

[해석] 탄산음료의 산은 위산과 상호작용하여 소화를 느리게 하고 영양소의 흡수를 막는다.

[어휘] acid 산 interact 상호작용하다 digestion 소화 nutrient 영양소 absorption 흡수

04 주절의 시제는 '~ 않을 것이다'로 보아 미래시제로 써야 하지만, 조건의 unless가 쓰인 부사절에서는 현재시제가 미래시제를 대신한다. 또한 '쇼가 취소되다', '티켓이 환불되다'로 사람 이외의 주어가 나왔으므로, 수동태로 쓰는 것이 적절하다.

[어휘] refund 환불하다, 반환하다 cancel 취소하다

05 ③ until now로 보아 현재까지 영향을 미치고 있으므로, 과거 시점에 완료된 과거완료 시제가 아니라 현재완료 시제로 써야 한다. / had been regarded → has been regarded

① 경찰이 보고한 시점보다 사람들이 다친 시점이 먼저이므로 대과거 수동태 had been hurt가 알맞다. ② 119팀이 이미 잡혀 있었던 가족을 구출한 것이므로 대과거 수동태가 알맞다. ④ 식사를 끝낸 시점보다 먼저 디저트가 제공된 것이므로 대과거 수동태가 알맞다. ⑤ 「since+과거 시점」과 함께 쓰였으므로 현재완료 수동태 has been visited가 알맞다.

[해석] ① 경찰은 그 날 100명 이상의 사람들이 다쳤다고 보고했다.

② 119팀은 안에 붙잡혀 있던 가족을 구조했다.

③ 숫자 8은 지금까지 중국 문화에서 가장 운이 좋은 숫자로 여겨져 왔다.

④ David가 식사를 마치기 전에 디저트가 나왔다.

⑤ 1886년에 일반인에게 공개된 이후, 많은 관광객들이 이 성을 방문했다.

[어휘] rescue 구조하다 trap 덫을 놓다, 붙잡다 regard ~로 여기다

현재완료 수동태:
have/has been p.p.
과거완료 수동태:
had been p.p.

06 suggest 뒤에 오는 당위의 that절에서 동사는 「(should+) 동사원형」으로 쓴다.

[해석] 나는 모든 사람들이 청량음료나 주스 같은 설탕이 든 음료를 물로 대체할 것을 제안한다.

[어휘] sugary 설탕의 replace A with B A를 B로 바꾸다

[07~08]

[해석] Rousseau의 가장 잘 알려진 그림들 중 몇 개는 정글 그림 시리즈이다. Rousseau는 그의 인생의 마지막 6년 동안 26점의 정글 그림을 그렸다. 사실 그는 프랑스 밖을 여행하거나 정글을 본 적이 없었다.

[어휘] well-known 잘 알려진 a series of 일련의

07 ⓐ 부분 표현 「some of+복수 명사」는 복수 취급한다.

Rousseau의 작품에 대한 일반적 사실에 대한 내용이므로 현재시제 are가 적절하다. ⓑ 앞 문장에 이어지는 내용으로 정글 그림을 그렸으나 실제로 정글에 가본 적이 없었다고 하였으므로, 과거보다 더 예전부터 시작하여 과거 시점까지의 경험을 나타내는 과거완료 시제 had never traveled가 적절하다. ⓒ 등위접속사인 or로 이어진 두 개의 동사는 시제를 일치시킨다. 앞의 had never traveled와 같은 과거완료 시제를 사용하여 sees를 (had

never) seen으로 수정해야 한다. 중복되는 had never 는 생략할 수 있다.

08 문장 배열의 경우 주어와 동사부터 찾는 것이 중요하다. 주어는 Rousseau, 동사는 '제작했다'이므로 produced이다. 목적어는 '26점의 정글 그림'이고, 시간의 부사구를 그 뒤에 이어 배열하면 된다.

---

①ᵏ 누구나 합격 전략

pp. 32~33

01 have been trying　　**02** have been sold / 2010년에 처음 출간된 이후로 이 소설은 200만 부 이상 팔렸다.
03 ①　　**04** ④, ⑤　　**05** shouldn't[should not] have happened
06 is → are　　**07** I insisted that he perform the show with me.
08 ④　　**09** (A) frightened　(B) were　(C) have changed
10 Today, horses can no longer be seen to run on the street.

---

01 「for+기간」은 완료시제와 함께 쓴다. 현재완료 진행시제는 과거의 행동이 지금까지 계속 진행되고 있음을 나타낸다.
해석 수년 동안, 과학자들은 어떻게 반딧불이가 멋진 빛을 내는지를 알아내기 위해 노력해 오고 있다.
어휘 find out (조사하여) 발견하다, (해답을) 얻어내다

02 핵심 주어가 copies로 복수이고 '판' 것이 아니라 '팔린' 것이므로 수동태로 쓴다. 「since+과거 시점」이 함께 쓰였으므로 현재완료 시제가 적절하다. 여기서 since는 절을 이끄는 접속사로 쓰였다.
해석 2010년에 처음 출간된 이후로 이 소설은 200만부 이상 팔렸다.
어휘 publish 출간하다

03 ・주절에 would attend가 온 가정법 과거 문장이므로, if절에는 be동사의 과거형이 필요하다.
・'~인 것처럼'은 as if나 as though를 쓴다.
해석 ・윤식당에서 열린다면 너의 파티에 참석할 텐데.
・그녀는 마치 자신이 담당자인 것처럼 행동하고 있었다.
어휘 attend 참석하다　in charge ~을 맡은, 담당인

04 주격보어로 형용사가 쓰이고 있는지 확인한다. ④ stay의 주격보어로 형용사인 slim을 써야 한다. ⑤ sounds의 주격보어로 형용사 stupid를 써야 한다.
① smell의 주격보어로 형용사 sweet가 적절히 사용되었다. ② friendly는 '다정한'의 의미를 갖는 형용사이다. -ly로 끝났지만 형용사이므로 주격보어로 적절하다. ③ keep과 remain은 상태 동사로 형용사 보어를 취한다.
해석 ① 장미는 달콤한 향기가 난다.
② 나는 다정해 보이고 싶었다.
③ 그는 침묵을 지키며 미동도 하지 않았다.
④ 규칙적인 운동은 날씬하게 유지하는 데 가장 좋은 방법이다.
⑤ 어리석게 들린다는 것을 알지만, 그가 가버리면 나는 그를 그리워할 것이다.
어휘 motionless 움직임 없는

05 '일어나지 말았어야 한다'로 과거 사실에 대한 유감을 나타낼 때는 조동사 should not 뒤에 완료형인 have p.p.를 쓴다.
어휘 terrible 끔찍한　factory 공장

06 핵심 주어는 The current disagreements로 복수 명사이고 about the issue of unifying Europe은 주어를 수식하는 수식어구이므로 동사는 복수 동사가 와야 한다. is를 are로 고친다.

어휘 current 현재의   disagreement 불일치   unify 단일화하다, 통일하다   typical 전형적인   disunity 불일치, 부조화

07 주장의 동사 insist 뒤에 당위의 that절이 오면 that절의 동사는 「(should+)동사원형」으로 쓴다. 9단어로 쓰도록 했으므로 should는 생략한다.

어휘 insist 주장하다   perform 공연하다

08 ④ 수동태 문장의 「be동사+p.p.」 뒤에 나오는 「by+명사」는 동사의 행위 주체를 나타낸다. 여기서는 menu가 행위의 주체가 아니라, 건네받은 대상(직접목적어)이므로 전치사 by 없이 was handed a menu로 써야 한다.
① 능동문 His tricks won't fool me.를 수동태로 쓴 문장이다. his tricks가 fool의 행위의 주체이므로 by 뒤에 쓰는 것이 적절하다. ② have to는 수동태 전환 시 「have to be+p.p.」 형태로 쓴다. ③ 사역동사의 수동태는 원형부정사가 to부정사로 바뀐다는 점에 유의한다. ⑤ 「be동사+p.p.」의 수동태가 바르게 쓰였다.

해석 ① 나는 그의 속임수에 속지 않을 것이다.
② 이것은 내일까지 끝나야 한다.
③ 그는 방과 후에 남아 있게 되었다.
④ 그녀는 식당에서 메뉴를 건네받았다.
⑤ 이 지도에서 도시 지역은 회색으로 표시된다.

어휘 fool 속이다   trick 속임수   urban area 도시 지역

[09~10]

해석 많은 사람들이 처음에는 자동차를 좋아하지 않았다. 왜냐하면 말들이 때때로 자동차 때문에 겁을 먹고 도망갔기 때문이다. 과거에, 말들은 많았지만 자동차는 그리 많지 않았다. 하지만 그 이후로 상황이 바뀌었다. 오늘날, 우리는 더 이상 말들이 길에서 달리는 것을 볼 수 없다.

어휘 automobile 자동차   frighten 두려워하게 하다

09 (A) horses가 주어로 다른 것을 '겁을 준' 것이 아니라 다른 것에 의해 '겁을 먹게' 되었으므로, 수동태로 쓰는 것이 알맞다. (B) there 뒤에 나오는 동사는 이어지는 명사의 수를 확인한다. many horses ~ and many automobiles로 복수 명사가 이어지므로, 동사도 복수 동사 were가 알맞다. (C) since then과 함께 쓰였으므로 현재완료 시제인 have changed가 알맞다.

10 5형식 문장을 수동태로 만들 때는 동사를 「be동사+p.p.」로 고치고 목적어를 주어 자리에, 목적격보어를 동사 뒤에, 주어를 「by+행위자」로 쓰면 된다. 여기서 동사가 지각동사인 see이므로, 수동태로 쓸 때는 목적격보어를 to부정사로 쓴다는 것에 유의한다.

1주 창의·융합·코딩 전략 ①   pp. 34~35

A (1) explain   (2) different   (3) shouldn't   (4) won   **B** beautiful, confident, friendly, generous

C · If you ever see giraffes' eyes, you will find them gentle.
· The clerks were made to lie on the floor by the man with a gun.
· I had been waiting at the bus stop for an hour when the bus came.

A (1) 「주장 동사 insist+that+주어+(should)+동사원형」의 문장이다. 주어진 것들 중 동사는 explain, explained, win, won인데 의미가 통하는 것은 explain이다.

(2) 2형식 동사의 주격보어 자리에는 부사는 올 수 없고 형용사만 올 수 있다. 그러므로 알맞은 것은 different뿐이다.

(3) 내용상 '방해하지 말았어야 했다'는 과거에 대한 유감을 나타내는 말이 필요하므로, shouldn't have disturbed가 적절하다.

(4) 가정법 과거가 되도록 '복권에 당첨된다면'이라는 말이 필요하므로, 빈칸에 알맞은 말은 과거형 동사 won이다.

[해석] (1) 그녀는 아들이 어제 있었던 모든 일을 경찰에게 설명해야 한다고 주장했다.

(2) 깊은 물에 사는 물고기는 더 얕은 물에 사는 물고기와 다르게 보인다.

(3) 그녀는 실수를 했다. 우리가 그녀를 방해하지 말았어야 했다.

(4) 내가 복권에 당첨된다면, 너에게 절반을 줄 텐데.

[어휘] shallow 얕은   disturb 방해하다   lottery 복권

B '~처럼 보이다'의 의미로 쓰인 2형식 동사 appear 뒤에 주격보어로 형용사는 올 수 있으나, 부사는 올 수 없다. 주어진 단어 중 부사 proudly (자랑스럽게), gently (상냥하게)와 명사 health (건강)는 빈칸에 올 수 없고 형용사 beautiful (아름다운), confident (자신만만한), friendly (친절한), generous (관대한)는 적절하다.

[해석] 네가 더 많이 미소 짓기 시작한다면, 너는 더 아름다워[자신만만해/친절해/관대해] 보일 것이다.

[어휘] confident 자신만만한   gently 상냥하게   generous 관대한

C • if가 이끄는 조건의 부사절에서 현재시제가 미래시제를 대신하므로, if절은 동사의 현재형, 주절은 미래형으로 된 것을 연결한다.

• 주어가 The clerks이고 동사는 were made로 수동태로 되어 있으므로, 어울리는 것은 「by+행위자」인 by the man with a gun(총을 든 남자에 의해)이다. 능동태 「주어+사역동사 make+목적어+목적격보어(원형부정사)」의 5형식 문장(The man with a gun made the clerks lie on the floor.)을 수동태로 바꿔 「목적어+사역동사 be made+목적격보어(to부정사)+by+행위자」로 쓴 문장이다.

• had been waiting은 과거완료 진행형 문장이므로, 시간의 부사절 when the bus came이 이어지는 것이 자연스럽다.

[해석] • 만약 여러분이 기린의 눈을 본다면, 여러분은 그것들이 온순하다는 것을 발견할 것이다.

• 그 점원들은 총을 든 남자에 의해 바닥에 눕게 되었다.

• 버스가 왔을 때 나는 버스 정류장에서 한 시간 동안 기다리고 있었다.

[어휘] clerk 점원   gun 총

1주 창의·융합·코딩 전략 ②   pp. 36~37

D (1) stresses (2) is given (3) deliver (4) receive (5) are taught / ⓐ   **E** 보람

D 능동태 문장과 수동태 문장을 구성하는 문제이다. 수동태는 행위의 대상을 강조하여 대상이 되는 말을 주어 자리에 오게 하며, 동사의 기본 형태는 「be동사+과거분사」이다. 주어가 '~되다, ~받다'로 해석된다.

(1) 독립성을 '강조하'므로 stresses가 알맞다.

(2) 아이가 격려를 '주는' 것이 아니라 '받는' 것이므로 is given이 알맞다.

(3) 젊은이들이 신문을 '배달받는' 것이 아니라 '배달하는' 것이므로 deliver가 알맞다.

(4) receive 자체가 '받다'의 뜻이므로 receive가 알맞다.

(5) 그들은 자신의 돈을 책임지도록 '교육하는' 것이 아니라 '교육을 받는' 것이므로 are taught가 알맞다.

해석 (1) 미국 문화는 각 개인의 독립을 강조한다.
(2) 어린이는 아주 어린 나이에 자신을 표현할 수 있도록 격려를 받는다.
(3) 많은 젊은이들은 돈을 벌기 위해 아기를 돌보거나 신문을 배달한다.
(4) 다른 사람들은 집안일을 해서 부모님으로부터 용돈을 받는다.
(5) 그들은 자기 돈을 책임지도록 교육받는다.

어휘 stress 강조하다, 역설하다   independence 독립, 독립성   encouragement 격려   express 표현하다   babysit 아기를 돌보다   deliver 배달하다   chore 집안일   be responsible for ~을 책임지다

E • 보람: ⓑ 2형식 동사 seem 뒤에는 부사는 올 수 없고 형용사 cold가 바르게 쓰였으므로, cold를 coldly로 고치라고 한 보람의 설명은 옳지 않다.
• 미나: ⓐ '~로 알려지다'는 be known for를 사용한다. by 대신 전치사 for를 쓰는 수동태의 관용적 표현이다.
• 성희: 핵심 주어가 one kind로 단수이므로 ⓒ의 is는 바르게 쓰였다.
• 민주: 주어가 Both of the parents로 '부모님 둘 다'의 뜻이므로 항상 복수로 받아야 한다. 동사 ⓓ stays를 stay로 고쳐야 한다는 민주의 말은 옳다.
• 아영: bear는 '낳다'라는 뜻이므로, '태어나다'는 수동태 ⓔ are born으로 써야 한다.

해석 개구리는 일반적으로 좋은 부모로 알려져 있지 않다. 그들은 후손들에게 냉담해 보인다. 하지만, 한 종류의 열대 개구리는 특별히 돌보는 부모로 알려져 있다. 부모 둘 다 새끼 개구리가 태어날 때까지 알과 함께 지낸다. 그러고 나서 그들은 특별한 종류의 수초까지 새끼를 등에 업고 간다.

어휘 descendant 후손   tropical 열대의   caring 보살피는

© Kazoka / shutterstock

2주 - 준동사

2 1일 개념 돌파 전략 ①

pp. 40~43

1-1 pay → to pay   **1-2** To obey
2-1 wearing   **2-2** calling
3-1 ②   **3-2** (1) talking, to talk (2) sharing
4-1 challenging, 도전적인

4-2 (1) ordered, 주문된 (2) swimming, 수영하고 있는
5-1 ②   **5-2** surrounding
6-1 Waving at the crowds
6-2 Seeing him

1-1
refuse는 '거절하다'의 뜻으로 목적어 자리에 동사 그대로 올 수 없고 준동사인 to부정사가 와야 한다. 그러므로 pay를 to pay로 고친다.
해석 Jane은 돈을 갚기를 거부했다.
어휘 refuse 거절하다, 거부하다 pay back 돈을 갚다, 상환하다

1-2
동사가 주어 자리에 오기 위해서는 준동사의 형태로 와야 한다. 주어 자리에 올 수 있는 준동사는 to부정사와 동명사이므로, To obey가 적절하다.
해석 교통법을 지키는 것은 모든 사람의 의무이다.
어휘 obey ~에 복종하다, 따르다 duty 의무

2-1
'피하다'의 뜻을 가진 동사 avoid는 항상 동명사만을 목적어로 취하므로, 빈칸에는 wear에 '-ing'를 붙인 동명사 wearing이 알맞다. 문장의 주어 부분은 People who jog at night으로, who 이하는 핵심 주어 People을 수식하는 관계대명사절 수식어구이다.
어휘 avoid 피하다, 회피하다

2-2
동사로 쓰인 mind는 '~을 꺼리다, 언짢아하다'의 의미이며, 동사로, 항상 「mind+동명사」의 형태로 쓴다. 따라서 목적어 자리에는 calling이 적절하다.
해석 약속 없이 이렇게 밤에 전화해도 될지요?
어휘 mind ~을 꺼리다, 언짢아하다
appointment 약속

3-1
동사 imagine은 목적어로 동명사를 취하므로, speaking이 적절하다.
해석 나는 그 소년이 너에게 그렇게 무례하게 말하는 걸 상상할 수 없어.
어휘 rudely 무례하게

3-2
(1) hate의 목적어 자리에 to부정사, 동명사 둘 다 올 수 있다.
(2) 전치사 by의 목적어 자리에 동명사만 올 수 있다. to부정사는 전치사의 목적어가 될 수 없다.
해석 (1) 나는 10분 이상 통화하는 것을 싫어한다.
(2) 다른 사람과 물건을 나눔으로써 쓰레기를 줄일 수 있다.
어휘 share 나누다 reduce 줄이다

4-1
현재분사가 단독으로 명사 앞에 와서 '~한, ~하고 있는'의 능동의 의미로 쓰인다.
해석 이 액션 영화는 도전적인 추격 장면이 있다.
어휘 action film 액션 영화 challenging 도전적인 chase scene 추격 장면

4-2
(1) The shirts와 ordered의 관계가 '주문된 셔츠'로 수동이고, 뒤에 이어지는 말 online이 있으므로 과거분사구가 명사 뒤에서 수식하고 있는 형태로 쓰였다.
(2) 현재분사구 swimming in the lake가 a boy의 뒤에 와서 목적격보어로 쓰이고 있다.
해석 (1) 온라인으로 주문된 셔츠는 3일 후에 도착했다.
(2) 그는 한 소년이 호수에서 수영하고 있는 것을 발견했다.

어휘 order 주문하다 lake 호수

5-1

그것에 '손대지 않은'의 수동의 의미로 와야 문맥상 적절하므로, untouched가 알맞다.

해석 너는 그것을 손대지 말고 내버려 두는 것이 낫겠다.

어휘 had better ~하는 것이 낫다

5-2

his fans가 the gold medalist를 '둘러싸고' 있는 것이므로, 능동의 surrounding이 적절하다.

해석 그의 팬들이 그 금메달리스트를 둘러싸고 운동장에 서 있었다.

어휘 surround 둘러싸다, 에워싸다

6-1

분사구문을 만드는 3단계

① 부사절의 접속사 생략
   (As) she waved at the crowds, ~

② 부사절과 주절의 주어가 같을 때, 부사절의 주어 생략
   (As she) waved at the crowds, ~

③ 동사를 현재분사나 과거분사로 바꾸기
   Waving at the crowds, ~

해석 관중들에게 손을 흔들며 그녀가 경기장에 등장했다.

어휘 wave 흔들다 crowd 관중 stadium 경기장, 스타디움

6-2

As soon as(~하자마자)가 접속사로 쓰인 것에 유의한다. 먼저 접속사를 생략하고, 부사절의 주어와 주절의 주어가 I로 일치하므로 주어도 생략한 다음, 동사를 분사로 바꾼다.

해석 그를 보자마자, 나는 울기 시작했다.

어휘 as soon as ~하자마자

---

② 1일 개념 돌파 전략 ②

pp. 44~45

1 to improve
2 그 잡지는 야생 동물을 보호하는 것에 대해 다루고 있다.
3 to go 이유: a plan을 수식하는 형용사적 용법의 to부정사가 필요하다.
4 written

5 touching, 그 이야기는 너무나도 감동적이어서 나는 울었다.
6 Entering the school, I had an opportunity to learn.

1 Example

• decide는 목적어로 to부정사를 취하며, 이때 to부정사는 명사처럼 쓰였으므로 명사적 용법이다.

해석 소년은 드론을 사기로 결심했다.

어휘 drone 드론

• to talk with가 앞에 나온 명사 friends를 수식하는 형용사처럼 쓰인 to부정사의 형용사적 용법이다. talk with friends의 의미가 되므로, 전치사가 있어야 한다. 전치사는 to부정사 뒤에 온다.

해석 나는 이야기를 나눌 친구가 없다.

'향상시키기 위해'로 목적을 나타내는 to부정사가 와야 하므로 to improve가 적절하다. 부사적 용법으로 쓰였다.

어휘 improve 향상시키다 grade 점수

2 Example

• finish는 동명사를 목적어로 취하는 동사이다. 동사가 문장 맨 앞에 온 명령문이다.

해석 저녁 식사 전에 그 기사 읽는 것을 끝내라.
어휘 article 기사, 글
· 문장의 주어로 쓰인 동명사이다. 동명사는 주어, 보어, 목적어 자리에 와서 명사처럼 쓰인다.
해석 이곳은 주차가 금지되어 있다.
어휘 park 주차하다   allow 허락하다

> 동사 deals 뒤에 전치사 with가 있으므로, 동명사가 와야 한다.
> **해석** 그 잡지는 야생 동물을 보호하는 것에 대해 다루고 있다.
> **어휘** magazine 잡지   deal with 다루다
>   protect 보호하다   wild animals 야생 동물

3 Example

· '만나기 위해'로 해석되므로 to부정사가 목적을 나타내는 부사처럼 쓰인 to부정사의 부사적 용법이다.
해석 우리는 그를 만나기 위해 밖으로 나갔다.
어휘 go outside 밖으로 나가다
· 전치사 in 다음에는 to부정사는 올 수 없고 명사나 동명사 형태가 온다. 전치사의 목적어로 쓰인 to부정사의 명사적 용법이다.
해석 James는 쿠키 굽는 것에 관심이 있다.
어휘 be interested in ~에 관심이 있다   bake 굽다

> 밑줄 친 동사 go 앞에 명사 a plan이 왔으므로, 명사를 수식하는 형용사 쓰임이 필요하다. go를 to go로 고쳐 a plan to go, 즉 '갈 계획'으로 쓰는 것이 자연스럽다. plan은 동사로 쓰일 때는 '계획하다', 명사로 쓰일 때는 '계획'의 뜻이 된다는 것에 유의한다.
> **해석** 나는 내년에 해외로 나갈 계획이 있다.
> **어휘** go abroad 해외로 나가다

4 Example

· boiling은 동명사가 아니라 명사 water를 수식하는 현재분사임에 유의한다. boiling water는 '끓는 물'이라는 뜻이 된다.
해석 끓는 물을 티백에 부어라.
어휘 pour 붓다, 따르다   boil 끓다, 끓이다
· '1900년대에 지어진'의 의미로 쓰인 과거분사구가 the house를 뒤에서 수식한다. '지어진'의 수동의 의미이므로 과거분사로 쓴다.
해석 이것은 1900년대에 지어진 집이다.

> '영어로 쓰인'의 수동의 뜻이 되어야 하므로, 과거분사 written이 적절하다.
> **해석** 나는 영어로 쓰인 소설책 읽는 것을 좋아한다.
> **어휘** novel 소설

5 Example

· 감정을 유발하는 '원인'이 되는 것이 주어로 오면 현재분사, 감정을 느끼는 '주체'가 주어로 오면 과거분사를 쓴다. 주어가 the news이므로 현재분사 shocking이 알맞다.
해석 그 배우의 사망 소식은 충격적이었다.
어휘 actor 배우   death 죽음
· 감정을 느끼는 주체인 I가 주어로 왔으므로, 과거분사 shocked가 적절하다.
해석 나는 그 배우의 사망 소식에 충격을 받았다.

> 주어가 The story이므로 현재분사형이 알맞다.
> 「so+형용사/부사+that+주어+동사 ~」 (너무 …해서 ~하다)가 쓰인 구문이다.
> **해석** 그 이야기는 너무나도 감동적이어서 나는 울었다.
> **어휘** touching 감동적인   touched 감동 받은

6 Example

· 분사구문은 부사절에서 접속사와 주어를 생략한 부사구 형태로 쓰이는 것이므로, 먼저 주절과 부사절의 관계를 파악한 후 접속사와 주어를 생략한다. (→ While I'm taking a walk, I'm watching movies on my phone.)
해석 나는 산책하면서 핸드폰으로 영화를 보고 있다.
어휘 take a walk 산책하다
· 분사구문의 부정은 분사 앞에 not이나 never를 쓴다. (→ As[Because] I didn't bring my ticket, I couldn't

enter the concert hall.)

해석 티켓을 가져오지 않아서 나는 콘서트홀에 입장할 수 없었다.

어휘 enter 입장하다

부사절을 분사구문으로 바꿔 쓸 때는 먼저 주절의 주어와 부사절의 주어가 같은지 확인한다. 주어가 같으

면 접속사와 주어를 모두 생략하고, 동사를 분사로 고친다. 이때 의미상 능동이면 현재분사, 수동이면 과거분사를 사용한 분사구문으로 쓴다.

해석 학교에 들어가서, 나는 배울 기회를 얻었다.

어휘 opportunity 기회

2주 2일 필수 체크 전략 ①

pp. 46~49

필수 예제	1 ③	확인 문제	1-1 ①	확인 문제	1-2 동사: want, need 준동사: to have, to spend
필수 예제	2 ④	확인 문제	2-1 ①	확인 문제	2-2 She is tall enough to draw people's attention.
필수 예제	3 ③	확인 문제	3-1 ③ I → my 또는 me		
		확인 문제	3-2 entering, 이러한 장벽은 새로운 기업들이 시장에 진출하는 것을 막는다.		
필수 예제	4 ⑤	확인 문제	4-1 ④	확인 문제	4-2 Avoid talking about other people.

필수 예제 1

③ 두 개의 절이 등위접속사 and로 연결되어 있고 앞 절의 동사는 worked이므로, learning을 learned로 고쳐야 어법상 옳은 문장이 된다.

각 문장의 동사는 다음과 같다.: ① stood, watched ② was published (수동태) ③ worked, learned ④ is ⑤ needs

해석 ① 그는 그저 거기에 서서 그녀가 노래 부르는 것을 보았다.

② John의 새 소설은 지난주에 발간되었다.

③ 그녀는 공장에서 일하며 새로운 기술을 배웠다.

④ 일찍 일어나는 것은 생산적이 되는 열쇠 중 하나이다.

⑤ 박물관은 관람객을 안내할 자원봉사자들을 필요로 한다.

어휘 publish 출간하다, 출판하다 factory 공장 technique 기술 productive 생산적인 volunteer 자원봉사자

확인 문제 1-1

① 동명사구 Making friends가 주어인 문장으로, 동명사구 주어는 단수 취급하여 동사 is가 바르게 쓰였다. ② 「grow up +to부정사」는 '자라서 ~이 되다'의 뜻으로, 결과를 나타내는 to부정사의 부사적 용법이다. to being을 to be로 써야 한다. ③ 조건의 if절(부사절)과 주절이 이어진 문장으로, 주절에 동사가 있어야 한다. 내용상 주절은 명령문이므로 동사 checking을 check로 고쳐야 한다. ④ 문장의 주어가 되기 위해서는 동명사

나 to부정사 형태가 와야 한다. Clean을 To clean이나 Cleaning으로 고친다. ⑤ To meet이 주어로 쓰인 문장으로 동사가 없으므로, 어법상 어색한 문장이다. To meet a good teacher is very important.가 되어야 한다.

해석 ① 친구를 사귀는 것이 내게는 아주 중요하다.

② 그는 자라서 유명한 음악가가 되었다.

③ 네가 거기에 가길 원한다면, 공지를 확인해라.

④ 매일 집을 치우는 것은 나를 피곤하게 만든다.

⑤ 좋은 선생님을 만나는 것이 아주 중요하다.

어휘 essential 필수적인, 아주 중요한 notice 공지

확인 문제 1-2

if절의 동사는 want이고 주절의 동사는 need이다. 동사 want와 need의 목적어로 쓰인 to have와 to spend는 준동사이다.

해석 여러분이 내일 많은 에너지를 갖기를 원한다면, 오늘 많은 에너지를 소비할 필요가 있다.

어휘 spend 쓰다, 소비하다

© Olga1818 / shutterstock

필수 예제 2

①, ②, ③, ⑤는 모두 '~하기 위해'의 뜻으로 해석되는 목적을 나타내는 to부정사의 부사적 용법으로 쓰였고, ④는 am planning의 목적어로 쓰인 명사적 용법으로 쓰였다.

[해석] ① 그는 나를 돕기 위해 손을 뻗었다.

② Amy는 축구 경기에서 이기기 위해 최선을 다했다.

③ 그녀는 대학 입학 고사에 통과하기 위해 열심히 공부했다.

④ 나는 전시회에 갈 것을 계획하고 있다.

⑤ 그녀는 퍼즐을 풀기 위해 계산기를 사용했다.

[어휘] reach out (손을) 뻗다 exhibition 전시회 calculator 계산기

확인 문제 2-1

① '(안에서) 살 집'이라는 의미가 되어야 하므로, to live가 아니라 to live in으로 써야 한다. ② 보어로 쓰인 to부정사의 명사적 용법이다. ③ 「의문사+to부정사」인 how to solve는 '어떻게 풀어야 할지'의 의미이다. ④ 「too+형용사+to부정사」 구문이다. ⑤ 「형용사+enough+to부정사」 구문이다.

[해석] ① 나는 살 집을 빌리고 싶다.

② 그의 목표는 임무를 완수하는 것이다.

③ 그녀는 그 수학 문제를 어떻게 풀어야 할지 모른다.

④ Emma는 너무 불안해서 잠을 잘 수 없었다.

⑤ 그는 우리의 제안을 거절할 만큼 오만하다.

[어휘] rent 빌리다 goal 목표 complete 완수하다 mission 임무 nervous 불안한, 초조한 arrogant 오만한 reject 거절하다 suggestion 제안

확인 문제 2-2

'~할 만큼 충분히 …한'은 「enough+to부정사」를 사용하여 쓸 수 있다. 「주어+동사+형용사/부사+enough+to부정사 ~」의 순서로 쓴다.

[어휘] draw one's attention ~의 주의를 끌다, 이목을 끌다

필수 예제 3

'부인하다, 부정하다'의 뜻인 deny는 목적어로 동명사만을 취하므로 ③ having이 알맞다.

[해석] 그녀는 나의 가방에서 지갑을 꺼내간 것을 부인했다.

[어휘] deny 부인하다, 부정하다

확인 문제 3-1

동사 mind는 동명사를 목적어로 취한다. 동명사 앞에 의미상의 주어를 쓸 수 있으며 소유격이나 목적격의 형태로 쓴다. 그러므로 I를 my나 me로 고쳐 써야 한다.

[해석] 당신의 전화기를 좀 써도 될까요?

확인 문제 3-2

'prevent A from -ing'는 'A가 ~하는 것을 막다'의 의미이다. 전치사 뒤에는 동명사 형태로 오므로 enter를 entering으로 쓴다. new companies가 의미상의 주어이다.

[해석] 이러한 장벽은 새로운 기업들이 시장에 진출하는 것을 막는다.

[어휘] barrier 장벽 prevent A from -ing: A가 ~하는 것을 막다

필수 예제 4

⑤ 「try+to부정사」는 '~하려고 노력하다', 「try+동명사」는 '시험 삼아 ~해 보다'의 의미이므로, try studying을 try to study로 고쳐 써야 한다.

① 「forget+to부정사」는 '~하는 것을 잊다', 「forget+동명사」는 '~했던 것을 잊다'의 의미이다. ② keep, ④ enjoy는 동명사를 목적어로 하고, ③ agree는 to부정사를 목적어로 한다.

[해석] ① 나는 너의 카메라를 가져오는 것을 잊었다.

② 경찰은 그에게 왜 그 집에 들어갔는지 계속 물었다.

③ 응답자들은 그 질문들에 답하는 데 동의했다.

④ Henry는 고속도로에서 차를 운전하는 것을 즐긴다.

⑤ 나는 시험에 통과하기 위해 열심히 공부하려고 노력해야 한다.

[어휘] respondent 응답자 highway 고속도로

확인 문제 4-1

④ 「forget+to부정사」는 '~하는 것을 잊다', 「forget+동명사」는 '~했던 것을 잊다'의 의미이므로, 여기서는 동명사 대신 to부정사를 써야 한다.

① 「mind+의미상 주어(소유격)+동명사」: ~가 …하는 것을 꺼리다 ② 「decide+not+to부정사」: ~하지 않기로 결심하

다 ③ promise는 to부정사만을 목적어로 쓰므로 맞는 문장이다. ⑤ 「regret+not+동명사」는 '~하지 않은 것을 후회하다'의 의미이다.

해석 ① 제가 창문을 열어도 될까요?
② 그는 머리를 기르지 않기로 결심했다.
③ 사장은 사업에 돈을 투자하기로 약속했다.
④ 제시간에 약 먹는 것을 잊지 마라.
⑤ 나는 봉투를 열지 않은 것을 후회했다.

어휘 invest 투자하다   medicine 약   on time 제시간에
regret 후회하다   envelope 봉투

확인 문제 4-2
'피하라'의 명령문이므로 동사를 맨 앞에 오게 쓰고, 주어는 생략한다. 동사 avoid는 동명사를 목적어로 취하므로 동사 talk를 talking으로 고쳐 써야 한다.

2주 2일 필수 체크 전략 ②

pp. 50~51

1 ③   **2** ④   **3** ⑤   **4** ②, ③   **5** ④   **6** ①

1 enjoy는 목적어로 동명사를 취하므로 listening이 와야 한다. 등위접속사 but 다음의 문장에는 동사가 없으므로, 동사 자리에 올 내용을 찾는다. it은 the radio를 받으며, 동사 work는 '작동하다, 작용하다'의 의미이고 뒤에 any more가 이어지므로 부정문이 와야 의미가 통한다.
해석 할머니께서는 라디오 듣는 것을 즐기시지만, 그 라디오는 더 이상 작동하지 않는다.
어휘 not ~ any more 더 이상 ~ 않다
work 작동하다, 작용하다

2 ④ 「형용사/부사+enough+to부정사」는 '…하기에 충분히 ~하다'의 뜻이므로 lift는 to부정사인 to lift로 고쳐야 한다.
① 전치사 about의 목적어 자리에 동명사의 부정 형태가 왔다. ② 동사 promise는 to부정사를 목적어로 취한다. ③ 「forget+to부정사」는 '(미래에) ~할 것을 잊다'의 의미이고, 「forget+동명사」는 '(과거에) ~한 것을 잊다'의 의미이다. '오늘밤 숙제하는 것을 잊지 마라'가 되어야 하므로 forget to do가 적절하다. ⑤ 「too ~ to부정사」는 '너무 ~해서 …할 수 없다, …하기엔 너무 ~하다'의 뜻이다.
해석 ① 나는 회의에 참석하지 못할까봐 걱정된다.
② 그는 10시까지 이곳에 오기로 약속했다.
③ 오늘밤 숙제하는 것을 잊지 마!
④ 난 그 상자를 들어 올릴 만큼 힘이 세지 않다.
⑤ 그 반지는 내가 사기엔 너무 비싸다.

어휘 attend 참석하다   lift 들어 올리다

3 빈칸에 들어갈 것은 문장의 동사인데 목적어 자리에 to be가 왔으므로, to부정사를 목적어로 취하지 않는 동사는 올수 없다. want(원하다), expect(기대하다), hope(바라다)는 to부정사만을 목적어로 취하고, like(좋아하다)는 to부정사와 동명사 모두를 목적어로 취한다. imagine(상상하다)은 동명사만을 목적어로 취하는 동사이므로 답은 ⑤이다.
해석 나는 너와 다시 같은 반이 되기를 [원한다/기대한다/바란다/좋아한다]
어휘 expect 기대하다   imagine 상상하다

4 빈칸 뒤에 동명사 learning이 왔으므로, 동명사 목적어를 취할 수 있는 동사를 찾으면 된다. ① refuse(거절하다), ④ choose(선택하다), ⑤ promise(약속하다)는 to부정사 목적어를 취하고 ② keep(계속하다), ③ quit(그만두다)는 동명사 목적어를 취한다.
해석 Jane은 중국어 배우는 것을 계속했다[그만뒀다].
어휘 refuse 거절하다   quit 그만두다   choose 선택하다

5 ·「regret+동명사」는 '~을 후회하다'이고 「regret+to부정사」는 '~하게 되어 유감이다'의 뜻이다. 여기서는 '놓친 것을 후회하다'가 적절하므로 동명사 missing이 필요하다.
·동사 quit는 동명사를 목적어로 취하므로 working이 알맞다.

- 「의문사+to부정사」의 의미는 의문사 자체의 뜻을 생각하면 해결된다. 「what+to부정사」는 '무엇을 ~하는지', 「how+to부정사」는 '어떻게 ~하는지'의 의미이므로, '부서진 의자를 어떻게 고치는지'의 how to fix가 적절하다.

  해석 · 내 여동생은 Ann 교수가 제공한 강의를 놓친 것을 후회했다.
  · 그녀는 일하던 것을 그만두고 대학원에 갔다.
  · 부서진 의자를 어떻게 고치는지 말해 줘.

  어휘 regret 후회하다 lecture 강의 graduate school 대학원 fix 고치다, 수리하다

6 모두 to부정사의 명사적 용법으로 쓰였다. 그 중에서 ①은 주어 역할을, 나머지 넷은 모두 동사의 목적어 역할을 하고

있다.

해석 ① 오토바이를 타는 것은 위험하다.
② 때로는 다른 사람의 실수를 눈감아 줄 필요가 있다.
③ 아이들은 바다에서 수영하는 것을 좋아한다.
④ 나는 어떤 살아 있는 존재도 고통 받는 것을 보고 싶지 않다.
⑤ 나는 양로원에서 자원봉사를 하기로 약속했다.

어휘 motorcycle 오토바이 overlook 간과하다, 지나치다 living being 살아 있는 존재 (생명체) suffer 고통 받다
nursing home 양로원

필수 예제 **5** ④	확인 문제 **5-1** ⑤	확인 문제 **5-2** Teachers encourage students to achieve their dream.
필수 예제 **6** ①	확인 문제 **6-1** ①	확인 문제 **6-2** I found it difficult to draw a self-portrait.
필수 예제 **7** ⑤	확인 문제 **7-1** ③	확인 문제 **7-2** satisfied
필수 예제 **8** ③	확인 문제 **8-1** ⑤	확인 문제 **8-2** Having tried *gimchi*, he really loves it.

필수 예제 5

동사 ask는 5형식 문장에 쓰여 목적격보어로 to부정사를 취한다. '~에게 …할 것을 요청[부탁]하다'의 뜻이다.

해석 엄마는 아빠에게 쓰레기를 내버려 달라고 부탁했다.

어휘 trash 쓰레기

확인 문제 5-1

사역동사 make 뒤에 목적격보어는 원형부정사가 와야 하므로, ⑤ to raise를 raise로 고쳐야 한다.

해석 행운이 항상 우리가 돈을 모으도록 만드는 것은 아니다.

어휘 fortune 운, 행운

확인 문제 5-2

「encourage+목적어+to부정사」는 '~에게 …하도록 격려하다'의 의미이다. 주어진 achieve를 to achieve로 써야 한다.

어휘 encourage 격려하다, 북돋우다 achieve 성취하다

필수 예제 6

to부정사가 주어로 쓰일 때는 일반적으로 가주어 it을 주어 자리에 쓰고, to부정사구는 뒤로 보낸다. ①은 가주어 It과 to hit animals가 제대로 쓰였다. 나머지를 바르게 쓰려면 다음과 같다.: ② That → It ③ read → to read ④cheating → to cheat ⑤ to memorized → to memorize

해석 ① 동물을 때리는 것은 잔인하다.
② 수업시간에는 조용한 것이 좋다.
③ 만화책을 읽는 것은 재미있다.
④ 시험에서 부정행위를 하는 것은 잘못된 것이다.
⑤ 전화번호를 외우는 것은 유용하다.

어휘 cruel 잔인한 cheat 부정행위를 하다 memorize 암기하다, 외우다

정답과 해설

확인 문제 6-1

가주어/진주어 구문은 「가주어 it+be동사+형용사+to부정사」가 되도록 쓰는 것이 적절하므로 ①이 알맞다.

[해석] 실험에 참여하는 것은 흥미롭다.

[어휘] take part in 참여하다   experiment 실험

확인 문제 6-2

'나는 ~을 알았다'로 목적어가 필요한 문장으로, to부정사구 진목적어 대신 가목적어 it을 원래의 목적어 자리에 놓으면 된다. 「주어+동사+가목적어 it+형용사+진목적어 to부정사」의 순서이므로 I found it difficult to draw a self-portrait.로 쓰면 된다.

[어휘] self-portrait 자화상

필수 예제 7

① 과거분사 broken이 목적어 the door를 보충 설명하는 목적격보어로 쓰였다. ② 현재분사 sleeping이 앞에서 명사 cat을 수식한다. ③ 현재분사구 standing out there가 people을 뒤에서 수식하며, 문장의 동사는 watched이다. ④ 과거분사구 called macaroon이 명사 dessert를 뒤에서 수식한다. ⑤ 분사구가 뒤에서 a book을 수식하는 형태이다. 'Shakespeare에 의해 쓰여진'이라고 해야 자연스러우므로, 현재분사 writing 대신 과거분사 written이 와야 한다.

[해석] ① 나는 문이 부서져 있는 것을 발견했다.

② 탁자 밑에 잠자고 있는 고양이가 있다.

③ 밖에 서 있던 많은 사람들이 일식을 보았다.

④ 그녀는 점심 식사 후에 마카롱이라고 불리는 디저트를 먹었다.

⑤ 그녀는 셰익스피어에 의해 쓰여진 책을 읽고 있다.

[어휘] solar eclipse 일식(日蝕)

©Oxy_gen / shutterstock

확인 문제 7-1

감정을 나타내는 동사 bore가 '지루한 감정을 일으키는'의 뜻으로 쓰일 때는 현재분사 boring을, '지루한 감정을 느끼게 되는'의 수동의 뜻으로 쓰일 때는 과거분사 bored을 사용하므로 답은 ③이다.

[해석] 그의 강의는 너무 지루했다. 그래서 나는 지루함을 느꼈다.

[어휘] lecture 강의

확인 문제 7-2

동사 satisfy는 '만족시키다'의 뜻이고, 사람이 주어로 와서 '만족스러운 기분을 느끼게 되는'의 뜻이 되어야 하므로 과거분사 satisfied가 적절하다.

[해석] 나는 그 영화의 결말이 아주 만족스러웠다.

[어휘] conclusion 결말, 끝

필수 예제 8

③ 사람의 감정을 나타낼 때는 수동의 의미인 과거분사를 사용하므로, 분사구문의 형태도 수동의 과거분사가 필요하다. Being surprised 또는 being을 생략한 Surprised로 써야 한다. As he was surprised, → Being surprised, → Surprised,

① 용서 받은 시점이 미안함을 느끼는 시점보다 이전이므로 완료 분사구문으로 써야 한다. 또한 그녀의 부모님에 의해 '용서 받은' 것이므로, 수동의 완료 분사구문이 적절하다. Though she was forgiven by her parents, → Having been forgiven by her parents, → Forgiven by her parents,

② 주어와 능동의 관계이므로 현재시제의 분사구문이 적절하게 쓰였다. If you join the dance club, → Joining the dance club,

④ 분사구문의 의미를 명확하게 하기 위해 접속사 Before가 살아 있는 분사구문이다. Before she went to bed, → Before going to bed,

⑤ '라틴어로 쓰인' 것이므로 과거분사가 바르게 쓰였다. 주절의 주어 none of us와 부사절의 주어 it이 다르므로, 주어를 생략할 수 없다는 것에 유의한다. As it was written in Latin, → It being written in Latin, → It written in Latin,

[해석] ① 그녀는 부모님께 용서를 받았음에도, 여전히 그들에게 미안함을 느끼고 있다.

② 댄스 동아리에 가입하면 춤추는 법을 배울 수 있다.

③ 그는 놀라서 뒤돌아섰다.

④ 그녀는 잠자리에 들기 전 편지 쓰기를 마쳤다.

⑤ 그것은 라틴어로 써 있어서 우리들 중 아무도 그것을 이해할 수 없었다.

[어휘] forgive 용서하다

확인 문제 8-1

주절의 시제는 knows로 현재형이고, 부사절의 시제는 has

lived로 주절의 시제보다 앞서므로 완료 분사구문으로 써야 한다. 완료 분사구문은 「Having+과거분사」로 쓰므로 ⑤ Having lived가 적절하다.

해석 그는 Tokyo에서 6년 동안 살아서 방문할 만한 멋진 곳을 많이 안다.

확인 문제 8-2
주절의 시제는 loves로 현재형이고, 부사절의 시제는 tried로 주절의 시제보다 앞서므로 완료 분사구문으로 써야 한다. 완료분사구문은 「Having+과거분사」로 쓰므로 Having tried ~가 적절하다.

해석 김치를 먹어본 후, 그는 그것을 정말 좋아한다.

2주 3일 필수 체크 전략 ②

pp. 56~57

1 ④	2 ③	3 ②	4 ③	5 ⑤	6 ①

1 ④ 문맥상 '보여지는' 것이므로 수동태 분사구문 (Being) Seen from a distance,가 되어야 한다.
① 부사절과 주절의 주어와 시제가 같은 분사구문이다. ② 사람의 감정은 과거분사로 쓰므로 Being이 생략된 수동태 분사구문이 바르게 쓰였다. ③ 접속사를 생략하지 않은 분사구문으로 바르게 쓰였다. ⑤ 배가 부른 것보다 먹은 것이 먼저 일어난 일이므로 완료 분사구문이 바르게 쓰였다.

해석 ① 모퉁이를 돌아 걸으면서, 나는 누군가가 피아노를 아름답게 연주하는 소리를 들었다.
② 그의 연설에 감동해서 나는 그에게 큰 박수를 보냈다.
③ 너와 이야기를 하고 나서 나는 기분이 훨씬 좋아졌다.
④ 멀리서 보니 그것은 괴물 같아 보였다.
⑤ 그들은 너무 많이 먹어서 배가 불렀다.

어휘 impressed 감동 받은 distance (떨어진) 거리

2 ③ 사역동사 make는 5형식에서 목적격보어로 원형부정사가 온다. / to quit → quit
① tell, ② advise, ④ want 등의 동사는 5형식에서 목적격보어로 to부정사를 취한다. ⑤ help는 준사역동사로, 목적격보어로 원형부정사나 to부정사 모두 가능하다.

해석 ① 할머니께서 건강을 위해 패스트푸드를 먹지 말라고 내게 말씀하셨다.
② 할머니께서 건강을 위해 패스트푸드를 끊으라고 내게 충고하셨다.
③ 할머니께서 건강을 위해 내가 패스트푸드를 끊게 하셨다.
④ 할머니께서 건강을 위해 내가 패스트푸드를 먹지 않기를 원하셨다.

⑤ 할머니께서 건강을 위해 내가 패스트푸드 먹는 것을 멈추도록 도우셨다.

어휘 advise 충고하다

© Gena73 / shutterstock

3 ② it이 가주어, to부정사구가 진주어로 쓰인 문장이다.
①, ③, ④, ⑤ it이 가목적어, to부정사구가 진목적어로 쓰인 문장으로, 모두 「주어+동사+가목적어 it+목적격보어(명사나 형용사)+진목적어 to부정사구」의 5형식 문장이다.

해석 ① 나는 일기를 쓰는 것을 규칙으로 삼았다.
② Mina가 외교관이 되는 것은 어렵다.
③ 나는 그와 함께 외출하는 것이 어렵다는 것을 알았다.
④ 그는 그 일을 제시간에 끝내는 것이 불가능하다고 생각했다.
⑤ 그는 그 문제에 대해 아무 말도 하지 않는 것이 최선이라고 생각했다.

어휘 diplomat 외교관 consider ~로 여기다

4 문장의 주어는 I, 시제는 주절과 부사절이 과거로 같고, 능동의 의미로 쓰였으므로 단순 분사구문으로 쓰면 된다. 분사구문의 부정은 앞에 Not이나 Never를 붙이므로 Not knowing what to do,로 쓸 수 있다. 부사절이 있는 문장으로 쓰면 다음과 같다.: Because I didn't know what to do, I kept silent.

어휘 keep silent 침묵을 지키다

5 ⑤ 전치사 of 뒤에 온 「동사원형+-ing」는 현재분사와 형태는 같으나 분사가 아닌 동명사이다.
〈보기〉, ①, ② 명사 앞에서 명사를 단독으로 수식하는 현재분사이다. ③, ④ 명사 뒤에서 명사를 후치 수식하는 현재분사구이다.
해석 〈보기〉 좋은 선생님은 지루한 수업을 재미있게 만든다.
① 구르는 돌에는 이끼가 끼지 않는다.
② 마술은 신나는 공연이다.
③ 내 옆에 앉은 여자는 양팔에 깁스를 하고 있었다.
④ 책을 쓰고 있는 남자는 Chris이다.
⑤ 그는 아침 식사 전에 산책하는 것을 좋아한다.

어휘 moss 이끼 in a cast 깁스를 한 be fond of ~을 좋아하다

6 5형식으로 가목적어 it ~ 진목적어 to부정사 구문에 자주 쓰이는 동사에는 think, believe, consider, find, make 등이 있다.
해석 나는 꿈을 이루는 것이 가능하다고 생각한다[믿는다/여긴다/안다].
어휘 achieve 성취하다, 이루다

---

②주 4일 교과서 대표 전략 ①

pp. 58~61

대표 예제 1 ③
대표 예제 2 정답: written 이유: '표지 위에 적힌(쓰인) 몇몇 단어들'이므로 수동의 의미인 과거분사가 알맞다.
대표 예제 3 Being kind and considerate people, they stopped to help the lost boy find his parents.
대표 예제 4 ④
대표 예제 5 (1) 정답: ③ cleaning → clean 이유: 사역동사 let의 5형식은 「let+목적어+원형부정사」로 쓴다.
　　　　　　 (2) 그녀는 수세미 대신에 물 자체, 즉 수압을 이용했다.
대표 예제 6 (1) become → to become　(2) can tell you how to deal with
대표 예제 7 ④　　　　　　　대표 예제 8 Not knowing why he was upset, I couldn't say a word.
대표 예제 9 (1) ⓐ making ⓑ to learn　(2) You need to keep learning new things.
대표 예제 10 ③　　　　　대표 예제 11 Have you ever wondered what makes a kite fly?
대표 예제 12 (A) Given　(B) Recognized　(C) reminding

대표 예제 1
③ plans를 수식하는 형용사적 용법이므로, 전치사 to와 혼동하면 안 된다. / to achieving → to achieve
① am planning의 목적어로 쓰인 to부정사의 명사적 용법이다. ② is의 보어로 쓰인 to부정사의 명사적 용법이다. ④ '테스트하기 위하여'의 목적을 나타내는 to부정사의 부사적 용법이다. ⑤ 「의문사+to부정사」로 learn의 목적어로 쓰였다.
해석 ① 나는 휴대전화를 집에 두고 올 계획이다.
② 올해 나의 주요 목표 중 하나는 한국 문화에 대해 배우는 것이다.
③ 목표를 달성하기 위한 너의 계획에 대해 말해 줄래?

④ 그녀는 자신의 가능한 경력을 시험하기 위해 제빵 수업을 듣는다.
⑤ 너는 왜 빵 굽는 법을 배우고 싶니?
어휘 baking class 제빵 수업

대표 예제 2
some words를 후치 수식하는 분사구로, '표지에 적힌[쓰인]'의 수동의 의미가 되어야 적절하므로, written이 알맞다.
해석 나는 표지에 몇몇 단어들이 적힌 작은 공책을 발견했다.
어휘 cover 표지

대표 예제 3

주절의 주어는 '그들은'이므로 they, 동사는 '멈췄다'이므로 stopped를 먼저 찾아 문장의 뼈대를 완성한다. 분사구문은 일반적으로 접속사와 동사가 생략되고 분사가 맨 앞에 오므로, 주어진 단어 중 분사인 Being이 문두에 오게 하면 된다. 준사역동사인 help는 「help+목적어+원형부정사/to부정사」로 쓴다는 것에 유의한다.

어휘 considerate 사려 깊은   lost 길 잃은

대표 예제 4

④ 문맥상 '나의 시야를 넓히기 위하여'의 의미가 되는 것이 적절하므로 목적을 나타내는 to부정사로 쓴다. / expand → to expand

① 동사 like의 목적어로 to부정사나 동명사가 올 수 있다. ② am planning은 현재진행 시제로 현재분사가 바르게 쓰였다. 「plan+to부정사」는 '~할 계획이다'의 뜻이고 「keep+-ing」는 '계속 ~하다'의 뜻이다. ③ am thinking은 현재진행 시제로 현재분사가 바르게 쓰였다. 일반적으로 think 동사는 '~라고 생각하다'와 같이 자신의 의견을 말할 때는 진행형으로 쓰이지 않으나 '~할 생각이다'와 같이 쓰일 때는 진행형으로 사용할 수 있다. 전치사 of의 목적어로 동명사 watching이 왔다. ⑤ consider는 동명사를 목적어로 취하는 동사이므로 doing이 알맞다.

해석 ① 나는 항상 독서를 좋아했다.

② 나는 저널 읽기를 계속할 계획이다.

③ 나는 영화를 볼 생각이다.

④ 나는 나의 시야를 넓히기 위해 다양한 분야의 책을 읽을 것이다.

⑤ 이번 주말에 봉사 활동을 할까 생각 중이다.

대표 예제 5

(1) ③ 앞에 사역동사 let이 있으므로, 목적격보어는 원형부정사가 와야 한다. / cleaning → clean

① 주어로 쓰인 동명사이다. ② '~하곤 했다'의 의미로 과거의 습관을 나타내는 「used to+동사원형」이다. place, add, let 모두 used to에 걸리는 형태이다. ④ 과거시제로 쓰인 동사이다. ⑤ 전치사 of 뒤에 동명사가 바르게 쓰였다.

(2) 재귀대명사는 강조용법과 재귀용법으로 쓰일 수 있는데, 여기서는 강조용법이므로 '그 자체' 정도로 해석할 수 있다.

해석 조세핀 코크런(Josephine Cochrane)이 현대적인 식기 세척기를 발명해 낸 이면에도 창의적인 사고가 있었다. 그녀의

시대 이전에는, 사람들이 세척기 안에 접시를 놓고, 물을 넣은 다음에, 수세미가 접시를 닦게 하곤 했다. 그러나 문제가 있었다. 가끔씩 수세미는 접시를 심하게 손상시켰다. 코크런은 식기 세척의 과정을 달리 접근했다. 그녀는 수세미 대신에 물 자체, 즉 수압을 이용했다.

어휘 dishwasher 식기세척기   scrubber 수세미   damage 손상시키다   approach 접근하다   process 과정   water pressure 수압

대표 예제 6

(1) 문장 구조를 살펴보면 「사역동사 make+가목적어 it+목적격보어 easier+become」의 형태이다. 가목적어 it, 진목적어 to부정사가 와야 하므로 become을 to become으로 고쳐 써야 한다.

(2) 목적어에 해당하는 '어떻게 대해야 하는지'는 「의문사+to부정사」를 써서 how to deal with로 쓸 수 있다. 4형식 문장 「동사 can tell+간접목적어 you+직접목적어 how to deal with」의 순서로 쓰면 된다.

해석 동아리 활동은 학업으로 인해 받은 스트레스를 덜어 줄 수 있다. 동아리 활동은 또한 네가 같은 관심사를 공유할 수 있는 사람들을 만나고 그들과 더 쉽게 친구가 되도록 도와줄 수 있다. 게다가 이 새로운 친구들 중 몇몇은 네게 수업과 선생님에 대해 어떻게 대해야 하는지 너에게 말해 줄 수 있는 너의 선배들일 수도 있다.

어휘 relieve 경감하다, 덜다   moreover 게다가   upper 위쪽의, 상부의   grade 학년   deal with ~을 다루다, 대하다

대표 예제 7

④ 전치사 뒤에는 명사나 동명사가 오므로, about existing이 적절하다.

① 문맥상 it 가주어, to부정사 진주어의 구문이 되어야 하므로 unify를 to unify로 고친다. ② '재미있는 방법으로 생각할 기회'라는 의미가 되는 것이 알맞다. 따라서 to부정사의 형용사적 용법인 a chance to think가 되어야 하므로 think를 to think로 고친다. ③ try는 목적어로 to부정사와 동명사 둘 다

취하는데 그 의미가 달라지므로 유의해야 한다. 여기서는 '~하려고 노력하다'는 의미가 되어야 자연스러우므로 learning을 to learn으로 고쳐야 한다. ⑤ 문맥상 it 가주어, to부정사 진주어 구문이 되어야 하므로 keep을 to keep으로 고친다.

해석 ① 선수들이 다른 의견을 가지고 있어서 팀을 단일화하는 것이 어려웠다.

② 재미있는 방법으로 생각할 기회를 제공하기 때문에 많은 사람들이 수수께끼를 즐긴다.

③ 두려워하지 말고 그들에게서 끊임없이 배우려고 노력하라.

④ Gutenberg의 아이디어는 기존 장치에 대한 지식에서 나왔다.

⑤ 창의력을 향상시키기 위해서는 계속 배우는 것이 중요하다.

어휘 unify 통합하다, 단일화하다 opinion 의견 riddle 수수께끼 constantly 끊임없이 device 장치 improve 개선하다 creativity 창의성

대표 예제 8

주절의 주어와 종속절의 주어가 일치하므로 종속절의 주어 I와 접속사 Because를 생략한다. 능동태이므로 분사는 현재분사가 적절하다. 동사 didn't know를 분사로 고치는데, 부정문이므로 not을 분사 앞에 써서 Not knowing으로 쓰면 된다.

어휘 upset 화가 난

대표 예제 9

(1) ⓐ be afraid of로 전치사가 왔으므로 동사의 형태는 동명사가 와야 한다. ⓑ try는 목적어로 to부정사나 동명사를 둘 다 취할 수 있는데 여기서는 '배우려고 노력하다'의 의미로 쓰였으므로 「try+to부정사」로 쓴다.

(2) '~할 필요가 있다'는 「need+to부정사」, '계속해서 ~하다' 는 「keep+동명사」로 쓴다.

해석 또한 실수하는 것을 두려워하지 말라. 정말 실수를 했을 때는, 그것으로부터 배우려고 노력하라. 언젠가 알버트 아인슈타인이 말한 것처럼, "실수를 해 본 적이 없는 사람은 새로운 어떤 것도 시도해 본 적이 없는 것이다." 가장 중요한 것은, 창의성이 지식과 경험에 기반하고 있다는 것을 잊지 말라. 여러분은 새로운 것을 계속해서 배울 필요가 있다. 그러한 방법으로, 여러분은 창의성을 위한 도구들을 가지게 될 것이다.

어휘 be based on ~에 기초를 두다 tool 도구

대표 예제 10

감정을 나타내는 동사가 '~한 감정을 일으키는'의 뜻으로 쓰일 때는 현재분사로, '~한 감정을 느끼게 되는'의 수동의 뜻을 가질 때는 과거분사로 쓴다. 따라서 ③은 '흥미로운 과학 사실'의 의미가 되어야 하므로 interested를 interesting으로 고쳐야 한다.

해석 ① 그녀는 열기구를 타면서 신나는 시간을 보냈다.

② 나는 너무 지쳐서 공연 도중 무대에서 쓰러졌다.

③ 흥미로운 과학 사실에 대해 이야기해 보자.

④ 역사는 흥미진진한 반면 수학은 지루하다.

⑤ 나는 선생님의 설명에 혼란스러웠다.

어휘 hot air balloon 열기구 exhausted 지친, 피곤한 collapse 붕괴하다, 실신하다 whereas ~인 반면 confused 혼란스러워하는 explanation 설명

대표 예제 11

현재완료 의문문은 「Have+주어+과거분사 ~?」로 쓰고 ever 를 포함하라고 하였으므로 '궁금해 한 적이 있는가?'는 Have you ever wondered ~?로 쓴다. '무엇이 연을 날게 하는지'는 사역동사 「make+목적어+원형부정사」를 활용하여 what makes a kite fly로 쓸 수 있다.

어휘 wonder 궁금해 하다

대표 예제 12

분사구문을 쓸 때 주어와 동사의 관계가 능동이면 현재분사를, 수동이면 과거분사를 사용한다. 과거분사 앞에는 Being이 생략된 형태이다. (A) '무료표가 주어졌을 때'로 해석하여 수동태가 와야 하므로 분사의 형태는 과거분사인 Given이 적절하다. (B) 이 세상에서 최고라고 '인정받는' 것이므로, 수동의 과거분사 Recognized가 알맞다. (C) 재귀대명사 목적어가 이어지고 있으므로 능동의 현재분사 reminding이 알맞다.

해석 나는 공짜 표를 받아서 유명한 합창단 공연에 갔다. 세계에서 최고라고 인정받은 그 합창단은 연달아 아름다운 노래를 불렀다. 나는 몇 년 전 음악이 어떻게 나의 영혼을 치유했는지 떠올리며 눈을 감고 음악을 들었다.

어휘 choir 합창단 recognize 인정하다 remind 상기시키다 heal 치유하다 soul 영혼

01 ④   **02** (1) to help (2) hunting

03 진주어: to imagine yourself back in the 13th century   해석: 13세기로 되돌아간 내 자신을 상상하는 것은 쉽지 않다.

04 ③   **05** ⑤   **06** to remain

07 정답: ⓒ spreading → spread   이유: 물건들이 펼쳐져 있는 상태이므로 spread의 과거분사형을 써야 한다.

08 rejected his proposal with their arms folded

---

01 ④ 지각동사 feel이 왔으므로, 목적격보어는 원형부정사 또는 현재분사가 와야 한다. turns를 동사원형 turn이나 현재분사 turning으로 고친다.

① 준사역동사인 help는 목적격보어로 원형부정사 또는 to부정사가 올 수 있으므로 write down이 바르게 쓰였다. ② 사역동사 make는 목적격보어로 원형부정사가 오므로 reach가 바르게 쓰였다. ③ 사역동사 let은 목적격보어로 원형부정사가 오므로 ride가 바르게 쓰였다. ⑤ 지각동사 heard는 목적격보어로 원형부정사나 현재분사가 오므로 come이 바르게 쓰였다.

해석 ① 나는 그녀가 한국어로 단어를 쓰는 것을 도왔다.
② 소셜 미디어는 내가 언제 어디서나 친구들에게 연락할 수 있게 만든다.
③ 몇몇 생각 없는 부모들은 자녀들이 헬멧 없이 자전거를 타게 한다.
④ 모든 사람들이 그녀를 지켜보면서, 나는 나의 모든 좌절감이 연민으로 변하는 것을 느꼈다.
⑤ 내가 학교를 떠날 때, 누군가 내 뒤에 다가오는 소리를 들었다.

어휘 reach ~에 도달하다, ~와 연락이 되다 frustration 좌절감 pity 동정, 연민 come up 다가가다

02 (1) promise는 목적어로 to부정사를 취하므로 help를 to help로 쓴다. (2) avoid는 목적어로 동명사를 취하므로 hunt를 hunting으로 쓴다.

해석 • 그녀는 내가 물리학 시험을 준비하는 것을 도와주기로 약속했다.
• 멸종 위기 동물을 사냥하는 것을 피하는 것이 중요하다.

어휘 physics 물리학 endangered animal 멸종 위기 동물

03 to부정사가 이끄는 구가 진주어이고, it이 가주어인 구문이

다. 그러므로 진주어는 to imagine yourself back in the 13th century이다.

해석 13세기로 되돌아간 내 자신을 상상하는 것은 쉽지 않다.

어휘 back 뒤로

04 한 문장에 접속사나 관계사가 없으면 동사가 두 개 올 수 없으므로, 이런 경우 분사구문으로 쓰는 것이 자연스럽다. '말하면서'의 능동의 의미이므로, 현재분사를 쓰는 것이 적절하다.

해석 그녀는 좀 더 도전적인 일자리를 찾겠다고 말하며 회사를 그만두었다.

어휘 resign 사임하다 challenging 도전적인

05 ⑤ look forward to는 '~을 기대하다, 고대하다'의 뜻이다. 여기서 to는 전치사이므로 try는 동명사 trying으로 써야 옳다.

① 가목적어 it, 진목적어 to부정사 구문으로 5형식 문장이다. ② 「형용사+enough+to부정사」는 '~하기에 충분히 …하다'의 뜻이다. ③ endanger는 '위태롭게 하다, 위험에 빠뜨리다'이며 endangered는 '위험에 빠진'의 의미가 된다. 명사 앞에 와서 형용사처럼 쓰였다. ④ 「too+형용사+to부정사」는 '너무 ~해서 …할 수 없다'의 의미이므로, '너무 멀어서 다가갈 수 없다'로 바르게 쓰였다. 여기서 for humans는 의미상의 주어이다.

해석 ① 건강한 체중을 유지하는 것이 어렵다는 것을 알았다.

② 나는 계단에서 떨어질 정도로 부주의했다.
③ 아프리카 코끼리와 같은 많은 멸종 위기종이 있다.
④ 행성들은 인간이 도달하기엔 너무 멀다.
⑤ 나는 3D 프린터를 직접 사용해 보기를 기대하고 있다.
어휘 maintain 유지하다   fall down 떨어지다   species 종   planet 행성   look forward to ~을 기대하다

06 '~가 …하는 것을 허락하다'의 뜻으로 쓰인 「allow+목적어+목적격보어」의 목적격보어 자리에는 to부정사가 오므로 remain은 to remain으로 쓰면 된다.
해석 연이 날고 있는 상태를 그대로 유지하려면, 그 힘들이 서로 균형을 잡을 수 있도록 양력의 양과 중력의 양이 같을 필요가 있다.
어휘 amount 양   lift 양력   weight 중력   equal to ~와 같은, 동등한   remain 유지하다   force 힘   balance 균형을 유지하다

[07~08]
해석 Kevin은 이 지역에 영향을 주는 강한 바람을 견딜 수 있도록 설계된 새로운 건물을 제안했다. 그는 발표 탁자 위에 그의 물건들을 펼쳐 놓은 채로 그 제안서에 관해 설명했다. 처음에 청중들은 팔짱을 낀 채로 그의 제안을 거부했다. 그러나 시간이 지남에 따라 그들은 관심을 보였고 제안을 받아들였다.
어휘 propose 제안하다   resist 저항하다   affect ~에게 영향을 주다   proposal 제안   spread out 넓은 공간을 쓰다, 펼치다   presentation 발표   reject 거부하다, 거절하다   accept 받아들이다

07 분사는 형용사처럼 쓰여 명사의 앞이나 뒤에서 명사를 수식한다. 명사와의 관계가 능동·진행이면 현재분사, 수동·완료이면 과거분사를 쓴다. ⓐ designed는 '디자인된'의 의미로 명사 building을 후치 수식하고 있다. ⓑ '영향을 주는'의 의미로 쓰여 능동의 현재분사 affecting이 바르게 쓰였다. ⓒ 물건들이 발표 탁자 위에 '펼쳐져 놓여 있는' 상태이므로 현재분사가 아닌 과거분사로 써야 한다. spread는 과거분사도 똑같이 spread인 것에 유의한다.

08 부대상황을 나타낼 때 「with+명사+분사」로 쓰는데 이때 명사와 분사의 관계가 능동인 경우 「with+명사+현재분사」로, 명사와 분사의 관계가 수동인 경우 「with+명사+과거분사」로 쓴다. 동사 fold는 '접다'라는 뜻이므로, '팔이 접힌 채로(팔짱을 낀 채로)'로 쓰려면 with arms folded가 적절하다.

2주 누구나 합격 전략

pp.64~65

01 to read   **02** 정답: Inspired   해석: 그 이야기에 영감을 받은 감독은 영화를 만들기로 결심했다.   **03** ④
04 ②   **05** I'd like to thank you for giving me this opportunity to apply to the school musical club.
06 Hearing   **07** ⑤   **08** ①   **09** ⓒ to keep → keeping
10 When asking, give them a chance to say yes or no.

01 '읽을 책'은 a book to read로 쓸 수 있다. to부정사의 형용사적 용법으로 쓰였다.

02 사람의 감정을 나타낼 때는 과거분사를 사용하므로, inspire(고무시키다, 영감을 주다)의 과거분사형인 Inspired(고무된, 영감을 받은)가 알맞다.

해석 그 이야기에 영감을 받은 감독은 영화를 만들기로 결심했다.
어휘 inspire 고무시키다, 영감을 주다   director 감독

03 동사 mind(꺼리다, 싫어하다)와 avoid(피하다, 회피하다)는 둘 다 동명사를 목적어로 취하는 동사이다.

04 ② 현재분사와 동명사는 「동사+-ing」로 형태가 같으나 쓰임은 다르다. 여기서 thinking은 분사가 아니라 주어로 쓰인 동명사로, '생각하기'의 뜻이다.

해석 ① 우리가 이 유명한 발명가들처럼 창의적으로 생각하는 법을 배울 수 있을까?
② 창의적 사고는 하나의 기술이고, 우리는 그것을 개선할 수 있다.
③ 좀 더 창의적으로 생각하기 위해서, 한 가지 대답이 아니라 가능한 많은 답을 찾으라.
④ 피아노 연주 능력이 없는 베토벤을 누가 상상할 수 있겠는가?
⑤ 플라스틱은 분해하는 데 매우 느리고 뜨는 경향이 있다.

어휘 ability 능력   extremely 극도로   degrade 분해하다   float 물에 뜨다

05 먼저 주어와 동사를 찾는다. '(저는) ~하고 싶다'는 「I'd like +to부정사」로 쓰면 된다. '~에 대해 감사하다'는 thank you for로 쓰면 되는데, 전치사 for 뒤에 명사나 동명사가 오므로 thank you for giving으로 이어지면 된다. '지원할 기회'는 opportunity to apply로 명사 뒤에 to부정사가 와서 형용사적 용법으로 쓴다.

어휘 opportunity 기회   apply 지원하다

06 '~하자마자'의 동시동작을 나타내는 분사구문으로, 문맥상 능동의 상황이므로 현재분사 Hearing이 알맞다.

해석 알람을 듣자마자 그는 멈춤 버튼을 눌렀다.

어휘 snooze button (알람의 타이머) 멈춤 버튼

07 Because로 시작하는 이유의 부사절을 분사구문으로 만든다. 부사절의 시제가 주절의 시제보다 앞서고 있으므로, 분사구문은 완료형으로 써서 Having prepared를 쓴다.

그런데 부사절이 부정문이므로 부정의 not을 분사 앞에 오게 하여 Not having prepared로 쓰면 된다.

해석 시험에 대비하지 않았기 때문에 나는 좋은 점수를 받을 수 없었다.

어휘 prepare for ~을 준비하다   grade 점수

[08~10]

해석 여러분은 볼 수 없는 누군가를 예의 바르게 도와주는 방법을 알고 있습니까? 만약 그들을 도와주고 싶다면, 먼저 그들에게 도움이 필요한지 물어보십시오. 물을 때, 그들에게 '예' 혹은 '아니요'라고 말할 기회를 주십시오. 안내견을 만지거나 같이 놀지 마세요. 이 개들은 주인을 안내하고 그들을 안전하게 지키는 데 집중해야 합니다. 개들을 방해하면 안 됩니다. 개들의 주의를 산만하게 하는 것은 주인을 위험에 빠뜨릴 수 있습니다.

어휘 polite 예의바른   guide dog 안내견   focus on ~에 집중하다   be supposed to ~하기로 되어 있다   distract 산만하게 하다, 주의를 딴 데로 돌리다

08 ⓐ to help는 앞에 나온 명사 ways를 수식하여 '돕는 방법'으로 해석되며 형용사적 용법으로 쓰였다.
① to tell이 something을 수식하여 '말할 것'으로 해석되며 형용사적 용법으로 쓰였다. ② 보어로 쓰인 to부정사의 명사적 용법이다. ③ 형용사 comfortable을 수식하는 부사적 용법이다. ④ 형용사 happy의 원인, 이유를 나타내는 부사적 용법이다. ⑤ agreed의 목적어로 쓰인 to부정사의 명사적 용법이다.

해석 ① 나는 너에게 할 말이 있다. ② 나의 꿈은 우주비행사가 되는 것이다. ③ 이 구두는 신기 편하다. ④ 너를 다시 만나서 기뻐. ⑤ 그녀는 극장에 가는 것에 동의했다.

09 ⓒ 동사 focus on의 목적어 guiding과 목적어 keeping이 등위접속사 and로 연결되는 형태가 되어야 하므로 to keep을 keeping으로 고쳐야 한다.
ⓑ 전치사 on 뒤에 동명사 guiding이 바르게 쓰였다.
ⓓ 주어로 쓰인 동명사이다.

10 '물어볼 때'를 분사구문으로 쓰되, 접속사 when은 살아 있고, 주어만 생략한 형태인 When asking으로 쓴다. '말할 기회'는 to부정사의 형용사적 용법으로 써서 a chance to say로 배열하면 된다.

정답 과 해설

2주 창의·융합·코딩 전략 ①

pp. 66~67

A ⓑ **B** She let them eat some pizza. **C** 윤아

A 동사는 주어 자리에 올 수 없고, 준동사인 to부정사나 동명사는 주어 역할을 할 수 있으므로, 동명사 driving이 알맞다. 동명사는 동사의 기능도 가지고 있으므로 부사 fast의 수식을 받을 수 있다.

해석 눈 속에서 빠르게 달리는 것은 위험해.

B 사역동사의 목적격보어는 원형부정사가 온다. 단, 목적어와 동사의 관계가 수동인 경우 과거분사도 올 수 있다. 「주어+사역동사+목적어+원형부정사」의 5형식 문장이다.

해석 그녀는 그들이 피자를 먹게 내버려 뒀다.

C to부정사의 부정은 앞에 부정어 not이나 never를 써야 하므로 not to enter가 바른 표현이다.

해석 ・하루 종일 어려운 사람들을 돕는 것은 쉽지 않다.

・건물이 갑자기 무너지고 있다.

・병마개를 잘 닫는 것이 중요하다.

・경비원은 그 남자에게 홀에 들어가지 말라고 말했다.

・찰스 디킨스라는 젊은 남자가 있다.

어휘 needy 가난한   bottle cap 병마개, 병뚜껑 security guard 경비원

2주 창의·융합·코딩 전략 ②

pp. 68~69

D (순서대로) looks, shared, to wear, to bring **E** ③

D 준동사의 쓰임에 대해 확인하는 문제로, 동사는 관계사나 접속사가 없는 한 문장에 하나가 올 수 있다. 첫 번째 문장에서는 동사가 없으므로, '~처럼 보이다'의 look을 3인칭 주어에 맞게 looks로 써야 한다. 두 번째 빈칸에는 '공유된 자전거'라는 표현이 적절하므로 과거분사형 shared가 bike를 수식하는 형태로 들어간다. 세 번째 빈칸에는 need의 목적어가 필요하므로 wear을 to부정사로 바꿔 to wear로 써야 한다. 헬멧 가져오는 것을 잊었으므로 「forget+to부정사」로 써서 to bring을 쓰는 것이 적절하다.

해석 여: 이 자전거 멋져 보인다.

남: 그래. 이건 공유 자전거야. 자전거가 필요하면 자전거 공유 시스템을 이용할 수 있어.

여: 넌 헬맷을 쓸 필요가 있어.

남: 오, 이런. 내 헬멧을 가져오는 걸 잊었네.

어휘 awesome 멋진   share 나누다   bike-sharing system 자전거 공유 시스템

E ⓒ 동명사와 현재분사는 형태가 같지만 쓰임이 다르므로 주의한다. 두 번째 문장에서 콤마 앞의 문장은 주어와 동사가 없는 구이며, 이어지는 주절에 주어 they와 동사 tried가 있으므로, Living은 동명사 주어가 아니라 분사구문을 만드는 분사이다.

해석 꿈을 이루기 위해 John과 Susan은 돈을 낭비하지 않기로 결심했다. 잠깐 동안 John의 부모님과 살면서, 그들은 집을 살 수 있을 만큼 충분한 돈을 모으려고 노력했다. 그들은 외식하는 것과 덜 필요한 가정용품을 사는 것을 피했다.

어휘 temporarily 일시적으로, 잠깐 동안   less-needed 덜 필요한   household item 가정용품

문장 속에서 동사의 형태가 본동사로 쓰였는지, 준동사로 쓰였는지 구분하는 것이 중요!

신유형·신경향·서술형 전략

1 (1) His advice made me reflect on myself.　(2) They won't let her leave the country.

　(3) The letter made Tom apply to be a volunteer.

2 (1) to focus on the class　(2) important not to be late for school　(3) It is important to get along with the

　classmates.

3 (1) The plate was broken by my sister.　(2) If I were a bird, I would fly to the island.

　(3) I fell down the stairs. I should have been more careful.

4 (1) 정답: was　이유: 「the percentage of+복수 명사」는 단수 취급한다.

　(2) 정답: makes　이유: 동명사 주어는 단수 취급한다.

5 (1) I got on the bus, looking for an empty seat.　(2) Hearing that news, Andrew smiled brightly.

　(3) Having been sick, he answers the phone call from his company.

6 (1) to read　(2) to research　(3) making

7 (1) Nancy was seen to go out with her friends (by them).

　(2) The clerks were made to lie on the floor by the robber with a gun.

　(3) An apology letter was written to Mr. Song by the boy.

8 (A) The dead body called "whale fall"　(B) by sinking to the sea floor

　(C) the amount of carbon produced by 80,000 cars

---

1 「사역동사 make, let, have+목적어+원형부정사」의 5형식 문장이다.

[어휘] manager 관리자　　　　employee 고용인, 직원 prepare for ~을 준비하다　presentation 발표　reflect on 되돌아보다, 반성하다　apply 지원하다　volunteer 자원봉사자

2 (1) 그림을 보면 수업시간에 집중하고 있는 모습이므로, '수업에 집중하다'인 to focus on the class를 쓰면 된다.

(2) to부정사의 부정은 to부정사 앞에 not이나 never를 넣으므로 not to be late for school이 알맞다.

(3) '급우들과 사이좋게 지내다'는 to get along with the classmates로 쓰면 된다.

[해석] (1) 수업 시간에 집중하는 것이 중요하다.

(2) 학교에 지각하지 않는 것이 중요하다.

(3) 급우들과 사이좋게 지내는 것이 중요하다.

[어휘] focus on ~에 집중하다　to get along with ~와 잘 지내다

3 (1) 수동태 과거형을 써야 하므로 「were/was+p.p.」를 사용하면 된다. break의 과거분사형은 broken이다.

(2) 현재의 소망을 나타내므로 가정법 과거로 쓰면 된다.

(3) '~했어야 한다'의 과거에 대한 후회, 유감은 조동사 should를 사용하여 should have p.p.로 쓴다. '조심하다'는 be careful이므로 should have been careful이 된다.

[어휘] island 섬　fall down 넘어지다

4 (1) the percentage of는 '~의 비율'이라는 뜻이므로, 뒤에 복수 명사가 오더라도 단수 취급한다.

(2) 「동명사 주어+동명사의 목적어」가 주어 부분을 이루고 있는데, 핵심 주어는 동명사이므로 단수 취급한다. 목적어 children의 수와 혼동하지 않도록 주의한다.

[해석] (1) 2016년 여성의 비율은 2017의 것과 같다.

(2) 천진난만한 아이들을 보는 것은 생각했던 것보다 더 나를 절망하게 만든다.

[어휘] female 여성　　　innocent 순진한, 천진난만한 desperate 자포자기의, 절망적인

© Getty Images Bank

5 (1) 연속 동작을 나타내는 문장을 분사구문으로 만들 수 있다. 접속사 and와 주어 I를 생략하고, 동사 looked를 분사 looking으로 바꿔 쓰면 된다.

(2) 부사절의 주어와 주절의 주어가 일치하므로 생략하고 동사 heard를 Hearing으로 쓰면 된다.

(3) 부사절은 has been sick(현재완료 시제), 주절은 answers(현재시제)로 쓰여 부사절의 시제가 주절의 시제보다 앞서므로, 분사구문으로 쓸 때는 완료 분사구문을 써야 한다. 완료 분사구문은 「Having+과거분사」로 쓰면 되므로 Having been sick으로 시작한다.

해석 (1) 나는 버스에 올라타서 빈자리를 찾았다.

(2) 그 뉴스를 들었을 때, Andrew는 밝게 미소 지었다.

(3) 그는 아픈 상태임에도 불구하고 회사로부터 온 전화를 받는다.

어휘 empty 빈, 비어 있는   company 회사

6 (1) 동사 advise는 목적격보어 자리에 to부정사가 오므로 to read가 알맞다.

(2) it 가주어, to부정사 진주어 구문이므로 동사 research를 to research로 쓴다.

(3) 동사 avoid는 목적어로 동명사를 취하므로 making이 알맞다.

해석

질문: 제 미래 직업을 위해 무엇을 하라고 조언해 주겠어요?

(1) Jane: 저는 다양한 관점에서 쓴 책을 많이 읽어 보라고 조언해요.

(2) Yujin: 온라인상에서 미래의 직업에 대해 조사하는 것이 유용할 거예요.

(3) Somi: 미래의 직업을 너무 일찍 결정하는 것은 피해야 해요.

어휘 various 다양한   perspective 관점   research 조사하다

7 (1) 지각동사 see의 5형식 문장에서 목적격보어로 쓰였던 원형부사는 to부정사로 바꿔 써야 하므로 go out은 to go out으로 쓴다.

(2) 사역동사 make의 5형식 문장에서 목적격보어로 쓰였던 원형부사는 to부정사로 바꿔 써야 하므로 lie는 to lie로 쓴다.

(3) 목적어가 2개인 4형식 문장이다. 동사에 따라 직접목적

어만 주로 주어로 오게 쓰는 경우가 있으므로 주의한다. buy, make, cook, write, read, sell 등의 동사는 주로 직접목적어를 주어로 쓴 수동태로 쓴다. 간접목적어 앞에는 전치사가 온다.

해석 (1) 그들은 Nancy가 그녀의 친구들과 외출하는 것을 보았다.

(2) 총을 든 강도가 점원들을 바닥에 눕게 했다.

(3) 그 소년은 송 선생님에게 사과 편지를 썼다.

어휘 robber 강도   gun 총   lie 눕다   apology 사과

8 (A) '~로 불리는'의 뜻으로 쓰여야 하므로 준동사의 형태는 수동의 과거분사 called로 써야 한다.

(B) '~함으로써'는 「by+동명사」로 쓸 수 있으므로 by sinking이 적절하다.

(C) 'the amount of carbon(탄소량)'을 꾸며 주는 분사구가 뒤에 오는 형태로 쓰면 되는데, '배출된'의 의미가 되어야 하므로 수동의 과거분사 produced가 적절하다.

해석 고래는 또한 사후에도 정말로 중요한 역할을 한다. 'whale fall'이라 불리는 사체는 바다의 깊은 곳을 향해 가라앉아, 해저의 가혹한 환경 속에서 살고 있는 수많은 물고기 종에게 먹이가 된다. 게다가 고래 사체는 환경에 훌륭한 역할을 한다. 고래 사체는 탄소를 많이 포함하고 있어서, 해저에 가라앉음으로써 대기의 바깥에 탄소를 유지시킨다. 해양 과학자에 따르면 고래가 바다의 밑바닥으로 가져가는 탄소의 양은 대략 연간 190,000톤이나 되는데, 그것은 80,000대의 자동차가 배출하는 탄소량과 같다.

어휘 whale 고래   sink 가라앉다   bottom 바닥   species 종   harsh 가혹한   carbon 탄소   atmosphere 대기   according to ~에 따르면   marine 바다의, 해양의   amount 양, 총계   annually 매년   equal 동일한

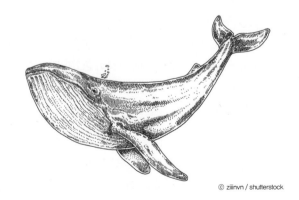

© ziiinvn / shutterstock

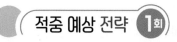
1 ①   **2** ⑤   **3** ④   **4** ②   **5** ②   **06** ③

7 정답: calm   이유: 주격보어 자리에 부사는 올 수 없고 형용사만 올 수 있다.

8 existed, have been preserved

9 If the wind had not been so strong, we could have had tea outside.

10 정답: has been regarded   해석: 숫자 8은 중국 문화에서 최고의 행운의 숫자로 여겨져 왔다.

11 정답: strictly → strict   해석: 담임 선생님은 아주 엄격해 보였고 새로운 급우들은 모두 불친절해 보였다.

12 If he had done it, he would not have been punished.   **13** ①

14 「be동사+being+과거분사」로 쓰인 과거진행 수동태이며, 사역동사가 쓰인 문장의 원형부정사가 수동태에서 to부정사가 되었다.

15 (A) show   (B) contain   (C) is

16 a good way to find the information about the foods you eat

1 주어가 a chocolate cake로 Susan에 의해 '만들어진' 것이므로 수동태 was made가 알맞다. / 그녀가 정직하다고 믿음을 '받는' 것이므로 수동태 was believed가 알맞다.

해석 • 초콜릿 케이크는 Susan을 위해 내가 만들었다.
• 그녀는 부모님에게 정직하다고 믿음을 받는다.

2 ⑤ 「since+과거 시점」은 현재완료 시제와 함께 쓰이므로 적절하지 않다. / was destroyed → has been destroyed ① 「for+기간」은 현재완료 시제와 함께 쓰이므로 have lived가 적절하다. ②, ③, ④ ago, last, when 등은 과거 시제와 함께 쓴다.

해석 ① 그들은 이 집에서 10년 동안 살았다.
② 며칠 전에 길에서 그가 어슬렁거리는 것을 보았다.
③ 나는 지난 수요일에 점원에게 내 신용 카드를 건네주었다.
④ 엄마는 내가 12살 때 나에게 직업 선택에 관한 책을 사 주셨다.
⑤ 월요일부터 폭풍으로 집의 지붕이 파괴되었다.

어휘 wander 어슬렁거리며 돌아다니다   pass 건네주다 credit card 신용 카드   career choice 직업 선택 roof 지붕   destroy 파괴하다

3 a number of, most of, 분수 of, both of 뒤에 복수 명사가 오면 복수 취급하여 모두 복수 동사가 적절하나, 「one of+복수 명사」는 단수 취급하므로 빈칸에 들어갈 수 없다.

해석 많은 수의 [대부분의 / 5분의 2의 / 몇 마리의] 돌고래가 바다에서 그룹을 지어 헤엄치고 있었다.

어휘 in groups 그룹을 지어

4 must have p.p.: ~했음에 틀림없다 (강한 추측)
shouldn't have p.p.: ~하지 말았어야 한다 (부정 유감, 후회)
cannot have p.p.: ~했을 리가 없다 (부정 추측)

어휘 serve 접대하다

5 ⓐ 제안의 동사 suggest 뒤에 당위의 that절이 이어질 때 that절의 동사는 주절의 시제와 상관없이 「should+동사원형」으로 쓴다. took을 (should) take로 고쳐 써야 한다. ⓔ 주어와 동사는 수 일치시켜야 하는데 「most of+복수 명사」는 복수 취급하므로 동사 likes를 like로 고쳐 써야 한다.
ⓑ 가정법 과거완료 (If+주어+had+p.p ~, 주어+조동사의 과거형+have+p.p. …)가 바르게 쓰였다. ⓒ 「If it were not for+명사」 가정법 문장이다. ⓓ 제안의 동사 「request+that절+주어+(should+)동사원형」 구문으로, 동사 join이 바르게 쓰였다.

해석 ⓐ 그녀는 간호사들이 비행 중에 승객들을 돌볼 것을

정답과 해설 **37**

항공사에 제안했다.

ⓑ 만약 Ann이 나를 그녀의 집으로 초대했다면, 나는 그녀를 기쁘게 방문했을 텐데.

ⓒ 물이 없다면 생명체는 살 수 없을 것이다.

ⓓ 그들은 그녀에게 3일 안에 테니스 동호회에 합류할 것을 요청했다.

ⓔ 대부분의 학생들은 자신들에게 익숙한 것을 좋아한다.

어휘 flight 비행 survive 생존하다, 살아남다 request 요청하다 be familiar with ~에 익숙하다

6 현재완료 수동태는 「have/has been+p.p.」로 쓴다. '재생산되고 있다'는 have been reproduced로 써서, Gogh's paintings have been reproduced endlessly on posters, postcards and T-shirts.가 되므로 4번째 올 단어는 been이다.

어휘 reproduce 재생산하다 endlessly 끝없이

7 stay는 보어를 필요로 하는 불완전자동사이다.

해석 벨이 울렸을 때 방 안의 모든 사람들이 가만히 있었다.

어휘 stay calm 가만히 있다

8 around 220 million years ago로 명백한 과거의 시점을 나타내므로, 과거시제 existed로 쓴다.

주절은 현재시제이고 because로 이어지는 절에서 과거에서부터 지금까지 '보존되어 왔다'의 의미가 되어야 하므로 현재완료 수동태 have been preserved가 적절하다.

해석 공룡은 약 220만 년 전에 존재했고, 공룡의 뼈가 화석으로 보존되어 왔기 때문에 우리는 공룡에 대해 알고 있다.

어휘 dinosaur 공룡 exist 존재하다 preserve 보존하다 fossil 화석

9 가정법 과거완료: If+주어+had+p.p ~, 주어+조동사의 과거형+have+p.p. …

어휘 outside 밖에서, 밖으로

10 regard는 '~으로 여기다'의 의미이고 주어가 the number 8이므로, 수동태가 필요하다. 현재완료 수동태는 have/has been p.p로 쓴다.

해석 숫자 8은 중국 문화에서 최고의 행운의 숫자로 여겨

져 왔다.

어휘 regard ~로 여기다

11 look은 '~해 보이다'의 의미로 불완전 자동사로 쓰여 보어를 필요로 한다. 보어 자리에는 부사는 올 수 없고 형용사만 올 수 있으므로 부사 strictly를 strict로 고쳐야 한다. unfriendly는 명사에 -ly가 붙은 형용사이므로 수정하지 않도록 주의한다.

해석 다음날 아침 나는 늦게 일어나서 학교에 지각했다. 담임 선생님은 아주 엄격해 보였고, 새로운 급우들은 모두 불친절해 보였다. 더 나쁜 것은, 내가 교과서를 잘못 가져왔고 잠을 충분히 자지 못해서 수업에 집중할 수 없었다.

어휘 strictly 엄격히, 엄하게 unfriendly 불친절한 concentrate 집중하다

12 과거 사실에 대한 반대이므로 가정법 과거완료로 쓸 수 있다. if절의 동사는 had p.p., 주절의 동사는 「조동사의 과거형+have p.p.」로 쓰면 된다. punish는 '벌을 주다'이므로 '벌을 받다'로 쓰려면 수동태로 써서 be punished로 써야 한다는 것에 주의한다.

어휘 punish 벌을 주다

[13~14]

갑자기, 예전에 선물로 받았지만 사용하지 않은 슬리퍼 한 켤레가 생각났다. 선물은 서로 소통하는 좋은 수단이 될 수 있다. 슬리퍼는 나의 고통을 나타내는 동시에 그녀가 걸음 소리를 낮춰야 한다는 것을 끊임없이 상기시켜 줄 도구로써 역할을 할 수 있을 것이다. 나는 이렇게 차분한 방식으로 배려하는 이웃으로 타인과 함께 살아가는 법을 그녀에게 가르칠 수 있을 것이다. 나는 그 슬리퍼를 거의 새것인 선물 가방에 넣고 사용했던 작은 리본을 달았다. 그런 다음 위층으로 올라가 벨을 눌렀다. 대답이 없었다. 나는 안에 인기척을 들어서 기다렸다. 그녀가 협조해 주었더라면, 나는 "우리는 이웃인데 아직까지 인사도 못했네요 …"와 같은 다정한 인사를 나누며 벌써 선물을 건네주었을 것이다. 하

지만 지금 나는 계속 기다리고 있었다.

1행 Suddenly, / I remembered / a pair of slippers [that I had
갑자기　　　 나는 기억났다　　　 한 켤레의 슬리퍼　　 선물로 받았던
└ 관계대명사 목적격

received as a present / but had not used].
하지만 사용하지 않았던
└ 대과거(과거 이전의 일) ┘

13행 With her cooperation, / I'd have already delivered the
그녀가 협조해 주었더라면　　　　 나는 이미 선물을 전달했을 텐데
「with+명사」 가정법　　　　　　 가정법 과거완료(would+have+과거분사)

gift / along with a kind greeting / such as, ~
친절한 인사와 함께　　　　　　 (다음과) 같은

17행 But now / I was being made to wait.
그러나 지금　 나는 계속해서 기다리고 있었다
　　　　　 과거진행 수동태(was/were+being+과거분사)
5형식(사역동사+목적어+목적격보어(원형부정사)의 수동태로, 원형부정사가 to부정사로 바뀜

어휘 represent 대표하다　suffer 고통 받다　constant 끊임없는　remind ~에게 떠올리게 하다　soften 덜다, 경감하다　considerate 인정 많은　cooperation 협조　deliver 배달하다, 전달하다

13 ① 기억했던 시점보다 슬리퍼를 받은 것이 더 먼저 일어난 일이므로, 대과거 had p.p.가 와야 한다. → had received
② '~할 수 있다'의 가능의 의미로 쓰인 조동사 can이다.
③ could represent와 and로 연결된 형태로, 반복된 could가 생략되어 쓰였다. ④ 두 개의 동사 placed와 added가 등위접속사 and로 동등하게 연결되어 있다. ⑤ 「With+명사(구)」, 주어+조동사의 과거형+have+p.p.」 형태로 가정법 과거완료가 사용되어 과거 사실의 반대를 가정하고 있다. if절 대신 「With+명사(구)」가 쓰여 '~이 있었다면'의 의미를 나타내고 있다.

14 동사의 형태가 was being made로 과거진행 수동태가 쓰였다. 여기서 made는 사역동사로, 이어서 「목적어+목적격보어(원형부정사)」가 오는 경우 수동태 문장에서는 원형부정사가 to부정사로 바뀌기 때문에 to wait가 사용된 것이다.

[15~16]
'여러분은 여러분이 먹은 그것이다.' 그 구절은 흔히 여러분이 먹는 음식과 여러분의 신체 건강 사이의 관계를 보여 주기 위해

사용된다. 하지만 여러분은 통조림 식품, 포장 판매 식품을 살 때 자신이 무엇을 먹고 있는 것인지 정말 아는가? 오늘날 만들어진 제조 식품 중 다수가 너무 많은 화학 물질과 인공적인 재료를 함유하고 있어서 때로는 정확히 그 안에 무엇이 들어 있는지 알기가 어렵다. 다행히도, 이제는 식품 라벨이 있다. 식품 라벨은 여러분이 먹는 식품에 관한 정보를 알아내는 좋은 방법이다. 식품 라벨의 주된 목적은 여러분이 구입하고 있는 식품 안에 무엇이 들어 있는지 여러분에게 알려 주는 것이다.

4행 But do you really know [what you are eating / when
하지만 여러분은 정말 아는가　　 무엇을 먹고 있는지
　　　　　　　　　　　 간접의문문(의문사+주어+동사) 시간의 부사절

you buy canned foods, and packaged goods]?
통조림 식품, 포장 판매 식품을 살 때

6행 Many of the manufactured products [made today] /
제조 식품 중 다수가　　　　　　　　　　 오늘날 만들어진
　　　 과거분사 수식 ⌐　　　　 └ 과거분사구 후치 수식

contain / so many chemicals and artificial ingredients / that
함유하고 있다　　　　 너무 많은 화학 물질과 인공적인 재료를
동사　　　 so ~ that ...: 너무 ~해서 …하다

it is sometimes difficult to know exactly [what is inside them].
때로는 알기가 어렵다　　　　　 정확히　 그 안에 무엇이 들어 있는지
가주어 it　　　　　　　　　　 진주어 to부정사 간접의문문(주어로 쓰인 의문사+동사)

14행 The main purpose of food labels / is
식품 라벨의 주된 목적은
　　　 핵심 주어(단수)　　　　　　 단수 동사

to inform you [what is inside the food
여러분에게 알려 주는 것이다　 식품 안에 무엇이 들어 있는지
보어로 쓰인 to부정사(명사적 용법) 간접의문문(주어로 쓰인 의문사+동사)

{you are purchasing}].
∧　 여러분이 구입하고 있는
└ 관계대명사 that 생략

어휘 phrase 문구　relationship 관계　physical 물리적인, 물질의　package 포장하다　manufacture 제조하다　contain 포함하다　chemical 화학 물질　artificial 인공적인　ingredient 재료　purpose 목적　inform 알려 주다, 정보를 주다　purchase 판매하다

15 (A) 문맥상 그 구절은 음식과 건강 사이의 관계를 보여 주기 위해 '사용된다'고 해석하는 것이 자연스러우므로 '~하기 위해 사용되다'의 수동태 표현인 「be used to+동사원형」으로 써야 한다. (B) 주어 부분은 Many of the manufactured products made today이며, 「many of+복수 명사」의 형태로 쓰인 것이므로 복수 동사가 와야 한다. manufactured, made는 수동을 나타내는 과거분사구로, 앞뒤에서 products를 수식하고 있다. (C) 주어가

The main purpose of food labels이며, 핵심 주어는 purpose이다. 이어지는 전치사구의 labels를 주어로 착각하지 않도록 주의한다.

16 '알아내는 좋은 방법'은 a good way to find로, '여러분이 먹는 식품'은 the foods you eat으로 쓸 수 있다.

적중 예상 전략 2회

pp. 80~83

1 ①, ④   2 ④   3 ③   4 ④   5 ⑤   6 ②
7 (A) interested   (B) encouraging /
당신은 분명히 관심이 있고, 그것은 당신의 귀에는 용기를 북돋우는[고무적인] 것으로 들린다.
8 have taken advantage of this trick by choosing prices ending in a 9 to give
9 (Being) Concerned, he encourged the young man to tell him what was on his mind.
10 (a) to analyze   (b) to afford   (c) to buy   11 (a) looking   (b) well-dressed   (c) whistling
12 waving to me   13 ③
14 그러므로 여러분은 그것을 상세하게 이야기하거나 쓰고 그 결과를 비판적으로 되돌아볼 때까지 자신의 사고의 세부 내용을 알지 못한다.
15 ②   16 He died of cardiac disease in Chicago in 1923.

1 help는 준사역동사로 목적격보어 자리에 원형부정사 또는 to부정사를 둘 다 쓸 수 있다.
해석 봉사활동은 두 가지 방법으로 외로움을 줄이는 데 도움이 된다.
어휘 reduce 줄이다, 줄다

2 〈보기〉의 waving은 지각동사 saw의 목적격보어로 쓰인 현재분사이다. ④의 standing도 found의 목적격보어로 쓰인 현재분사이다. 나머지는 모두 동명사이다. ① 전치사+동명사 ② enjoy의 목적어로 쓰인 동명사 ③ mind의 목적어로 쓰인 동명사 ⑤ 주어로 쓰인 동명사
해석 나는 그 소녀가 손을 흔들고 있는 것을 보았다.
① 그는 줄을 서서 기다리는 것에 지쳤다.
② 그녀는 꽃 사진을 찍는 것을 즐긴다.
③ TV를 켜도 될까요?
④ 나는 문 앞에 서 있는 그녀를 발견했다.
⑤ 새로운 친구를 사귀는 것은 내게 조금 어렵다.

3 decide, expect, wish, pretend는 모두 to부정사를 목적어로 취하는 동사이고, ③ deny는 동명사를 목적어로 취하므로 적절하지 않다.
해석 응답자의 68%는 돈을 돌려주겠다는 약속을 지킬 것을 결정했다[기대했다/원했다/꾸몄다].
어휘 respondent 응답자   expect 기대하다   deny 부인하다   pretend ~인 척하다, 가장하다

4 ④ 조건의 if가 이끄는 부사절에서는 현재시제가 미래시제를 대신하므로 will survive를 survives로 고쳐야 한다.
① 이어지는 주어가 the leopard seal로 단수이므로 단수 동사 is가 알맞다. ② 동사 is의 주격보어로 쓰인 to부정사의 명사적 용법이다. ③ 주어가 one of them인 동사 gives up과 jumps in이 등위접속사 and로 연결되어 있다. ⑤ 조건의 if절에서는 현재시제가 미래시제를 대신하므로 현재형 perishes가 알맞다.
해석 식사로 펭귄들을 먹는 것을 좋아하는 표범물개가 있다. Adélie 펭귄은 무엇을 할까? 펭귄의 해결책은 대기 전술을 펼치는 것이다. 그들은 자기들 중 한 마리가 포기하고 뛰어들 때까지 물가에서 기다리고, 기다리고 또 기다린다.

만약 그 선두 주자가 살아남으면, 다른 모두가 그대로 따를 것이다. 만약 그것이 죽는다면, 그들은 돌아설 것이다.

어휘 meal 식사   edge 가장자리   pioneer 선구자, 선두 주자   survive 살아남다, 생존하다   perish 멸망하다, 죽다

5 주어 부분은 '정보와 관련된 맥락을 확인하는 것'이고 핵심 주어는 '확인하는 것'이다. to부정사나 동명사 둘 다 주어로 쓸 수 있으나, 가주어 it을 사용하려면 동명사 주어는 올 수 없다. 「It+be동사+형용사+for+의미상의 주어+to부정사」의 순서로 써서 It is so important for us to identify context related to information.으로 영작할 수 있다.

어휘 identify 확인하다   context 맥락   related to ~와 관련된

6 ⓑ 이 문장의 동사는 was uncovered이며 studied는 behavioral ecologists를 수식하는 준동사여야 한다. 생태학자가 동물의 행동을 '연구하고' 있으므로 능동의 현재분사 studying이 와야 한다. ⓒ 1930년대에 호주에 '소개된' 외래종을 의미하므로 수동의 과거분사 introduced가 와야 한다.
ⓐ 과거에 발생해서 현재까지 영향을 미치고 있으므로 현재완료 시제가 적절하다. ⓓ 문장의 동사로 쓰였으므로 과거시제 suffered가 알맞다.

해석 행동 생태학자들이 우리와 가까운 다수의 동류 동물에게서 영리한 모방 행동을 관찰해 왔다. 한 예가 주머니고양이라고 불리는 작은 호주 동물의 행동을 연구하는 행동 생태학자들에 의해 발견되었다. 그것의 생존이 1930년대에 호주로 도입된 침입종인 수수두꺼비에 의해 위협받고 있었다. 주머니고양이에게 이 두꺼비들은 독성이 있는 만큼이나 먹음직스러워 보이며 그들을 먹은 주머니고양이는 빠른 속도로 치명적인 결과를 겪었다.

어휘 behavioral 행동의   ecologist 생태학자   copying behavior 모방 행동   uncover 밝히다, 적발하다   survival 생존   threaten 위협하다   invasive 침입하는, 침략적인   poisonous 독성의   fatal 치명적인   consequence 결과

7 감정을 나타내는 동사가 '~한 감정을 일으키는'의 뜻으로

쓰일 때는 현재분사로, '~한 감정을 느끼게 되는'의 수동의 뜻을 가질 때는 과거분사로 쓴다.

해석 "Annie, 정말 멋진 그림을 그렸구나! 그게 뭐니?" 아이의 그림에 대한 이 반응이 무엇이 잘못되었을까? 당신은 분명히 관심이 있고, 그것은 당신의 귀에는 고무적으로 들린다. 하지만 이런 종류의 칭찬은 사실 반대 효과를 가질 수 있다.

어휘 reaction 반응   obviously 명백히   encourage 용기를 북돋우다, 고무하다   praise 칭찬   opposite 반대의   effect 효과

8 '이용해 왔다'는 과거부터 지금까지 계속된 행위를 나타내기 위해 현재완료 시제로 쓸 수 있다. '선택함으로써'는 전치사를 이용하여 「by+동명사」로 쓴다. '주기 위해'는 목적을 나타내는 to부정사를 활용할 수 있다.

어휘 shopkeeper 소매상인   take advantage of 이용하다   trick 착각   impression 인상

9 감정을 나타내는 수동의 과거분사가 사용된 부사절을 부사구로 바꿔 분사구문으로 쓸 때는, 동사 was를 being으로 바꿔 Being concerned, 혹은 Being을 생략하여 과거분사가 앞에 오게 Concerned,로 쓸 수 있다.

해석 노인은 그 젊은이를 다시 보게 되어 기뻤다. 그는 즉시 그 젊은이가 기가 빠졌으며 명백하게 불행하다는 것을 알아차렸다. 노인은 염려하면서 젊은이에게 자신의 속마음을 털어놓으라고 격려했다. 그 젊은이는 삶의 만족을 찾으려는 이전의 시도가 좌절감을 주었고 그래서 그것을 찾는 것을 어떻게 포기하였는지를 묘사했다.

어휘 notice 발견하다, 알아차리다   lack 부족   obvious 명백한   concern 염려하다, 관심을 갖다   frustrate 실망시키다, 좌절시키다   attempt 시도   satisfaction 만족   search 탐색, 추구

10 (A) 앞에 나온 명사 a tool을 수식하는 to부정사가 필요하다. '분석하는 도구'로 해석하여 형용사적 용법으로 쓰였다.

정답 과 해설

(B) 「too+형용사+for+의미상의 주어+to부정사」 구문으로 '너무 비싸서 살 여유가 없다'는 의미가 필요하므로 to afford가 적절하다. (C) agreed의 목적어 자리이므로 to buy가 와야 한다.

해석 우리는 실험실의 데이터를 분석할 도구가 필요했지만, 너무 비싸서 살 수 없었다. 그래서 우리는 새 도구 대신 중고 도구를 사기로 동의했다.

어휘 analyze 분석하다 lab 실험실 afford ～할 여유가 있다 second-hand 중고의

[11~12]
해석 1966년 봄의 어느 화창한 월요일 아침이었다. 손님을 찾아 York Avenue를 일정한 속도로 진행 중이었는데, 날씨가 좋아서 조금 느릿느릿했다. 나는 옷을 잘 차려입은 남자가 나에게 손을 흔들며 병원 계단을 뛰어 내려오는 것을 보았을 때 뉴욕 병원 바로 맞은편 신호등에서 멈췄다. 바로 그때, 신호등이 녹색으로 바뀌었고, 뒤에 있던 운전자는 참을성 없이 경적을 울렸고, 경찰이 호루라기를 부는 것을 들었다.

어휘 cruise 순항하다, 일정한 속도로 나아가다 dash down 급히 내려가다 honk 경적을 울리다 impatiently 참을성 없이 cop 경찰관 whistle 호루라기를 불다

11 (A) 동시동작을 나타내는 분사구문으로 주어 I와 능동의 관계이므로 현재분사 looking이 알맞다. (B) 수식하는 명사 man과 수동의 관계이므로 과거분사 well-dressed가 알맞다. (C) 지각동사 heard의 목적격보어로 쓰였고, 목적어 a cop과 능동의 관계이므로 현재분사 whistling이 알맞다.

12 분사구문은 일반적으로 접속사와 주어를 생략하고 동사는 분사로 쓰면 되므로 waving이 문두에 온다. '～에게'는 전치사 to를 쓰면 된다.

[13~14]
여러분은 정보가 다른 뇌로 전달될 때까지 한 뇌에 머물러 있

으며 대화 속에서 변하지 않는다고 말할 수 있다. 이것이 여러분의 전화번호 혹은 여러분이 열쇠를 놓아둔 장소와 같은 단순한 정보에 대해서는 사실이다. 하지만 이것은 지식에 대해서는 사실이 아니다. 지식은 판단에 의존하는데, 여러분은 다른 사람들 혹은 자신과의 대화 속에서 그 판단을 발견하고 다듬는다. 그러므로 여러분은 그것을 상세하게 이야기하거나 쓰고 그 결과를 비판적으로 되돌아볼 때까지 자신의 사고의 세부 내용을 알지 못한다. 사고는 그것의 표현을 필요로 한다.

구문 풀이

1행 You can say [that information sits / in one brain /
여러분은 말할 수 있다 정보가 머물러 있다 한 뇌에
목적어 이끄는 접속사

until it is communicated to another, /
정보가 다른 뇌로 전달될 때까지
접속사 (=information)

unchanged in the conversation].
대화 속에서 변하지 않은 채
수동의 분사구문

7행 Knowledge relies on judgements, / which you discover
지식은 판단에 의존한다 여러분은 그 판단을 발견하고
선행사 목적격 관계대명사 계속적 용법

and polish / in conversation with other people or with
다듬는다 다른 사람들 혹은 자신과의 대화 속에서

yourself.

10행 Therefore / you don't learn the details / of your thinking /
그러므로 여러분은 세부 내용을 알지 못한다 자신의 사고의

until speaking or writing it out in detail / and looking back
상세하게 이야기하거나 쓸 때까지 그리고 그 결과를
전치사 동명사1 동명사2 동명사3

critically at the result.
비판적으로 되돌아볼 때까지

어휘 communicate 의사소통하다 unchange 변하지 않다 sheer 단순한 knowledge 지식 rely on ～에 의존하다 judgement 판단 polish 닦다, 다듬다 in detail 상세하게 critically 비판적으로 require 요구하다, 필요로 하다

13 (A) 수식을 받는 대상이 it, 즉 information으로, '변화를 일으키는' 것이 아니라, '변화되는' 것이므로 수동 의미의 분사구문이 필요하다. (B) 문장의 주어만 있고 술어 부분의 동사가 없으므로, 본동사가 필요하다. which 이하는 관계대명사 계속적 용법으로 문장의 주요 성분과는 무관하다. (C) 주어가 Thinking으로 동명사이므로, 단수 취급하여 단수 동사가 와야 한다.

14 until 앞에서 끊어 해석하면 쉽다. until은 여기서 전치사로 쓰였는데 동명사 speaking, writing, looking이 등위접속사 or와 and 로 연결되어 전치사의 목적어로 온 형태이다.

[15~16]

1867년 Ohio주의 Cincinnati에서 태어난 Charles Henry Turner는 곤충 행동 분야의 초기 개척자였다. 자신의 연구를 계속하면서 Turner는 동물학에서 박사 학위를 받았다. 아마도 인종 차별의 결과로, 학위를 받은 후에도 Turner는 어떤 주요 대학에서도 교직이나 연구직을 얻을 수 없었다. 그는 St. Louis로 옮겨 Sumner 고등학교에서 생물학을 가르쳤고 그곳에서 1922년까지 연구에 집중했다. Turner는 곤충이 학습할 수 있다는 것을 발견한 최초의 사람이었고, 곤충이 이전의 경험을 바탕으로 행동을 바꿀 수 있다는 것을 설명했다. 그는 1923년 Chicago에서 심장병으로 사망했다. 자신의 33년 경력 동안 Turner는 70편이 넘는 논문을 발표했다. 그의 마지막 과학 논문은 그의 사망 다음 해에 발표되었다.

구문 풀이

7행 Even after receiving his degree, / Turner
학위를 받은 후에도　　　　　　　　　Turner는
전치사+동명사

was unable to get a teaching or research position
교직이나 연구직을 얻을 수 없었다
be unable+to부정사: ~할 수 없다

at any major universities, / possibly as a result of racism.
어떤 주요 대학에서도　　　　　아마도 인종 차별의 결과로,

13행 Turner was the first person / to discover
Turner는 최초의 사람이었다　　　　발견한
　　　　　　　　　　　　　　└ to부정사 형용사적 용법(명사 수식)

[that insects are capable of learning],
곤충이 학습할 수 있다는 것을
discover의 목적절 이끄는 접속사

illustrating [that insects can alter behavior /
곤충이 행동을 바꿀 수 있다는 것을 설명하면서
분사구문　　　　illustrate의 목적절 이끄는 접속사

based on previous experience].
이전의 경험을 바탕으로
└ 과거분사 후치 수식

어휘 insect 곤충　　behavior 행동　　proceed 진행하다　earn 얻다　doctorate degree 박사 학위　zoology 동물학　possibly 아마도　racism 인종주의　be capable of ~할 능력이 있다　illustrate 묘사하다, 설명하다　alter 바꾸다, 변하다　cardiac disease 심장병

15 ② '연구를 진행하면서'의 의미이므로 수동의 과거분사는 옳지 않다. 현재분사 Proceeding으로 고쳐야 한다.
① bear는 '낳다'의 뜻이므로, '태어나다'는 be born으로 쓴다. 수동태의 분사구문은 Being을 생략하고 과거분사가 맨 앞에 오므로 적절하게 쓰였다. ③ 「unable+to부정사」: ~할 수 없다 ④ that절 안의 주어가 insects이므로 동사 are가 바르게 쓰였다. ⑤ 논문이 '출간된' 것이므로 수동태가 바르게 쓰였다.

16 명백한 과거를 나타내는 「in+연도」와 함께 쓰였으므로 완료시제는 적합하지 않고 과거시제로 써야 한다.

Book 2

정답과 해설

정답과 해설

1주 – 문장의 연결

1주 1일 개념 돌파 전략 ①

pp. 8~11

1-1 (1) but (2) and
1-2 (1) either, or (2) Not only, but also
2-1 unless   **2-2** If
3-1 ①   **3-2** that
4-1 because   **4-2** Despite 혹은 In spite of

5-1 ②
5-2 friends 뒤에 who(m) 삽입
6-1 where
6-2 Tell me the reason why you were absent yesterday.

1-1
not A but B: A가 아니라 B / both A and B: A와 B 둘 다
〔해석〕 (1) 그 문제를 푼 사람은 내가 아니라 너였다.
(2) 읽기와 쓰기 둘 다 문해력을 위한 필수 요소이다.
〔어휘〕 solve 풀다, 해결하다   essential 필수적인   literacy 읽고 쓰는 능력, 문해력

1-2
상관접속사는 등위접속사와 다른 단어를 함께 사용한다. either A or B: A 또는 B / not only A but also B: A뿐만 아니라 B도
〔해석〕 (1) James는 그것에 대해 칭찬받거나 혹은 비난을 받는다.
(2) 개뿐만 아니라 고양이도 반려동물이 될 수 있다.
〔어휘〕 praise 칭찬하다   blame 비난하다   companion animal 반려동물

2-1
'~하지 않으면'의 뜻을 가진 종속접속사는 unless이다. if ~ not과 같은 의미이다.
〔어휘〕 permission 허락

2-2
「명령문, and ~」는 '~해라, 그러면 …할 것이다'의 의미이므로, 조건을 나타내는 접속사 if로 바꿔 쓸 수 있다.

〔해석〕 즉시 출발해라, 그러면 제시간에 도착할 것이다.
〔어휘〕 in time 제시간에

3-1
이어진 or not으로 보아 whether(~인지 아닌지)가 알맞다. I'm not sure는 '나는 확신할 수 없다'의 뜻으로 whether가 이끄는 절은 I'm not sure의 목적어로 쓰인 명사절이다.
〔해석〕 나는 그가 지금 수업 중인지 아닌지 확신할 수 없다.
〔어휘〕 in class 수업 중인

3-2
동사 believe의 목적어가 올 자리로, 목적어 명사절을 이끄는 접속사 that이 알맞다.
〔해석〕 몇몇 과학자들은 어떤 동물들이 일종의 언어를 사용한다고 믿는다.

4-1
접속사 because 뒤에는 주어와 동사를 갖춘 절이 이어지고 전치사 because of 뒤에는 명사(구)나 대명사가 이어진다. '~ 때문에'로 의미는 같다.
〔해석〕 더운 날씨에 음식이 상할 수 있기 때문에 어떤 음식도 판매되지 않을 것입니다.
〔어휘〕 spoil 상하다, 상하게 하다, 망치다

4-2
his serious illness(그의 심각한 병)로 명사구가 이어지고 내용상 '그의 심각한 병에도 불구하고'가 되어야 하므로 양보의 의미를 가진 전치사가 와야 한다. 그러므로 접속사 Even though

대신 전치사 Despite나 In spite of가 적절하다.

해석 그의 심각한 병에도 불구하고 그는 여전히 원기왕성하고 활동적이다.

어휘 illness 병   energetic 원기왕성한   active 활동적인

5-1

명사 two tickets 뒤에 이를 수식하는 관계사절이 필요한데, 뒤에 바로 동사 came이 왔으므로 주격 관계대명사 which나 that이 적절하다.

해석 우리는 총 44달러에 달하는 티켓을 두 장 구매했다.

어휘 purchase 구매하다   total 총액

5-2

선행사가 friends이고, you've known forever의 목적어를 대신하는 관계사가 필요하므로 who나 whom이 올 수 있다. 관계대명사의 위치는 보통 선행사 바로 뒤에 오므로 friends who(m) you've known forever로 쓴다.

해석 여러분이 영원히 알고 지내 온 어릴 적 친구들은 정말 특별하다.

어휘 childhood 어린 시절

6-1

장소의 선행사 the place 뒤에 이어지는 관계부사는 where가 와야 한다. 관계부사 뒤에 「주어+동사+목적어/보어」 등 문장의 필수 성분을 다 갖춘 완전한 절이 왔는지 확인한다.

해석 화장실은 세균이 잘 번식하는 곳이다.

어휘 bacteria 박테리아, 세균   thrive 번성하다, 잘 자라다

6-2

'~한 이유'는 관계사를 써서 「the reason why+완전한 절(주어+동사 …)」로 쓰면 되므로 '네가 어제 결석한 이유'는 the reason why you were absent yesterday로 쓰면 된다. 일반적으로 the reason이나 why 중 하나를 생략할 수 있다.

어휘 absent 결석하다

1주 1일 개념 돌파 전략 ②

pp. 12~13

1 (1) neither (2) shocking
2 그는 청중 앞에 모습을 드러내기 전에 심호흡을 했다.
3 (1) He pointed out [that we had to fix the projector before the meeting].
  (2) You have to check [if they are based on facts].

4 Because of, during
5 A man whose heart has stopped is considered dead.
6 where

1 Example

• not only A but also B(= B as well as A): A뿐만 아니라 B도 / 이때 동사의 수는 B에 일치시킨다.

해석 전문가뿐만 아니라 디자이너가 아닌 사람도 그 프로그램을 사용한다.

어휘 professional 전문가   non-designer 디자이너가 아닌 사람

• not A but B: A가 아니라 B / 상관접속사로 연결된 어구는 문법적으로 대등한 형태로 와서 병렬 구조를 이룬다.

by pushing과 by pulling이 대등한 구조로 쓰였다.

해석 이곳은 문을 밀어서가 아니라 당겨서 열어야 한다.

어휘 push 밀다   pull 당기다

(1) 뒤에 이어지는 nor로 보아 neither가 적절하다. / neither A nor B: A도 B도 아닌

해석 그 영화는 잘 만들어지지도 연기를 잘 하지도 않았다.

어휘 act 연기하다

(2) 상관접속사 not only A but also B(A뿐만 아니라 B도)가 쓰였다. 상관접속사는 문법적으로 대등한 형태가 연결되어야 하므로 현재분사형 형용사 **exciting**과 동일한 형태인 **shocking**이 적절하다.
해석 그 소식은 자극적이었을 뿐만 아니라 충격적이었다.

© Getty Images Bank

2 Example

• 접속사 if가 이끄는 부사절은 '～한다면, ～라면'의 조건을 나타낸다. 접속사 if가 명사절을 이끌 때는 '～인지 아닌지'의 의미이므로 쓰임을 잘 구별해야 한다.
해석 내일 많은 에너지를 갖길 원하면, 오늘 많은 에너지를 쓸 필요가 있다.
어휘 spend 사용하다

• 양보를 나타내는 접속사 though는 '～에도 불구하고'의 뜻으로 주절과 종속절의 내용이 반대 의미가 된다. though 외에 although, even if, even though 등이 양보를 나타내는 접속사이다.
해석 우리는 모두 경험이 풍부한 구매자임에도 불구하고, 여전히 속고 있다.
어휘 fool 속이다

before 뒤에 주어와 동사가 이어지므로 여기서 before는 전치사가 아니라 접속사로 쓰인 것이다. '～하기 전에'로 해석한다.
해석 그는 청중 앞에 모습을 드러내기 전에 심호흡을 했다.
어휘 draw in a deep breath 심호흡을 하다

3 Example

• 접속사 whether는 명사절을 이끌어 '～인지 아닌지'의 의미로 쓰인다. 명사절은 주어, 보어, 목적어로 쓸 수 있으며

여기서는 주어 역할을 하고 있다.
해석 네가 성공할지 실패할지는 너의 노력에 달려 있다.
어휘 depend on ～에 달려 있다

• 접속사 that은 명사절을 이끌어 '～하는 것'의 의미로 쓰인다. 명사절은 주어, 보어, 목적어로 쓸 수 있으며 여기서는 be동사의 보어로 쓰였다.
해석 심각한 문제는 그 누구도 사건에 대해 책임을 지지 않는다는 것이다.
어휘 serious 심각한   responsibility 책임

(1) 접속사는 두 개의 절을 연결하는 역할을 하므로 절두 개를 먼저 찾는다. 접속사 that이 He pointed out과 we had to fix ~ 절을 연결하고 있다. that 이하 명사절이 동사 pointed out의 목적어로 쓰였다.
해석 그는 회의 전에 프로젝터를 수리해야 한다고 지적했다.
어휘 point out 지적하다

(2) 접속사 if가 You have to check 절과 they are based on ~ 절을 연결하고 있다. if는 '～인지 (아닌지)'의 의미이고 if절 이하 명사절이 동사 check의 목적어로 쓰였다.
해석 그것들이 사실에 기초하고 있는지를 확인해야 한다.
어휘 be based on ～에 기초하다

4 Example

• '～에도 불구하고'의 뜻으로 접속사 though, although를 쓰거나. 전치사 despite, in spite of를 쓸 수 있다. 접속사 뒤에는 주어와 동사가 있는 절이 이어지며, 전치사 뒤에는 명사 상당어구가 이어진다는 점에 유의한다.
해석 바람이 세게 불었음에도 불구하고 춥지 않았다.
어휘 blow (바람이) 불다

• 전치사 despite 뒤에 명사구 his best efforts가 이어지고 있다. 동사가 있는지 확인하는 것이 중요하다.
해석 여러 달 동안의 최선의 노력에도 불구하고, 그는 그것을 해내지 못했다.

전치사 뒤에는 명사 상당어구가, 접속사 뒤에는 절이 이어지는 것을 확인한다. '어머니 덕분에'이므로 because of가, '나의 어린 시절 동안'이므로 during이 적절하다.

해석 어머니 덕분에 나의 독립을 향한 여정은 어린 시절 동안 완성되었다.

어휘 journey 여행, 여정 independence 독립 complete 완성하다 childhood 어린 시절

5 Example

- 문장의 주어 부분은 Most of the things that could improve the situation이고, 동사는 were이다. that 이 이끄는 관계대명사절이 핵심 주어 Most of the things를 수식하고 있다. 선행사가 -thing(s)로 끝나는 경우 관계대명사 that을 사용한다.

  해석 상황을 개선할 수 있는 대부분의 것들은 학생들이 통제할 수 없는 것이었다.

  어휘 improve 개선하다 out of control 통제할 수 없는

- 주격 관계대명사는 생략할 수 없으나 목적격 관계대명사는 생략할 수 있다. 「주격 관계대명사+be동사」로 쓰인 경우에는 생략이 가능하다.

  해석 우리가 따를 수 없는 엄격한 규율이 있다.

  어휘 discipline 규칙, 규율

> 선행사 뒤에 소유격 관계대명사 whose와 명사가 이어지도록 A man whose heart ~의 순서로 배열한다. '~로 간주되다'는 is considered로 수동태로 쓴다.
>
> **어휘** consider 간주하다

6 Example

- 장소를 나타내는 some buildings가 선행사로 왔으므로 관계부사는 where이 적절하다. 관계부사 뒤에는 주어 (the ground), was(동사), weak(보어) 등의 필수 성분을 갖춘 완전한 절이 온다.

  해석 지반이 약한 몇몇 건물들이 지진에 의해 붕괴되었다.

  어휘 destroy 파괴하다 earthquake 지진

- the reason 뒤에 관계부사 why가 생략된 형태이다. 관계부사의 선행사가 the place, the time, the reason 등일 경우 생략이 가능하다. 또 when, why는 관계대명사 자체를 생략할 수 있다. 단, where는 보통 생략하지 않는다. the way how의 경우 반드시 둘 중 하나를 생략한다.

  해석 왜 이렇게 오래 지연되었는지 그 이유를 알고 싶다.

  어휘 delay 지연, 연기

> 장소를 나타내는 선행사 a space가 있고, 이어지는 절이 주어(anybody), 동사(can make), 목적어 (new forms)를 갖춘 완전한 절이므로 관계부사 where이 적절하다.
>
> **해석** 인터넷은 누구나 새로운 형태의 사회적 상호 작용을 할 수 있는 공간이다.
>
> **어휘** space 공간 interaction 상호 작용

© nmedia / shutterstock

1주 2일 필수 체크 전략 ①

pp. 14~17

필수 예제		확인 문제		확인 문제	
필수 예제 1	②	확인 문제 1-1	②	확인 문제 1-1	both, and
필수 예제 2	③	확인 문제 2-1	②	확인 문제 2-2	During
필수 예제 3	⑤	확인 문제 3-1	①	확인 문제 3-2	Whether
필수 예제 4	⑤	확인 문제 4-1	②	확인 문제 4-2	who

필수 예제 1

② A as well as B의 의미는 'B뿐만 아니라 A도'의 의미이므로, 동사는 the students가 아니라 the teacher의 수에 일치시

켜야 한다. / are → is

① neither A nor B는 'A도 B도 아닌'의 의미로, B의 수에 일치시킨다. ③ both A and B는 '둘 다'의 의미로 B의 수에 일치

시키는 것이 아니라, 복수 취급한다는 점에 유의한다. ④ either A or B는 'A 또는 B'의 의미로, B의 수에 일치시킨다. ⑤ not only A but also B는 'A뿐만 아니라 B도 또한'의 뜻으로, B의 수에 일치시킨다.

해석 ① Simon도 Sally도 수영을 못한다.
② 학생들뿐만 아니라 선생님도 줄을 서서 기다리고 있다.
③ 아빠와 엄마 둘 다 초밥 드시는 것을 좋아한다.
④ 중국어 또는 일본어는 제2외국어여야 한다.
⑤ 당신뿐만 아니라 그도 슈퍼히어로였다.
어휘 a second language 제2외국어

© gresei / shutterstock

확인 문제 1-1
② 상관접속사로 연결된 어구는 문법적으로 동일한 형태로 와야 한다. either 뒤에 동사원형 kill이 왔으므로 or 뒤에 to stop이 오는 것은 적절하지 않다. 병렬 구조를 이루려면 to stop을 stop으로 고쳐야 한다.
① not A but B는 'A가 아니라 B'의 뜻으로 뒤에 because로 이어지는 절이 와서 병렬 구조를 이루고 있다. ③ 현재분사 making과 shaking이 등위접속사 and로 이어져 병렬 구조를 이루고 있다.
해석 ① 나는 그가 완벽해서가 아니라 몇 가지 단점이 있어서 그를 좋아한다.
② 항생제는 박테리아를 죽이거나 박테리아가 성장하는 것을 막는다.
③ 그들은 즐거운 소리를 내고 손을 흔들며 원형으로 춤을 추었다.
어휘 defect 단점, 결점 antibiotic 항생 물질, 항생제

확인 문제 1-2
'~이기도 하고 …이기도 하다'는 both ~ and …로 쓸 수 있다. 상관접속사 뒤에 문법적으로 동일한 형용사 impressive와 alarming이 왔다.
어휘 impressive 인상적인 alarming 걱정스러운, 두려운

필수 예제 2
③ unless는 '~하지 않으면'의 뜻으로 부정의 의미를 가지므로,

not과 함께 쓰면 이중 부정이 되어 '더 열심히 일하지 않지 않으면'의 어색한 의미가 된다. '더 열심히 일하지 않으면'의 뜻이 되려면 not이 없거나 unless를 if로 바꿔 써야 한다.
① 부사절과 주절의 내용이 반대를 나타내므로 양보의 부사절 although(~에도 불구하고)가 적절하게 쓰였다. ② 「so+형용사/부사+that+주어+동사 …」는 '너무 ~해서 …하다'의 의미로 결과를 나타낸다. ④ in case는 '~한 경우에, ~한 경우를 대비하여'의 특정한 조건을 나타내는 접속사이다. ⑤ so that은 '~하기 위하여'의 목적을 나타내며 in order that으로 바꿔 쓸 수 있다.
해석 ① 비록 그는 가난했지만, Mark는 정당한 교육을 받았다.
② 그 영화는 너무 무서워서 나는 대부분 눈을 감고 봐야 했다.
③ 우리가 더 열심히 일하지 않으면 마감일을 맞출 수 없다.
④ 무슨 일이 생길 경우를 대비해서 증거를 갖고 싶었다.
⑤ 양파는 부드러워지도록 약한 불에서 볶아라.
어휘 frightening 무서운 deadline 마감일 evidence 증거

확인 문제 2-1
② 접속사 앞뒤의 내용이 원인과 결과를 나타내므로 원인, 이유를 나타내는 접속사 since가 바르게 쓰였다.
① he had trouble ~로 절이 이어지므로 전치사 Despite는 올 수 없다. → Although[Though] ③ So that은 '~하기 위해'의 목적을 나타내므로 문맥상 적절하지 않다. 주절의 이유를 나타내는 접속사가 필요하다. →Now that[Since/Because/As]
해석 ① 그는 다리에 문제가 있음에도 불구하고 경주에서 이겼다.
② 나는 건망증이 심해서 끊임없이 물건을 잃어버리고 있다.
③ 나는 직장에서 몇 블록 떨어지지 않은 곳에 살고 있어서 직장까지 걸어 다닌다.
어휘 despite ~에도 불구하고 forever 영원히, 끊임없이 forgetful 잘 잊는, 건망증이 있는

확인 문제 2-2
이어지는 말이 this period로 명사구이므로 접속사 While은 올 수 없다. 전치사 During이 적절하다.
해석 이 기간 동안, 사람들은 일주일에 80시간 이상을 일했다.

필수 예제 3
① argued의 목적어 명사절을 이끄는 접속사 that이다. ② 동사 is 뒤에 주격보어로 쓰인 명사절을 이끄는 접속사 that이다.

③ 동사 know의 목적어 명사절을 이끄는 접속사 that이다. ④ 주어로 쓰인 명사절을 이끄는 접속사 that이다. ⑤ the belief와 that이 이끄는 절이 동격을 이루는 동격의 접속사 that이다.

해석 ① 그는 껌을 씹는 것이 졸음을 막는다고 주장했다.
② 요점은 우리가 그 문제를 즉시 다뤄야 한다는 것이다.
③ 나는 그 이야기가 진짜가 아니라는 것을 안다.
④ 그가 시험에 합격한 것은 놀라웠다.
⑤ 모든 사람이 평등하다는 믿음은 빠르게 퍼져 나갔다.

어휘 argue 주장하다 chew 씹다 prevent 막다 handle 다루다 immediately 즉시 belief 믿음 spread 퍼지다

확인 문제 3-1

the fact(그 사실)와 같은 의미를 가진 내용을 이끄는 동격의 접속사 that이 필요하다.

해석 나는 그가 죽었다는 사실을 받아들일 수 없다.

어휘 accept 받아들이다

확인 문제 3-2

'~인지 아닌지'는 접속사 if나 whether를 쓰는데, if가 이끌 때는 주어로 사용할 수 없으므로 여기서는 Whether가 적절하다.

해석 당신이 여성인지 남성인지는 중요하지 않다.

어휘 female 여성 male 남성

필수 예제 4

⑤ 이어지는 명사 family로 보아 '그의 가족'이라는 의미가 되어야 자연스러우므로, 소유격 관계대명사 whose가 와야 한다.
① 선행사 the house '안'에 사는 것이므로 관계대명사 앞이나 관계대명사절 끝에 전치사가 필요하다. ② small efforts 뒤에 we make의 목적어 역할을 하는 말이 있어야 하므로 목적격 관계대명사 which나 that이 와야 한다. 목적격 관계대명사는 생략이 가능하므로 이 문장에서는 생략된 형태로 쓰였다. ③ 이어

지는 절 I left ~의 목적어가 필요하므로, 목적격 관계대명사 that이 바르게 왔다. ④ 계속적 용법의 주격 관계대명사 who가 a German man에 대해 보충 설명하고 있다.

해석 ① 이곳은 악명 높은 살인 용의자가 살고 있는 집이다.
② 우리가 매일 하는 다른 작은 노력들이 차이를 가져올 수 있다.
③ 내가 탁자 위에 놓아둔 돈이 없어졌다.
④ 나는 한 독일인에 관한 책을 읽고 있는데, 그는 2차 세계대전 동안 유태인들을 도왔던 사람이다.
⑤ 나에게는 일본에서 온 가족이 있는 친구가 있다.

어휘 notorious 악명 높은 murder 살인 suspect 용의자
disappear 사라지다 Jews 유태인

© Getty Images Bank

확인 4-1

앞 문장 전체를 받는 계속적 용법의 관계대명사가 필요하므로, which가 알맞다.

해석 그는 무단으로 결근을 했고, 그것이 사장을 화나게 했다.

어휘 permission 허락

확인 문제 4-2

선행사가 Abraham Lincoln인 계속적 용법의 관계대명사가 와야 하므로, who가 알맞다. that은 계속적 용법으로 쓸 수 없다.

해석 Abraham은 Abraham Lincoln의 이름을 따서 지어졌는데, 그는 1861년부터 1865년까지 미국의 대통령이었던 사람이다.

어휘 president 대통령

 필수 체크 전략 ②

pp. 18~19

1 ① **2** ③ **3** ① **4** ⑤ **5** ③ **6** ②

1 첫 번째 빈칸 앞에 not only가 있으므로, 두 번째 빈칸에는 상관접속사 but also가 온다는 것을 알 수 있다. 두 번째 빈

칸 뒤에는 3인칭 동사 creates가 왔고, 상관접속사는 문법적으로 같은 어구가 오는 병렬 구조로 쓰이므로, 첫 번째 빈

칸에는 동사의 3인칭 단수 현재형 drives가 알맞다.

해석 동기 부여는 목표를 더 가까이 가져 오는 최종 행동을 이끌 뿐만 아니라, 준비 행동에 시간과 에너지를 쓸 의지를 만들기도 한다.

어휘 motivation 동기 부여   behavior 행동
willingness 의지   expend (시간, 에너지를) 쓰다, 들이다
preparatory 준비를 위한

2 ⓐ '만약 내가 여유가 된다면'의 조건의 부사절을 이끄는 접속사 if이다.   ⓑ 접속사 if가 이끄는 명사절이 I wonder의 목적어로 와서 '~인지 아닌지 궁금하다'의 의미로 쓰였다.   ⓒ 접속사 if가 이끄는 명사절이 It is not clear의 목적어로 와서 '~인지 아닌지 명확하지 않다'의 의미로 쓰였다.   ⓓ '~한다면'의 조건의 부사절을 이끄는 접속사 if이다. 그러므로 ⓐ, ⓓ의 if는 부사절을 이끄는 접속사, ⓑ, ⓒ의 if는 명사절을 이끄는 접속사로 쓰였다.

해석 ⓐ 여유가 된다면, 나는 그녀를 위해 뭔가를 살 것이다.
ⓑ 나는 내 아이들이 친구들과 잘 지내는지 궁금하다.
ⓒ 비 때문에 경기가 취소될지는 확실치 않다.
ⓓ 자신의 개가 사람을 물어서 다치게 하면 개 주인이 책임이 있다.

어휘 afford ~할 여유가 있다   get along with ~와 잘 지내다   cancel 취소하다   responsible 책임이 있는
bite 물다   injure 해치다

3 동사 determines의 목적어로 someone is guilty ~ 절이 오기 위해서는 접속사가 필요하다. '범죄가 유죄인지'의 의미이므로, '~인지 아닌지'의 접속사 if나 whether가 와야 한다.

어휘 judge 판사   determine 결정하다   guilty 유죄의
crime 범죄   court 법정

4 • 접속사 앞뒤의 내용이 '경기를 계속하다'와 '부상당하다'로 상반된 내용이므로, '비록 ~일지라도'의 양보의 접속사 even if가 적절하다.
• '새로운 음식에 적응할 수 있도록' 사료를 천천히 바꾼다고 하는 것이 자연스러우므로 목적을 나타내는 접속사 so that

이 적절하다.

해석 • 그는 부상당했음에도 불구하고 경기를 계속하기를 원한다는 것을 난 알고 있다.
• 농부는 개가 새로운 사료에 적응할 수 있도록 사료를 천천히 바꾼다.

어휘 get injured 부상당하다   adapt 적응하다

5 ③ 선행사 many special customs를 수식하는 형용사절을 이끄는 관계대명사 that이다.
①, ②, ④, ⑤ 각 동사 claim, hopes, means, thought의 목적어로 쓰인 명사절을 이끄는 접속사 that이다.

해석 ① 대부분의 종교 신자들은 세상의 창조자가 진짜 존재한다고 주장한다.
② 그녀는 더 많은 학생들이 가르침을 통해 건강해지기를 바란다.
③ 중국은 특히 전통 의식에 나타나는 특별한 풍습을 많이 가지고 있다.
④ 자신의 문제에서 자신의 역할을 받아들이는 것은 그 해결책이 여러분 안에 있다는 것을 이해한다는 것을 의미한다.
⑤ Fred는 숙제를 끝냈다고 생각했음에도 불구하고 안심이 되지 않았다.

어휘 religion 종교   creator 창조자   instruction 훈련, 가르침   particularly 특별히   ceremony 의식   accept 받아들이다   relieved 안도하는

6 '~에도 불구하고'의 양보의 의미를 가진 접속사 Though 뒤에는 he had a headache의 「주어+동사+목적어」의 절이 이어진다. 빈칸 뒤에 명사 his headache가 이어진 문장으로 바꿔 쓰려면 전치사가 필요하다. '~에도 불구하고'의 뜻을 가진 전치사 Despite나 In spite of가 적절하다.

해석 두통이 있었음에도 불구하고 그는 마라톤을 끝냈다.

필수 예제 **5** ③	확인 문제 **5-1** ④	확인 문제 **5-2** what you want to eat		
필수 예제 **6** ①	확인 문제 **6-1** ④			
	확인 문제 **6-2** Every time when you get angry, take as deep a breath as you can.			
필수 예제 **7** ⑤	확인 문제 **7-1** ②	확인 문제 **7-2** where → which / that		
필수 예제 **8** ④	확인 문제 **8-1** ③	확인 문제 **8-2** Whoever		

필수 예제 **5**

③ 관계대명사 앞에 선행사 the carelessness(부주의함)이 있으므로 관계대명사 what은 올 수 없고 주격 관계대명사 that이 필요하다. '피할 수 있었을지도 모르는 부주의함'으로 해석한다. ① 선행사가 없고 '그가 말한 것'의 의미로 think의 목적어 명사절을 이끌고 있으므로 관계대명사 what이 적절하다. ② 전치사구 get used to의 목적어 명사절을 이끄는 관계대명사 what이 와서, '그들이 가진 것'으로 해석한다. ④ 선행사가 없고 '해야 할 것'의 의미로 쓰인 관계대명사 what이다. ⑤ know의 목적어로 쓰인 what to do는 '무엇을 할지'의 의미로, 「의문사+to부정사」로 쓰인 의문사 what임에 주의한다. / what is easy는 '쉬운 것'의 의미로 선행사 포함 관계대명사 what이다.

해석 ① 나는 그가 한 말이 옳지 않다고 생각한다.

② 시간이 지나면서 사람들은 자신이 가진 것에 익숙해진다.

③ 대부분의 사고는 피할 수 있었을지도 모르는 부주의함의 결과로 발생한다.

④ 스스로 무언가 개선하기 위해 해야 할 일을 하라.

⑤ 무엇을 해야 할지 모를 때, 우리는 쉬운 것부터 시작할 수 있다.

어휘 get used to ~에 익숙해지다 carelessness 부주의함 avoid 피하다 improve 개선하다

확인 문제 **5-1**

선행사 the umbrella가 있으므로, 관계대명사 that이 와야 한다.

해석 당신이 놓고 온 우산이 어떤 것인가요?

어휘 leave behind 놓고 오다

확인 문제 **5-2**

'네가 먹고 싶은 것'은 관계대명사 what을 사용하여 what you want to eat으로 쓸 수 있다.

해석 패스트푸드 점에서 주문할 때 네가 먹고 싶을 것을 명확히 설명하라.

어휘 explain 설명하다 clearly 명확히 order 주문하다

필수 예제 **6**

· 선행사가 the day이므로, 시간의 관계부사 when이 적절하다.

· 선행사가 the planet(행성)이므로 장소의 관계부사 where이 적절하다.

해석 · 나는 내가 가장 좋아하는 가수가 처음으로 무대에 섰던 그 날을 기억한다.

· 만약 우리가 아무것도 전혀 변하지 않는 행성에서 산다면, 할 일이 거의 없을 것이다.

어휘 perform 공연하다 planet 행성

확인 문제 **6-1**

선행사가 장소를 나타내는 this area이고 빈칸 뒤에 이어지는 내용이 poverty was everywhere(가난이 도처에 있었다)로 완전한 형태의 절이 오고 있으므로 관계부사 where이 알맞다.

해석 가난이 도처에 있는 이 지역에서 배고픔이 유일한 문제는 아니었다.

어휘 hunger 배고픔, 기아 poverty 가난 everywhere 어디에나, 도처에

확인 문제 **6-2**

생략된 관계부사의 자리를 찾을 때는 선행사가 될 만한 것을 찾는다. 시간을 나타내는 Every time과 완전한 절 you get angry가 이어지므로 시간의 관계부사 when이 Every time 뒤에 오면 된다.

해석 화가 날 때마다, 가능한 한 깊게 심호흡을 하라.

어휘 take a breath 호흡하다

필수 예제 **7**

⑤ where 뒤에 이어지는 절을 보면 is popular among young people로 주어가 없는 불완전한 형태로 왔으므로, 관계부사가 아니라 주격 관계대명사가 필요하다. 선행사가 사물 this band이므로 which나 that이 적절하다.

① the grocery store를 선행사로 하는 장소의 관계부사 where이다. 뒤에 완전한 절 you shop이 왔다. 여기서 shop은 '쇼핑하다'의 동사로 쓰인 것임에 유의한다. ② the place를 선행사로 하는 장소의 관계부사 where이 생략된 형태이다. ③ a station을 선행사로 하는 관계부사 where이 왔다. ④ 장소 a team을 선행사로 하는 관계부사 where이다.

해석 ① 여러분이 가장 많이 쇼핑하는 식료품점을 상상해 보라.
② 파리는 그 사건이 발생한 곳이다.
③ 이곳은 사람들이 다른 도시로 이동하곤 했던 역이다.
④ 나는 멤버들이 서로 돕는 팀을 찾고 있다.
⑤ 젊은이들 사이에서 인기 있는 이 밴드를 아니?
어휘 popular 인기 있는

확인 문제 7-1

콤마 뒤에 계속적 용법으로 쓰인 관계사이다. 이어지는 절이 he became a staff photographer로 주어와 동사, 보어가 이어지는 완전한 절이므로 빈칸에는 관계부사가 와야 한다. teens는 '십대'를 말하므로 시간의 관계부사 when이 적절하다.

해석 그는 십대 시절에 사진에 대한 열정을 키웠는데, 그 시절 자신의 고등학교 신문의 사진 기자가 되었다.
어휘 passion 열정

확인 문제 7-2

선행사 decisions 뒤에 관계사 where이 온 형태이다. 그런데 are irrational and unreasonable로 동사와 형용사 보어만 있고 주어가 없는 불완전한 절이 이어지고 있으므로, 관계부사가 아니라 주격 관계대명사가 필요한 자리이다. where 대신 which나 that이 와야 한다.

해석 매일의 일상 속에서 우리는 때때로 비이성적이고 비합리적인 결정을 한다.
어휘 irrational 비이성적인 unreasonable 비합리적인

필수 예제 8

④ '내가 가는 곳 어디에나'라는 의미가 되어야 자연스러우므로 whoever를 복합관계부사 wherever로 고쳐 쓴다.
① '부모님이 말씀하시는 것은 무엇이든'의 의미로 쓰인 복합관계대명사 whatever가 적절하다. ② '무슨 일이 일어나더라도'의 양보의 의미로 쓰인 복합관계대명사 whatever가 적절하다. ③ '네가 올 때마다 언제나'의 의미로 쓰인 복합관계부사 whenever가 적절하다. ⑤ '사무실을 마지막에 나가는 누구든'의 의미로 쓰인 복합관계대명사 whoever가 적절하다.

해석 ① 나는 부모님이 말씀하시는 것은 무엇이든 믿는다.
② 무슨 일이 일어나더라도 당신은 계속해야 한다.
③ 네가 올 때마다 언제나 나는 널 만나서 기뻐.
④ 내가 가는 곳 어디에나 나의 개가 따라왔다.
⑤ 사무실을 마지막에 나가는 사람은 누구든 전등을 꺼야 한다.
어휘 go on 계속하다   switch off (전등을) 끄다

확인 문제 8-1

'어떤 쪽으로 결정하더라도'의 의미로 쓰려면 복합관계대명사 whichever가 적절하다.
어휘 decide 결정하다   support 지지하다

확인 문제 8-2

'누가 문을 두드리더라도'의 의미로 쓰려면 복합 관계대명사 Whoever가 적절하다. '누가 ～하더라도'의 양보의 부사절로 쓰였다. No matter who로 바꿔 쓸 수 있다.
어휘 knock 문을 두드리다

 3일 필수 체크 전략 ②

pp. 24~25

1 ③　　2 ⑤　　3 ②　　4 ②　　5 ④　　6 ①

1 ③ 선행사 Students가 있고 '그들의 목표가 비현실적이다'라는 말이 되어야 자연스러우므로, who 대신 소유격 whose가 와야 한다.
① 선행사가 없으므로 관계대명사 what이 적절하다. 관계대명사 what절이 주어로 쓰였다. ② 선행사 experiences가 있으므로 관계대명사 that이 적절하다. 관계대명사가 이끄는 that절이 선행사를 수식하는 형용사절로 쓰였다. ④ '그가 먹는 것'의 의미로 선행사 포함 관계대명사 what이 적절하다. 관계대명사 what절이 전치사 about의 목적어로 쓰였다. ⑤ 사물 the house의 소유격 관계대명사는 of which로 쓴다.

해석 ① 그녀가 했던 말은 어떤 동료에게도 받아들여지지 않았다.
② 우리 모두는 기분에 영향을 미치는 힘든 경험을 한다.
③ 그들의 목표가 비현실적이었던 학생들은 더 자신감이 떨어지고 더 불안하다.
④ 우리 삼촌은 먹는 것에 대해 정말 분별력이 있다.
⑤ 지붕이 강철로 만들어진 집을 보라.

어휘 colleague 동료 affect 영향을 주다 mood 기분 unrealistic 비현실적인 confident 자신감 있는 sensible 분별력 있는 steel 강철

2 빈칸 앞에 선행사 Most of the materials가 있고 뒤에 동사가 바로 이어지므로 주격의 관계대명사 that이 필요하다. 선행사를 수식하는 형용사절로 쓰였다.

어휘 material 물질 mixture 혼합물 chemical 화학 물의 substance 물질, 물체

3 • find의 목적어 자리에 접속사가 이끄는 that절이나 관계대명사가 이끄는 what절 둘 다 모두 목적어로 올 수 있다. 무엇이 적합한지 찾으려면 이어지는 절이 완전한지 아닌지를 확인해야 한다. 목적어절을 이끄는 접속사 that 뒤에는 필수 문장 성분이 갖춰진 절이 오고 관계대명사 what이 이끄는 절에는 주어나 목적어, 보어 등이 없어 문장 성분이 완전하지 않다.

• 이어지는 절이 is learned로 주어가 없는 불완전한 절이므로, 접속사 That은 올 수 없다. 선행사를 포함한 관계대명사 What이 적절하다.
• 관계대명사 that이나 what은 콤마 뒤의 계속적 용법으로 쓸 수 없다.

해석 • 너는 너의 그림이 매번 조금씩 나아지고 있다는 것을 발견할 수 있다.
• 요람에서 배운 것이 무덤까지 간다.
• 요령 작성자와 함께하라, 그는 글을 쓰는 많은 기술들을 보유하고 있는 사람이다.

어휘 cradle 요람 grave 무덤 skill 기술 tip writer 요령을 가지고 글을 쓰는 사람

4 ② 선행사가 장소인 many houses이고, 이어지는 절에 「주어+동사」의 필수 성분이 있는 절이므로, 관계대명사 which 대신 관계부사 where로 써야 한다. 콤마 뒤에 와서 계속적 용법으로 쓰였다.
① 선행사가 the scientist인 목적격 관계대명사 whom이다. ③ the reason 뒤에 이유를 나타내는 관계부사 why가 바르게 왔다. ④ 장소의 선행사 the place 뒤에 관계부사 where이 생략되었다. ⑤ 장소의 선행사 the library 뒤에 관계부사 where이 바르게 쓰였다.

해석 ① 우리가 어제 만난 과학자는 그녀의 연구로 잘 알려져 있다.
② 섬에는 많은 집들이 있는데, 그곳에는 아무도 살지 않는다.
③ 나는 대기 줄이 그렇게 긴 이유를 알고 싶다.
④ 연어는 그들이 태어난 곳으로 되돌아간다.
⑤ 책을 빌린 도서관에 즉시 책을 반납해라.

어휘 salmon 연어 immediately 즉시

5 '네가 무슨 생각을 하든, 그는 결백하다.'로 해석할 수 있으므로, 양보의 부사절을 이끄는 복합관계대명사 whatever가 적절하다. No matter what으로 바꿔 쓸 수 있다.

해석 네가 무슨 생각을 하든, 그는 결백하다.

어휘 innocent 결백한, 무죄의

6 ⓐ 동사 leave에 어울리는 말을 찾는다. '네가 원할 때마다 언제나'의 의미로 쓰인 whenever가 적절하다. at any time when으로 바꿔 쓸 수 있다. ⓑ 주어로 쓰인 복합관계대명사가 와야 한다. '오고 싶어 하는 누구든지'의 Whoever

가 적절하다. anyone who로 바꿔 쓸 수 있다. ⓒ '마음속에 떠오르는 것이 무엇이든'의 의미로 쓰인 whatever가 적절하다. anything that으로 바꿔 쓸 수 있다.

[해석] • 너는 네가 원할 때마다 언제나 떠나도 좋다.

• 오고 싶어 하는 누구든지 환영한다.
• 그는 항상 마음속에 떠오르는 것이 무엇이든 말한다.

[어휘] come into one's mind 생각이 나다, 떠오르다

 4 교과서 대표 전략 ①

pp. 26~29

대표 예제 1 ①   대표 예제 2 모임 이후 너를 볼 수 없을 경우를 대비해서 지금 작별 인사를 하고 싶어.   대표 예제 3 ①

대표 예제 4 ④   대표 예제 5 (1) (A) that (B) where (C) that (2) ③   대표 예제 6 (1) ④ (2) Not only

대표 예제 7 Whoever   대표 예제 8 ⑤

대표 예제 9 (1) ⑤ Because → Because of (2) At that time other people couldn't imagine that they would do that.

대표 예제 10 정답: which 이유: 관계대명사 that은 계속적 용법으로 사용할 수 없으므로, which가 알맞다.

대표 예제 11 The teacher asked students whether there were any questions about the lesson.

대표 예제 12 ②

대표 예제 1

상관접속사는 문법적으로 동일한 어구를 연결하여 병렬 구조로 쓴다. ① on your plate와 문법적으로 동일하도록 to place를 삭제하고 on the table로 써야 자연스럽다. ② not (only) A but also B: A뿐만 아니라 B도 / 명사구 meat-eating animals와 plant-eating animals 연결 ③ not only A but also B / 형용사 beautiful과 friendly 연결 ④ not A but B: A가 아니라 B / 「because+주어+동사」 절 연결 ⑤ not A but B / 명사 time과 time management 연결

[해석] ① 빵은 접시에 담지 말고 테이블 위에 올려놓아도 좋다.
② 육식 동물뿐만 아니라 초식 동물도 핵심종이 될 수 있다.
③ 그 건물은 아름다울 뿐만 아니라 환경 친화적이다.
④ 사람들이 인생에서 실패하는 것은 목표를 너무 높게 잡아서 놓치기 때문이 아니라 목표를 너무 낮게 잡아서 부딪치기 때문이다.
⑤ 문제는 시간이 아니라 시간 관리다.

[어휘] keystone species 핵심종 management 관리

대표 예제 2

두 개의 절이 in case로 연결되어 있다. in case는 '～할 경우에 (대비해서)'라는 의미의 접속사이므로, 「주어+동사 …」의 절이 이어진다는 것에 유의한다.

대표 예제 3

'화가들 중 한 사람은 포도를 그렸는데, 그것은 너무도 진짜처럼 보여서 새들이 그것을 먹으려고 시도할 정도였다'로 해석할 수 있다. '너무 ～해서 …하다'의 「so ～ that+주어+동사」가 적절하다.

[해석] 그들 중 한 사람은 포도를 그렸는데, 그것은 너무도 진짜처럼 보여서 새들이 그것을 먹으려고 시도할 정도였다.

대표 예제 4

④ '곤돌라를 타봤다면, 베니스에 갔다 왔다고 말할 수 없다'로 어색한 문장이 된다. if ～ not 혹은 unless를 써서 '곤돌라를 타보지 않았다면, 베니스에 갔다 왔다고 말할 수 없다'가 되어야 자연스럽다.

① 이유의 since: ～ 때문에 ② 양보의 though: ～에도 불구하고 ③ 조건의 in case: ～에 대비해서 ⑤ 시간의 when: ～할 때

[해석] ① 그 학생은 개념을 이해하지 못했기 때문에 선생님께 설명을 다시 해달라고 부탁했다.

② 나는 직장에서 긴 하루를 보낸 후 피곤했지만 행사에 참가했다.

③ 비가 올 경우를 대비해서 너는 우산을 가져가는 것이 좋겠다.

④ 곤돌라를 타보지 않았다면 베니스에 가봤다고 말할 수 없다.

⑤ 네가 성공했을 때 행복이 너에게 다가갈 것이다.

대표 예제 5

(1) (A) 선행사 one species가 있고 뒤에 동사가 바로 이어지므로, 주격 관계대명사 that이 적절하다. (B) 추상적인 장소인 the ecosystem이 선행사로 와 있다. 이어지는 절이 it lives로 주어, 동사의 필수 성분을 갖추고 있으므로, 관계부사 where이 적절하다. (C) 동사 means의 목적어를 이끄는 접속사 that이 와야 한다. 이어지는 절이 완전한 절이므로, 관계대명사 what은 올 수 없다.

(2) 앞 문장에서 keystone species(핵심종)를 돌 아치의 keystone(쐐기돌)에 비유하고, 이어서 it's the same이라고 표현하였으므로, ③ without it, the ecosystem would collapse(그것이 없다면 생태계는 붕괴할 지도 모른다)가 이어지는 것이 적절하다.

① 그것은 적절하게 균형을 이루고 있다

② 그것은 먹이 사슬의 꼭대기에 있다

③ 그것이 없다면 생태계는 붕괴할 지도 모른다

④ 그것 때문에 다른 종을 위한 공간이 거의 없다

⑤ 핵심종이 다른 동물을 먹는다

해석 핵심종이란 자신이 사는 생태계에 큰 영향을 끼치는 하나의 종을 말한다. 돌로 된 아치에서 쐐기돌을 본 적이 있는가? 그것은 많은 돌 중 하나이지만, 그 돌이 없으면 전체 아치가 무너질 것이다. 생태계에서도 마찬가지다. 하나의 동물이 크기나 수에 있어서 가장 크지 않을지라도 그 동물이 없으면 생태계가 붕괴될 지도 모른다. 그것은 때로는 하나의 돌이나 하나의 종이 특별히 중요할 수 있다는 것을 의미한다.

어휘 keystone species 핵심종   effect 영향   ecosystem 생태계   keystone 쐐기돌   especially 특별히

대표 예제 6

(1) ④ 연결사 뒤에 완전한 절이 왔고, I'm not sure의 목적어 명사절을 이끄는 접속사가 필요하므로, '~인지 아닌지'의 if나 whether가 와야 한다.

① 이유의 부사절을 이끄는 접속사 because가 바르게 쓰였다. ② 소망한 것이 학교에 간 것보다 더 먼저 일어난 일이므로 대과거(had p.p.)가 적절하다. ③ the only one을 선행

사로 하는 주격 관계대명사 who가 바르게 쓰였다. ⑤ 2형식 문장으로, 동사 look 다음에 부사는 올 수 없고, 형용사가 올 수 있으므로 unfriendly는 바르게 쓰였다.

(2) '지각했을 뿐만 아니라 교과서도 잘못 가져갔다'가 되어야 자연스럽고 뒤에 but also가 있는 것으로 보아 Not only가 필요하다. Not only가 문두로 이동했을 때, Not only가 이끄는 절은 도치되어 「동사+주어」의 순서로 쓴다는 점에 유의한다.

해석 나는 완전히 새로운 세계로 뛰어들 참이었기 때문에 긴장되고 걱정이 되었다. 나의 친한 친구들 모두와 나는 같은 고등학교에 가기를 희망했지만, 나만 유일하게 다른 학교를 다니게 되었다. 나는 새로운 환경에 적응할 수 있을지 확신이 서지 않았다. 나는 학교에 지각을 했을 뿐만 아니라 교과서도 잘못 가져갔다. 담임 선생님은 아주 엄격해 보였고 나의 새 학급 친구들 모두는 불친절해 보였다.

어휘 be about to 막 ~하려는 참이다   attend 출석하다, 참석하다   adapt 적응하다   strict 엄격한   unfriendly 불친절한

대표 예제 7

'~하는 사람은 누구든지'는 복합관계대명사 whoever로 쓸 수 있다. anyone who와 같은 의미이다.

어휘 perform 수행하다, 해 내다

대표 예제 8

⑤ 시간의 선행사 뒤에 관계사가 온 경우, 이어지는 절이 완전한지 불완전한지 확인한다. people have conflict ~로 주어와 동사, 목적어가 갖추어져 있고, 선행사가 times이므로 관계부사 when이 와야 한다.

① 시간의 접속사 while: ~하는 동안 ② 목적의 접속사 so that: ~하기 위하여 ③ 이어지는 절에 주어가 없으므로, 주격 관계대명사가 필요하다. ④ 「전치사+관계대명사」

해석 ① 우리가 없는 동안 Billy가 우리 집에 머물렀다.

② 나는 그가 내 눈물을 볼 수 없도록 얼굴을 돌렸다.

③ 그 동물들은 푸르고 따뜻한 지역에 산다.

④ 태양이 열과 빛을 내는 과정이 연구되어 왔다.

⑤ 사회적 이슈로 인해 사람들이 서로 갈등을 겪을 때가 있다.

어휘 process 과정   conflict 갈등

대표 예제 9

(1) ⑤ 이어지는 어구가 her creativity and courage(그녀의 창의성과 용기)로 명사구이므로 because를 because of로 고쳐야 한다. / 「because of+명사(구)」, 「because+주어+동사」

① 시간의 관계부사 when 뒤에 완전한 절이 왔다. ② 명사 World War II가 이어지므로 전치사 during이 적절하다. ③ saw의 목적절을 이끄는 접속사 that이 바르게 쓰였다. ④ was certain의 목적절을 이끄는 접속사 that이 바르게 쓰였다.

(2) other people couldn't imagine이 주절, they would do that이 목적절이므로, 목적절을 이끄는 접속사 that은 주절의 동사 imagine 뒤에 오면 된다.

해석 오늘, 저는 여러분에게 창의성이 용기를 만났던 때에 대해 이야기하고 싶다. 2차 세계대전 당시, 폴란드에 한 간호사가 있었다. 그녀는 유태인들이 매우 불공평하게 대우받는 것을 보았고, 많은 아이들이 죽을 것이라는 사실을 확신했다. 그녀와 그녀의 친구들은 아이들이 위험에서 탈출하는 것을 도울 창의적인 방법을 찾았다. 그들은 아이들을 가방이나 상자, 그리고 바구니에 숨겼다. 그러고 나서 그들은 각각의 아이들을 안전한 곳으로 옮겼다. 당시에 다른 사람들은 그들이 그렇게 하리라고는 상상하지 못했다. 그 간호사의 이름은 Irena Sendler이었다. 그녀의 창의성과 용기 덕분에, 약 2,500명의 유태인 어린이들이 목숨을 구했다.

어휘 creativity 창의성   courage 용기   Jewish 유태인의   treat 다루다   unfairly 불공평하게 safety 안전

대표 예제 10

선행사 reliable sources에 대한 추가적인 설명을 덧붙이기 위해 관계대명사의 계속적 용법이 사용되었으므로 which가 알맞다. 관계대명사 that과 what은 계속적 용법으로 쓸 수 없다.

해석 신뢰성은 신뢰할 수 있는 출처에서 나오는데, 그것은 최근 연구 결과를 포함한다.

어휘 credibility 신뢰성   reliable 신뢰할 만한   include 포함하다   recent 최근의

대표 예제 11

주절과 주절의 동사 asked의 목적어인 whether절에 들어갈 말을 구분해서 써 본다. 주절 '선생님은 학생들에게 ~을 물었다' = The teacher asked students ~. '수업에 대한 질문이 있는지' = whether there were any questions about the lesson / 접속사 whether 다음에 「주어+동사」의 절이 온다.

대표 예제 12

(A) '내가 배웠던 것'이라는 뜻으로 쓰인 선행사를 포함한 관계대명사 what이 알맞다. (B) the fact와 동격의 내용이 이어지므로, 동격의 접속사 that이 와야 한다. (C) 선행사 the day와 관계사 뒤에 I first started의 완전한 절이 이어지므로 관계부사 when이 적절하다.

해석 • 내가 배운 것은 우리가 더 나은 세상을 만드는 데 기여할 수 있다는 것이다.
• 우리는 지구가 꾸준히 따뜻해지고 있다는 사실을 직시해야 한다.
• 내가 처음 자원봉사를 시작한 날 그들은 나를 따뜻하게 맞아 주었다.

어휘 contribute 기여하다   face 직면하다   steadily 끊임없이, 꾸준히

 4주 교과서 대표 전략 ②

pp. 30~31

01 ③	02 ①	03 ④	04 Unless
05 ⑤	06 not, but	07 (A) when (B) that (C) despite	
08 가상 합창단은 나를 세상과 연결시켜 주는 것이다.			

01 ③ 이어지는 표현이 명사구 the long walking tour(긴 도보 여행)이므로, 접속사 though는 올 수 없다. 전치사인 despite나 in spite of로 고친다.
① 이유의 선행사 reasons 뒤에 관계부사 why가 쓰였다.
② 선행사 A person 뒤에 주격 관계대명사 who가 왔다. 관계대명사절은 불완전한 절이라는 점에 유의한다. ④ 관계부사 how 대신 「전치사＋관계대명사」를 쓸 수 있다. ⑤ suggested의 목적어를 이끄는 접속사 that이 왔다.
해석 ① Miami에 가야 하는 이유가 너무 많은데, 넌 뭘 기다리고 있는 거니?
② 전혀 실수를 하지 않았던 사람은 결코 새로운 것을 시도하지 않았다.
③ Susan은 긴 도보 여행에도 불구하고 피곤하지 않았다.
④ 우리는 쇼핑할 수 있는 많은 방법들로 둘러싸여 있다.
⑤ 간호사는 엄마에게 물을 너무 많이 마시는 것을 피하도록 권했다.
어휘 surround 둘러싸다

02 • 콤마 뒤에서 선행사를 설명하고 있는 관계대명사 which의 계속적 용법이다. 계속적 용법의 선행사는 명사, 어구, 앞 문장 전체 등 다양한 형태로 올 수 있다.
• '~할 때마다 언제나'의 뜻이 되어야 자연스러우므로 복합관계부사 Whenever가 적절하다.
해석 • 많은 학생들이 수업에 늦었는데, 그것이 선생님을 실망시켰다.
• 흰 코끼리가 발견될 때마다 언제나 그것은 왕에게 바쳐졌다.
어휘 disappoint 실망시키다

03 〈보기〉 the belief와 that절 이하의 내용이 같은 동격의 that이다. 접속사이므로 that 이하의 절은 완전한 절이 온다. ④ The idea와 that절 이하의 내용이 같은 동격의 that이다.
① An idea를 선행사로 하는 관계대명사 주격의 that이다. 이때 관계사절은 주어가 없는 불완전한 절로, 관계대명사 that이 주어 역할을 하게 된다. ② so ~ that ... 구문으로 '너무 ~해서 …하다'의 의미이다. 이 때 that은 접속사이다. ③ 동사 was의 보어절을 이끄는 접속사 that이다. ⑤ a man and wolves를 선행사로 하는 주격 관계대명사 that이다.

해석 〈보기〉 그 생각은 악어가 먹이를 보고 슬퍼서 운다는 믿음에서 나온 것이다.
① 위험하지 않은 생각은 아이디어라고 불릴 가치가 전혀 없다.
② 줄이 너무 길어서 그녀는 몇 시간 동안 기다려야 했다.
③ 놀라운 것은 그가 여기 왔다는 것이었다.
④ 돈을 많이 버는 것이 행복을 가져온다는 생각이 항상 맞는 것은 아니다.
⑤ 이것은 정글에 살았던 한 남자와 늑대들에 관한 이야기이다.
어휘 crocodile 악어 weep over 슬퍼하다 prey 희생양, 먹이 unworthy 가치가 없는

04 내용상 '줄이지 않으면'으로 부정의 의미를 써야 하므로 이미 부정의 의미를 포함한 접속사 Unless가 적절하다.
해석 우리가 천연자원의 사용을 줄이지 않으면 지구는 구원받을 수 없다.
어휘 reduce 줄이다 natural resources 천연자원

05 ⑤ he had no umbrella로 주어와 동사, 목적어를 갖춘 절이 왔으므로 because of 대신 접속사 because로 써야 옳다.
① 목적의 부사절을 이끄는 so that(~하기 위해)이다. ② in case는 '~하는 것에 대비하여'의 뜻으로 조건의 부사절을 이끈다. ③ whether는 '~인지 아닌지'의 의미로 명사절 목적어를 이끄는 접속사이다. ④ so ~ that ...은 '매우 ~해서 …하다'의 의미로 쓰여 결과를 나타내는 접속사이다.
해석 ① Ethan이 터치다운을 할 수 있도록 James가 Ethan에게 친절하게 공을 패스했다.
② 지진이 발생할 경우를 대비하여 여분의 배터리와 생수를 준비해 두어라.
③ 나는 그에게 새 프로젝트에 대해 알고 있는지 물었다.
④ 나는 이 책에 매료되어 2시간 만에 읽었다.
⑤ 그는 우산이 없었기 때문에 학교에 남기로 결심했다.
어휘 extra 여분의 fascinate 매혹시키다, 마음을 빼앗다

06 not A but B: A가 아니라 B / 상관접속사의 앞뒤에 오는 말은 문법적으로 동일하게 병렬 구조를 이뤄야 한다.

[07~08]

해석 노래를 했던 사람들은 자신들의 경험에 관한 이야기를 포스팅했다(온라인에 올렸다). 한 사람은 "언니와 저는 더 어렸을 때 합창단에서 함께 노래를 부르곤 했어요. 우리는 지금 세계의 다른 곳에서 살고 있죠. 이 가상 합창단이 없었더라면 우리는 다시 노래를 함께 부를 수 없었을 것이고 우리의 유대도 다시 시작될 수 없었을 거예요."라고 말했다. 또 다른 이는 "남편은 제가 합창단에 맞는 목소리를 가지고 있지 않다고 말했죠. 하지만 그가 한 말에도 불구하고 전 참여하고 싶었어요. 가상 합창단은 저를 세상과 연결시켜 준 것입니다."라고 말했다.

어휘 choirs 합창단, 코러스 virtual 가상의 bond 유대
participate 참여하다 connect 연결하다

07 (A) '우리가 더 어렸을 때'이므로, 시간의 접속사 when이 적절하다. (B) told의 목적어가 필요하고, 이어지는 내용이 I didn't have ~로 주어, 동사가 다 있는 완전한 절이므로 접속사 that이 적절하다. (C) 선행사를 포함한 관계대명사 what절은 what he said = the thing which he said 과 같으므로 전치사 despite의 목적어 자리에 올 수 있다.

08 관계대명사 what절이 동사 is의 보어로 쓰인 문장이다. '나를 세상과 연결시켜 주는 것'으로 해석할 수 있다.

1주 누구나 합격 전략

pp. 32~33

01 believing **02** however / 아무리 귀여워도 야생동물을 만지지 마세요. **03** ① **04** ②, ③
05 unless, what **06** ④ **07** ④ **08** He sang a song so loudly that I couldn't concentrate on reading. **09** (A) What (B) that (C) when **10** 이 노래는 우리가 우리의 진정한 색깔을 드러내고 우리 자신이 되도록 격려해 줄 것이다.

---

01 상관접속사 not A but B (A가 아니라 B) 뒤에는 문법적으로 같은 어구가 필요하다. 그러므로 분사구문을 만드는 현재분사 understanding과 같은 형태로 but 뒤에는 believing이 들어가야 한다.
해석 그 소년은 이해가 잘 가서가 아니라 스승을 믿어서 훈련을 계속했다.

02 no matter how를 한 단어의 복합관계부사로 쓰면 however가 된다. however는 양보의 부사절만 이끌며, 어순은 대개 「however+형용사/부사+주어+동사 ~」이다.
해석 야생동물이 아무리 귀엽더라도 만지지 마라.
어휘 wild animal 야생동물

03 조건의 부사절을 이끄는 종속접속사 if는 '만약 ~한다면'의 의미이다. unless는 '만약 ~하지 않으면'의 뜻이고, although는 '~에도 불구하고'의 뜻이다.
해석 • 우리가 그 병을 이해하지 못하면 치료법을 찾을 수 없다.
• 소설을 한 번 더 읽으면 더 잘 이해할 수 있다.
어휘 cure 치료법 disease 질병 novel 소설

04 ② draw의 대상이 되는 것이 필요하고, '너의 마음이 보는 것'의 의미가 되어야 하므로 that 대신 관계대명사 what이 와야 한다. ③ not only A but also B의 상관접속사와 함께 쓰는 어구는 문법적으로 같은 형태로 와야 하므로 helping을 makes와 같은 3인칭 단수 변화형인 helps로 고쳐 써야 한다.
① because of 뒤에 명사구 their feel이 바르게 쓰였다.
④ '너를 가장 편안하게 느끼게 만드는 것'의 의미이므로 선

행사 포함 관계대명사 what이 바르게 쓰였다. ⑤ 접속사 that이 이끄는 절이 동사 shows의 목적어로 쓰였다.

[해석] ① 소비자들은 그 제품의 감촉 때문에 일부 제품을 좋아한다.

② 그 그림을 마음에 두고, 여러분의 마음이 보는 것을 그리도록 노력하라.

③ 새로운 정책은 경제를 튼튼하게 할 뿐만 아니라 공동체를 단결시키는 데에도 도움이 된다.

④ 너를 가장 편안하게 느끼게 만드는 것(옷)을 입어야 한다.

⑤ 이것은 여행으로서의 삶이 영어에만 독특하게 적용된 은유가 아님을 여실히 보여 준다.

[어휘] consumer 소비자　policy 정책　clearly 명백히 metaphor 은유　unique 독특한, 유일한

05 '~하지 않으면'에 맞는 접속사는 unless이다. '제공해야 하는 것'은 선행사 없이 쓰는 관계대명사 what을 사용하여 표현한다.

[어휘] trade 거래　　occur 발생하다　　party 당사자 offer 제공하다

06 '내가 원하는 것'은 관계대명사 what을 써서 What I want로 쓰고, 'A가 아니라 B'는 not A but B로 쓰면 되므로, What I want is not money but love.로 쓸 수 있다. ④ that은 필요 없다.

07 ④ explains의 목적절을 이끄는 접속사 that이다.

① 선행사가 the only person인 주격 관계대명사 that 이다.　② the tallest man을 선행사로 하는 목적격 관계대명사이다.　③ the only artist를 선행사로 하는 주격 관계대명사이다.　⑤ a relative를 선행사로 하는 목적격 관계대명사이다.

[해석] ① 당신만이 이 문제를 해결할 수 있는 유일한 사람이다.

② 그는 내가 만난 남자들 중 가장 키가 크다.

③ 당신은 당신만의 방식으로 그림을 그릴 수 있는 이 세상

에서 유일한 예술가이다.

④ Waitley 박사는 승자들은 그들이 얻고자 하는 것에 집중한다고 설명한다.

⑤ 나는 한번도 본 적이 없는 한 친척을 만났다.

[어휘] concentrate 집중하다　relative 친척

08 '너무 ~해서 …할 수 없다'는 「so+형용사/부사+that …+주어+cannot+동사」로 쓴다.

[09~10]

[해석] 우리 학급은 노래가 필요하다! 우리는 최적의 후보로 Cyndi Lauper의 'True Colors'를 생각하고 있다. 이 노래를 멋지게 만드는 것은 아름다운 멜로디를 갖고 있다는 것이다. 가장 좋은 가사는 '진정한 색은 무지개처럼 아름답다.'이다. 이것은 달라도 괜찮다는 것을 의미한다. 이 노래는 우리가 우리의 진정한 색깔을 드러내고 우리 자신이 되도록 격려해 줄 것이다. 우리 노래를 부르기에 가장 좋은 시간은 학교가 시작하거나 우리가 졸릴 때이다. 이 노래를 부르면서 하나가 되자.

[어휘] candidate 후보　lyrics 가사　encourage 용기를 주다, 격려하다

09 (A) 선행사를 포함하면서 명사절을 이끄는 관계대명사 What이 적절하다. (B) 동사 means의 목적어절을 연결하는 접속사 that이 적절하다. (C) 내용상 '학교가 시작되는 때'가 적절하므로 관계부사 when이 적절하다. when 앞에는 선행사 the time이 생략된 것으로 볼 수 있다.

10 「encourage+목적어+to부정사」는 '~가 …하도록 격려하다'의 의미이다. to show와 등위접속사로 연결된 to be에서 중복된 to가 생략된 형태이다.

A (1) what (2) but (3) where (4) if (5) who

B · A fear of failure is what stops them from trying new things.

· There were several students whose mothers or fathers are from countries other than Korea.

· Less well known is the fact that his first interest in art was caricature portraits.

C Whoever

A (1) 선행사를 포함하고 '~하는 것'으로 해석할 수 있는 관계대명사 what이 적절하다.

(2) 'A가 아니라 B'의 의미로 앞뒤의 내용이 반대로 전개되므로 역접의 상관접속사 not ~ but이 알맞다.

(3) a great place로 장소의 선행사가 나왔고, 뒤에 필수 성분이 포함된 완전한 절이 이어지므로 관계부사 where이 와야 한다.

(4) '~인지 아닌지 확신할 수 없다'로 쓰이는 것이 자연스러우므로, 명사절을 이끄는 접속사 if가 알맞다.

(5) 빈칸 뒤에 주어가 없는 절이 이어지고, 선행사 the woman이 있으므로 관계대명사 who가 알맞다.

해석 (1) 이것이 당신을 특별하게 만드는 것이다.

(2) 청소년기는 단순히 지나가는 단계가 아니라, 사람들의 삶에서 중요한 단계이다.

(3) 우리는 여가 시간에 함께 시간을 보낼 수 있는 좋은 장소를 찾았다.

(4) 나는 새로운 환경에 적응할 수 있을지 잘 몰랐다.

(5) 어젯밤에 나한테 전화했던 여자 기억나니?

어휘 adolescence 청소년기 hang out 많은 시간을 보내다

B · 동사 is 뒤에 보어로 올 수 있고 '실패에 대한 두려움'의 의미가 문맥상 연결되는 것은 관계대명사 what으로 시작되는 문장이다.

· several students를 선행사로 하는 관계대명사절이 적절하다. 관계대명사의 소유격이 와서 선행사를 수식하고 있다. other than은 '~외에'의 의미이다.

· 뒤에 이어지는 that절이 the fact의 내용과 동일한 것을 설명하고 있으므로 동격의 that이 적절하다.

해석 · 실패에 대한 두려움은 그들이 새로운 것을 시도하는 것을 막는 것이다.

· 한국 이외의 나라에서 온 어머니나 아버지를 둔 학생도 여럿 있었다.

· 덜 알려진 사실은 예술에 대한 그의 첫 관심이 캐리커처 초상화였다는 것이다.

어휘 caricature portrait 캐리커처 초상화 stop ~ from -ing ~가 …하는 것을 막다

C 그림을 보면, 모든 사람들이 정원을 좋아하고 있는 모습이므로, '우리 집을 방문하는 사람은 누구든지'의 의미인 복합관계대명사 Whoever가 알맞다.

해석 우리 집을 방문하는 사람은 누구든지 나의 정원을 사랑한다.

D 예시답) · ⟨if / go / who⟩ If you go there, you will meet a girl <u>who</u> is wearing red shoes.

· ⟨want / know / that⟩ I <u>know</u> that he <u>wants</u> to go there.

· ⟨not / but / student⟩ He is <u>not</u> a <u>student</u> <u>but</u> a teacher.

· ⟨if / want / not⟩ If you <u>want</u> to win the game, do <u>not</u> make a mistake.

· ⟨go / know / but⟩ I <u>go</u> to the park, <u>but</u> I don't <u>know</u> where he is.

D · 접속사 if가 부사절을 이끌 때는 '만약 ~한다면'의 조건을 나타내고, 명사절을 이끌 때는 '~인지 (아닌지)'의 의미로 해석된다.

· who가 관계대명사로 쓰일 때는 사람 선행사의 주격이나 목적격으로 오고, 의문사로 쓰였을 때는 '누구'의 뜻으로 쓰인다.

· that이 관계대명사로 쓰일 때는 사람이나 사물 등 어떤 선행사가 와도 가능하다. 단, 계속적 용법으로 쓸 수 없고, 전치사와 함께 사용할 수 없다. 접속사로 쓰일 때는 명사절을 이끌게 되므로 주어, 보어, 목적어 자리에 올 수 있다.

E Judy: ⓓ의 that은 앞에 나온 so와는 관계가 없고, is의 보어절을 이끄는 접속사로 쓰였다. so much는 문장의 동사 like를 수식하는 부사이다. 그러므로 Judy의 설명은 옳지 않다.

Sarah: ⓐ 양보의 접속사 though는 '~임에도 불구하고'의 의미이다.

Amy: ⓑ '우리가 확실히 아는 것'의 의미로, 관계대명사 what절이 주어로 쓰였다.

Jane: ⓒ the reason 뒤에 관계부사 why가 생략된 형태로, 관계부사 뒤에는 완전한 절이 온다.

Ann: ⓔ the fact와 that절은 같은 내용에 대한 설명으로, 동격의 that절이다.

해석 의심의 여지없이, 공룡은 세계 전역에서 아이들에게 인기가 있는 주제이다. 비록 우리가 공룡에 대해서 많이 알고 있지는 않지만, 우리가 확실히 아는 것은 모든 연령의 아이들에게 매력적이라는 것이다. "아이들이 공룡을 그렇게 많이 좋아하는 이유는 공룡의 크기가 크고, 오늘날 살아 있는 그 어떤 것과도 다르며, 멸종되었기 때문이라고 생각합니다. 내가 생각하기에 아이들로 하여금 자신들의 그림에서 그 주제를 사용하도록 영감을 주는 것은 다름 아닌 공룡의 미스터리, 즉 여전히 우리가 알지 못하는 것이 여전히 너무 많다는 사실입니다."

어휘 fascinating 매혹적인 extinct 멸종된 inspire 영감을 주다 topic 주제

2주 – 다양한 구문

2주 1일 개념 돌파 전략 ①

pp. 40~43

1-1 (1) as   (2) mine
1-2 (1) smartest   (2) more comfortable
2-1 as[so] pretty as   **2-2** useful than
3-1 ③   **3-2** one of the most difficult skills

4-1 why she didn't go   **4-2** could I → I could
5-1 ②   **5-2** do show
6-1 did I arrive   **6-2** lived a rich man

1-1
(1) 원급을 활용한 비교구문은 「as+형용사/부사의 원급+as ~」로 쓴다.
(2) 비교급을 활용한 비교구문은 「형용사/부사의 비교급+than ~」으로 쓴다. 비교 대상이 문법적으로 동일해야 하므로 her blouse와 같은 mine (= my blouse)이 와야 한다.
해석 (1) 오늘은 어제만큼 더운 것 같다.
(2) 나는 그녀의 블라우스가 내 것보다 색채가 덜 화려한 것 같다.
어휘 colorful 다채로운, 화려한

1-2
(1) the가 있고 뒤에 범위를 나타내는 전치사구 of ~가 이어지는 것으로 보아 최상급 비교구문이 적절하다.
(2) 비교급 강조 수식어인 much와 빈칸 뒤에 이어지는 than이 있으므로 비교급 비교구문으로 쓴다. 3음절 이상의 단어인 comfortable의 비교급은 more를 붙여 쓴다.
해석 (1) James는 그의 형제자매 중 가장 똑똑하다.
(2) 이 소파는 내 침대보다 훨씬 더 편안하다.
어휘 siblings 형제자매   comfortable 편안한

2-1
'~만큼 예쁘지 않다'로 원급 비교의 부정을 나타내야 하므로, 부정어 not을 앞에 넣어 「not as[so]+원급+as」로 쓴다. 앞의 as 대신 so를 쓰기도 한다.

2-2
원급 비교의 부정문을 비교급 비교의 형태로 쓰면 열등 비교인 「less+원급+than ~」으로 쓸 수 있다.
해석 이 정보는 내가 어제 들은 정보만큼 유용하지 않다.

3-1
원급 비교와 비교급 비교는 as나 than 다음에 비교 대상이 나와야 하는데 여기서는 「in+장소/집단」이 있으므로 최상급 비교가 알맞다.
해석 나는 그가 우리 반에서 가장 잘생겼다는 것을 확신할 수 없다.

3-2
'가장 어려운 기술 중 하나'로 표현하려면 「one of the+최상급+복수 명사」로 쓴다.
어휘 skill 기술

4-1
I don't know 뒤에 간접의문문의 형태가 이어져야 하므로 「의문사+주어+동사」 순서로 배열한다.
해석 나는 그녀가 그곳에 왜 가지 않았는지 모른다.

4-2
의문사가 없는 의문문의 경우 간접의문문의 어순은 「if[whether]+주어+동사」이므로, 동사 could와 주어 I의 순서를 바꿔야 적절하다.
해석 나는 그녀에게 내가 선거에 출마할 수 있는지 물었다.
어휘 run for election 선거에 출마하다

5-1
어구를 강조할 때 it ~ that 강조구문을 사용할 수 있다. 그러므로 빈칸에 알맞은 것은 It과 that이다.

5-2

동사 show를 강조할 때는 조동사 do를 본동사 앞에 넣는다. 이때 do는 문장의 시제와 주어의 수에 맞게 쓴다.

해석 나의 부모님은 서로를 극진히 아끼신다.

어휘 care 보살핌

6-1

부정어 hardly가 문두에 나와 강조될 경우 주어 앞에 조동사 do를 넣어 「Hardly+조동사 do+주어+본동사」의 순서로 쓴다.

해석 차가 너무 막혀서 나는 거의 제시간에 도착하지 못했다.

어휘 hardly 거의 ~ 않다   on time 정시에   heavy traffic 교통 체증

6-2

장소·방향의 부사구일 경우에는 일반동사라도 조동사를 쓰지 않고 「부사구+동사+주어」 순서로 도치한다.

해석 옛날 어느 마을에 한 부자가 살았다.

2주 1일 개념 돌파 전략 ②

pp. 44~45

1 (1) as   (2) much
2 기술은 사회를 훨씬 더 복잡하게 만든다.
3 In the late 1800s, the railroads were the biggest companies in the U.S.
4 how social networks are changing people
5 It was by chance that I met an old friend of mine in San Francisco.
6 was the man

1 Example

- 원급 비교는 「as+형용사/부사의 원급+as ~」의 형태로 쓰며 as strong as steel은 '강철만큼 강한'의 의미가 된다. It 가주어, to부정사 진주어 구문이다.
  해석 강철만큼 강한 비닐봉지를 만드는 것이 가능하다.
  어휘 plastic bag 비닐봉지   steel 강철
- 부사의 원급 비교도 as ~ as …를 사용할 수 있다. 'as quickly as ~'는 '~만큼 빠르게'의 의미가 된다.
  해석 그는 그가 왔던 것만큼 빠르게 돌아서서 사라졌다.
  어휘 disappear 사라지다

> (1) as 뒤에 형용사 white가 있으므로 원급 비교 구문이 되도록 as가 적절하다.
> (2) 「as+원급+as possible」은 '가능한 한 ~한/하게'의 의미로, 동사 eat을 수식하는 부사 원급 much가 알맞다. '가능한 한 많이'의 의미이다.
> **해석** (1) 그녀는 눈처럼 하얀 드레스를 입은 아름다운 여인을 만났다.
> (2) 그들은 먹을 수 있는 동안엔 가능한 한 많이 먹는다.
> **어휘** possible 가능한

2 Example

- 비교급을 사용한 비교구문으로, 형용사 refreshing은 3음절 이상의 단어이므로 more를 써서 비교급을 나타낸다. 비교되는 두 대상은 문법적으로 동일한 동명사 walking과 taking a bus가 와서 병렬 구조를 이루었다.
  해석 나는 버스를 타는 것보다 걷는 것이 더 상쾌하기 때문에 매일 걸어서 등교한다.
  어휘 refreshing 신선한, 상쾌하게 하는
- 동사 speak를 수식하는 부사 loud의 비교급을 사용한 비교구문이다. speak volumes는 '많은 것을 말하다, 시사하다'의 의미이다.
  해석 다른 사람의 행동은 종종 그들의 말보다 더 많은 것을 말한다.
  어휘 speak volumes 많은 것을 말하다   loud 시끄럽게, 큰소리로

> 비교 대상 없이 비교급만 사용한 표현이다. 형용사 complex의 비교급은 more complex로 쓰고 much는 비교급을 강조하는 수식어로 쓰였다.
> **어휘** complex 복잡한

3 Example

- of the 5 countries(5개국 중에서)의 제한된 범위 안에서 '가장 많은'의 최상급 표현이 쓰였다.

  해석 5개국 중, 미국이 통틀어 약 120개의 가장 많은 메달을 땄다.

  어휘 in total 전체의, 통틀어

- '가장 …한 것들 중 하나'는 「one of the+최상급+복수명사」로 쓴다.

  해석 스키 타는 것을 배우는 것은 가장 당황스러운 경험 중 하나이다.

  어휘 embarrassing 당황스러운

> '가장 큰 기업들'을 the biggest companies로 쓸 수 있다.
>
> 어휘 railroad 철도, 철도 체계 전반

4 Example

- Everyone knows 뒤에 이어진 의문사 간접의문문의 어순은 주어와 동사가 도치되어 「의문사+주어+동사」의 순서로 온다는 것에 주의한다. 이때 조동사로 쓰인 do동사는 없애고 본동사를 주어의 수와 시제에 맞게 쓴다.

  해석 모두가 그 상징이 무엇을 의미하는지 알고 있다.

  어휘 symbol 상징

- 의문사 who가 의문대명사이면서 주어로 쓰인 의문문이므로, 간접의문문으로 쓸 때도 「의문사+동사」의 순서가 된다.

  해석 누가 나를 기다리고 있는지 나에게 말해 줄 수 있니?

> 직접의문문 How are social networks changing people?을 Let me know 뒤에 간접의문문으로 쓰려면 의문사 뒤에 주어와 동사를 도치하여 how social networks are changing people로 쓰면 된다.
>
> 해석 소셜 네트워크가 사람을 어떻게 변화시키고 있는지 내가 알게 해 줘.
>
> 어휘 social network 소셜 네트워크

5 Example

- 대명사를 강조할 때 재귀대명사를 사용하며, 이때 재귀대명사는 대명사 you 바로 뒤에 올 수도 있고, 절의 맨 뒤에 올 수도 있다.

  해석 여행 갈 때 약간의 과일을 네 스스로 사 보는 것이 좋겠어.

- 동사 looked를 강조할 때 본동사는 동사원형으로, 강조동사 do는 주어의 시제와 수에 맞게 수정한다. 주어가 he이고, 문장 전체의 시제가 과거형이므로 do는 did가 된다.

  해석 그가 너무 창백해 보여서 나는 그가 쓰러지지 않을까 걱정이 되었다.

> 두 단어 이상으로 이루어진 구 by chance(우연히)를 강조하기 위해서는 it ~ that 강조 구문을 사용하면 된다. 과거시제이므로 be동사는 was로 쓰고 it was와 that 사이에 by chance를, that 뒤에 나머지를 그대로 쓰면 된다.
>
> 해석 나는 우연히 샌프란시스코에서 내 오랜 친구를 만났다. → 샌프란시스코에서 내 오랜 친구를 만난 것은 우연이었다.
>
> 어휘 by chance 우연히

6 Example

- 장소의 부사구 on the platform이 문두에 와서 강조되고 있으므로 주어와 동사는 도치된다.

  해석 플랫폼에서 많은 사람들이 기차를 기다리며 서 있었다.

- 부정어 little이 문두에 와서 강조되면 주어와 동사를 도치시키는데 be동사는 「부정어+be동사+주어」의 순서로 도치되나, 일반동사의 경우는 「부정어+do/does/did+주어+본동사」와 같이 조동사 do를 사용한다는 것에 유의한다.

  해석 그에 대해 아는 것이 별로 없지만, 나는 그가 좋다.

> 부정어가 문두에 오면서 수동태 구문의 be동사가 왔으므로, Seldom was the man seen ~의 순서로 주어와 be동사가 도치된다.
>
> 해석 이웃들은 그 남자를 거의 보지 못했다.
>
> 어휘 seldom 거의 ~ 않다

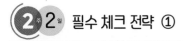

2주 2일 필수 체크 전략 ①

필수 예제	**1** ②	확인 문제	**1-1** ①	확인 문제	**1-2** twice as difficult as
필수 예제	**2** ⑤	확인 문제	**2-1** than	확인 문제	**2-2** I think my backpack is a lot heavier than yours.
필수 예제	**3** ②	확인 문제	**3-1** ④	확인 문제	**3-2** No other doctor
필수 예제	**4** ⑤	확인 문제	**4-1** ④	확인 문제	**4-2** does time feel → time feels

필수 예제 1

② 배수사가 있는 원급 비교구문이다. 원급 비교 as ~ as 사이에는 형용사나 부사의 원급이 와야 하므로 more expensive를 원급 expensive로 고쳐야 한다.

① as specific as possible = as specific as you can ③ the same speed as Earth: 지구와 같은 속도로 ④ as clearly as normal: 평소만큼 명료하게 ⑤ as high as 43 degrees: 43도만큼 높이

해석 ① 아이들을 가르칠 때는 가능한 한 구체적으로 가르쳐라.
② 그의 차는 내 차의 3배 더 비싸다.
③ 화성은 지구와 거의 정확하게 같은 속도로 자전한다.
④ 높은 고도에서 뇌는 평소처럼 명료하게 기능하지 않는다.
⑤ 다음 달에는 기온이 섭씨 43도만큼 오를 것이다.

어휘 specific 구체적인 rotate 자전하다 exactly 정확하게 altitude 고도 brain 뇌 function 기능하다 degrees Celsius 섭씨 ~도

확인 문제 1-1

① as dangerous가 왔으므로 원급 비교 as가 와야 한다. 비교급의 비교 대상은 문법적으로 동일한 대상이 와서 병렬 구조로 쓰이므로, driving과 동일한 동명사 형태의 driving drunk가 적절하다.

해석 운전 중 휴대폰을 사용하는 것은 술에 취한 채로 운전하는 것만큼 위험하다.

확인 문제 1-2

'두 배만큼 어려운'은 배수사 twice를 사용하여 twice as difficult as로 쓸 수 있다.

어휘 challenge 도전

필수 예제 2

⑤ '~하면 할수록 더 …하다'의 의미로 쓰려면 「the+비교급 ~, the+비교급 …」으로 써야 하므로, 최상급으로 쓴 the most를

the more로 고쳐 써야 한다.

① 비교급을 강조하기 위해 much가 쓰였다. ② little의 비교급 형태인 less 뒤에 than은 열등 비교 구문이다. ③ crowded는 과거분사 형태의 형용사로, 비교급은 more crowded로 쓴다. 「비교급+than usual」은 '평소보다 더 ~한'으로 해석할 수 있다. ④ '기대했던 것보다 더 길게'의 뜻으로 쓰인 비교급이다.

해석 ① 호수와 강은 바다보다 훨씬 작다.
② 숫자 799는 800보다 현저히 작게 느껴진다.
③ 레스토랑이 평소보다 더 붐빈다.
④ 안타깝게도, 파손으로 인해 귀하의 책상 배송이 예상보다 오래 걸릴 것입니다.
⑤ 이 배터리가 더 많은 에너지를 저장할수록 당신은 더 많은 에너지를 사용할 수 있다.

어휘 ocean 대양 significantly 현저히 crowded 붐비는 due to ~ 때문에 damage 손상, 파손 store 저장하다

확인 문제 2-1

배수사 three times 뒤에 larger로 비교급 형태가 나왔으므로 than이 이어지는 것이 자연스럽다. *cf.* 원급 비교: 배수사+as+원급+as ~ / 비교급 비교: 배수사+비교급+than ~

해석 2016년 실내 냉방을 위한 전 세계의 최종 에너지 소비는 1990년의 최종 에너지 소비의 3배 넘게 많았다.

어휘 consumption 소비

확인 문제 2-2

'네 것보다 더 무겁다'는 비교급을 사용하여 heavier than yours으로 쓸 수 있는데, '훨씬 더' 무겁다고 하였으므로 강조하는 표현을 써야 한다. 제시된 lot을 사용하여 a lot heavier than yours로 쓸 수 있다.

필수 예제 3

② 「one of the+최상급+복수 명사」으로 써야 하므로 명사

place를 복수형 places로 고친다.
① 최상급 비교: the+최상급 ③ 최상급 비교: the+최상급+in+범위 ④ 최상급 비교 「the+최상급+명사(+that)+주어+have ever+과거분사」: 지금까지 ~한 것 중 가장 …한 ⑤ 원급을 활용한 최상급 비교 nobody(부정) is as+원급+as ~: 그 어떤 것도 ~만큼 …하지 않다
해석 ① 올림픽 금메달을 따는 것은 선수들에게 최고의 성취이다. ② 천문대는 별과 행성을 관측하기에 가장 좋은 장소 중 하나이다. ③ 여러분의 인생에서 가장 소중한 것은 무엇인가? ④ Rio de Janeiro는 내가 가 본 도시 중 가장 활기찬 도시이다. ⑤ 이 동아리에 있는 모든 학생들 중에서 나만큼 나이가 많은 학생은 없다.
어휘 achievement 성취, 업적   athlete 육상 경기자 observatory 천문대, 관측소   energetic 원기 왕성한, 활기찬

확인 문제 3-1
「the+최상급+명사(+that)+주어+have ever+과거분사」는 '지금까지 ~한 것 중 가장 …한'의 의미로 쓰인다.
해석 그것은 지금까지 내가 본 것 중 가장 최악의 영화였다.

확인 문제 3-2
「비교급+than any other+단수 명사」는 '다른 어떤 것[명사]도 ~보다 …하지 않다'의 뜻으로 「no (other)+단수 명사 ~ 비교급 than」으로 바꿔 쓸 수 있다.
해석 이 박사는 이 마을의 어떤 의사보다 더 유명하다. = 이 마을에 이 박사만큼 유명한 의사는 없다.

필수 예제 4
⑤ 추측을 나타내는 동사 suppose가 포함된 문장이므로, 간접의문문으로 쓸 때는 의문사를 문장의 맨 앞에 둬야 한다. Who do you suppose stole my mobile phone?이 적절하다.
① 의문사가 있는 간접의문문의 어순은 「의문사+주어+동사」이다. ②, ③ 의문사가 없는 간접의문문의 어순은 「if [whether]+주어+동사」이다. ④ 생각을 나타내는 동사 think는 간접의문문으로 쓸 때 의문사를 문장의 맨 앞에 오게 하므로 바르게 쓰였다.
해석 ① 그에게 전화해서 그것을 너에게 왜 보냈는지 물어보지 그래?
② 나는 James가 그녀의 생일 파티에 왔었는지 궁금하다.
③ 선생님이 결혼하셨는지 안 하셨는지 모르겠다.
④ 그녀가 어디서 태어났을 것 같니?
⑤ 누가 내 핸드폰을 훔쳤다고 추측하니?
어휘 suppose 가정하다, 추측하다

확인 문제 4-1
생각을 나타내는 동사 think가 있는 의문사 간접의문문의 경우 의문사를 문장 맨 앞에 쓰므로, 영작하면 When do you think your dental treatment will be over?가 된다. 네 번째 올 말은 think이다.
어휘 dental treatment 치과 치료

확인 문제 4-2
explain의 목적어로 간접의문문이 왔다. 간접의문문의 어순은 「의문사+주어+동사」가 되어야 하므로 why does time feel은 why time feels가 되어야 한다. 주어가 3인칭 단수 time이므로 동사의 수에 주의한다.
해석 이 이론은 아이들에게 시간이 느리게 느껴지는 이유를 부분적으로 설명한다.
어휘 theory 이론   explain 설명하다   in part 부분적으로

2주 2일 필수 체크 전략 ②
pp. 50~51

| 1 ④ | 2 ① | 3 ② | 4 ②, ⑤ | 5 ③ | 6 ① |

1 ・「배수사+비교급+than ~」 구문으로 '~보다 몇 배 더 …한'의 의미이다.
   ・'~ 중에서 가장 …한 것 중 하나'의 의미가 되려면 「one of the+최상급+복수 명사」로 쓴다.
   해석 ・나는 그것의 크기가 축구장의 4배쯤 된다고 들었다.
   ・그것은 그 나라에서 가장 큰 식물원 중 하나이다.

2 ⓐ 「one of the+최상급」 뒤에는 복수 명사가 와야 한다. / event → events ⓑ '~하면 할수록 더욱 …한'은 「the+비교급 ~, the+비교급 …」으로 쓴다. / The much → The more ⓒ 뒤에 than으로 보아 비교급이 와야 한다. unique의 비교급은 more unique이다. ⓓ 비교급을 강조할 때 수식어 much, even, a lot, still 등을 사용한다. 그러므로 바르게 쓰인 것은 ⓓ뿐이다.

해석 ⓐ Greenville의 가장 큰 행사 중 하나인 이 축제는 1995년에 시작되었다.

ⓑ 에너지 드링크를 많이 마시면 마실수록 그것에 더 많이 의존하게 된다.

ⓒ 둥근 목 테두리보다 브이넥이 더 독특하다.

ⓓ 일찍 예약하면 훨씬 더 저렴하게 방을 구할 수 있다.

어휘 dependent on ~에 의존하는 unique 독특한 round 둥근 book 예약하다

3 little(적은)의 비교급은 less(더 적은)이다. 여기에 '훨씬 더 적은'으로 비교급을 강조하는 표현이 필요하므로 ② much less가 알맞다.

어휘 foldable 접을 수 있는 take up 차지하다 space 공간

4 Can you tell me 뒤에 이어지는 간접의문문에서 의문사가 없을 경우에는 if나 whether가 와서 「if[whether]+주어+동사」의 어순으로 쓴다. 의문사가 있는 경우에는 「의문사+주어+동사」의 어순으로 쓴다.

해석 ② 그가 너의 노트북 컴퓨터를 썼는지 내게 말해 줄래?

⑤ 그가 어디에서 너의 노트북 컴퓨터를 썼는지 내게 말해 줄래?

© Komkrit Noenpoempisut / shutterstock

5 원급이나 비교급을 이용하여 최상급 표현을 만들 수 있다. 「the+최상급」=「no other+단수 명사 ~ +as+원급+as」=「no other+단수 명사 ~ +비교급+than」=「비교급+than any other+단수 명사」

해석 그는 우리 학교에서 가장 멋있는 선생님이다.

6 ①, ⑤ think, believe, guess, imagine, suppose 등 추측이나 생각을 나타내는 동사의 간접의문문을 쓸 때 의문사는 문장의 맨 앞에 둔다. / Do you think how old ~? → How old do you think ~? ② 의문사 없는 간접의문문은 「if[whether]+주어+동사」의 어순으로 이어진다. ③, ④ 의문사 있는 간접의문문은 「의문사+주어+동사」의 어순으로 이어진다.

해석 ① 그 사찰이 얼마나 오래되었다고 생각하니?

② 나는 그 남자가 운전면허가 있는지 궁금하다.

③ 나는 그에게 무엇이 그를 불편하게 만들었는지 물었다.

④ 인류의 기원이 어디에 있는지 말할 수 있니?

⑤ 그가 문제를 어떻게 풀었는지 짐작할 수 있니?

어휘 temple 사찰 driver's license 운전면허 origin 기원

2주 **3**일 필수 체크 전략 ①

pp. 52~55

필수 예제 **5** ①	확인 문제 **5-1** ②	
	확인 문제 **5-2** 성공의 연료 바로 그것은 우리가 상황에 영향을 줄 수 있다는 낙관적인 믿음이다.	
필수 예제 **6** ⑤	확인 문제 **6-1** ③	확인 문제 **6-2** It was in 1950 that the Korean War broke out.
필수 예제 **7** ④	확인 문제 **7-1** 최근에 와서야 인간은 다양한 언어를 창조해냈다.	
	확인 문제 **7-2** Never has she dreamed of being a winner of an Academy Award.	
필수 예제 **8** ②	확인 문제 **8-1** (who is)	확인 문제 **8-2** 큰 폭발이 있었다는 그 뉴스는, 놀랍게도, 사실이었다.

필수 예제 5

① 동사 강조 do는 본동사 앞에 와야 하므로 look do는 어색하다. → do look

② 강조하는 재귀대명사는 생략해도 의미가 통한다. ③ 부정어를 강조할 때 not at all을 쓸 수 있다. ④ 동사를 강조하는 do는 주어의 수와 문장의 시제에 따라 do/does/did가 쓰이며, 동사 앞에 위치한다. ⑤ 명사를 강조할 때는 명사 앞에 the very를 쓸 수 있다.

해석 ① 너는 오늘 멋져 보인다.

② 나는 그녀가 직접 여기 와서 사과하기를 바란다.

③ 스포츠는 전혀 나의 관심을 끌지 못한다.

④ 내 남동생은 산타클로스가 진짜로 존재한다고 굳게 믿는다.

⑤ 이것은 나의 시험을 위해 필요한 바로 그 책이다.

어휘 apologize 사과하다 interest ~의 관심을 끌다

확인 문제 5-1

동사를 강조할 때는 조동사 do를 수와 시제에 맞게 쓴다. 앞에 과거형 did로 시제를 표현했으므로 asked는 동사원형 ask로 써야 한다.

해석 선생님은 학생들에게 수업에 늦지 않게 올 것을 강조하여 부탁했다.

어휘 on time 제시간에

확인 문제 5-2

the very가 명사 fuel 앞에 와서 강조하고 있다.

어휘 fuel 연료 success 성공 optimistic 낙관적인 belief 믿음, 신념 impact 영향을 주다

필수 예제 6

〈보기〉와 ⑤는 It과 that 사이에 강조할 내용을 넣어 강조하고 있는 강조 구문이다. ①, ④ 동사 say와 believe 뒤에 that 명사절이 오는 문장을 수동태로 쓴 것이다. ② '~인 것 같다'의 의미로 쓰이는 It seems that ~구문이다. ③ that 이하가 진주어, it은 that 이하를 받는 가주어로 쓰였다.

해석 〈보기〉 인생을 소중하게 만드는 것은 바로 인생의 나약함이다.

① 그 남자는 도둑이라고들 한다.

② 그는 더 이상 자원봉사를 하고 있는 것 같지 않다.

③ 그가 그 사실을 몰랐다는 것이 흥미롭다.

④ 물은 여전히 지하 얼음으로 존재할 수 있다고 믿어진다.

⑤ 그 회사가 많은 수익을 올리는 것은 바로 광고에서 비롯된다.

어휘 precious 소중한 underground 지하의 advertising 광고 company 회사 earn 벌다 profit 이익

확인 문제 6-1

가주어/진주어 구문은 「가주어 it+be동사+형용사+that절」이 되도록 쓰는 것이 적절하므로 ③이 알맞다.

해석 Jamie가 훌륭한 이야기꾼이라는 것은 사실이다.

확인 문제 6-2

강조하고자 하는 어구 '1950년에'를 「it+be동사」와 that 사이에 넣으면 된다.

어휘 break out 발발하다

필수 예제 7

④ 부정어 never가 문두에 와서 강조되고, 일반동사의 과거형이 있으므로 「조동사 did+주어+동사」의 순서로 어순이 도치되어야 한다. → Never did the dogs bother ~

① 유도부사 There 뒤에는 도치되어 「There+동사+주어」 순서로 쓴다. ② 앞에 나온 부정문에 대한 동의를 나타낼 때 「neither+동사+주어」의 순서로 도치하여 쓴다. ③ 장소의 부사구 뒤에 도치하여 「부사구+동사+주어」의 순서로 쓴다. ⑤ Not only 뒤에 일반동사가 왔으므로 「Not only+조동사 do+주어+동사 ~ but also」의 순서로 도치한다.

해석 ① 내가 그곳에 가지 않는 이유는 많다.

② 형은 재즈를 좋아하지 않았고 나도 마찬가지였다.

③ 언덕 위에 커다란 뿔을 가진 거인이 서 있었다.

④ 개들은 다시는 농부의 양들을 괴롭히지 않았다.

⑤ 그는 출근할 때 청바지를 입었을 뿐만 아니라 샌들도 신었다.

어휘 horn 뿔 bother 괴롭히다, 귀찮게 하다 lamb 양

확인 문제 7-1

only when, only before, only after, only by, only with, only recently와 같이 only 뒤에 부사구나 부사절이 오는 경우 주어와 동사가 도치될 수 있다. 시제가 have created 이므로 조동사로 쓰인 have동사가 주어 앞으로 나와 「have+

주어+p.p.」의 순서로 도치된다.

어휘 recently 최근에

확인 문제 7-2
부정어 never를 강조하기 위해 문두에 가져오면 주어와 동사가 도치되므로, 「have/has+주어+p.p.」의 순서로 써야 한다.
해석 그녀는 아카데미상 수상자가 될 것이라는 꿈조차 꿔본 적이 없다.

필수 예제 8
② '명상을 나에게 소개시켜 준 사람은 바로 나의 어머니였다.'의 뜻으로, it ~ that 강조 구문이다. 강조 구문의 that은 생략할 수 없다.
① 강조 용법으로 쓰인 재귀대명사는 생략할 수 있다. ③ 관계대명사의 목적격 which는 생략할 수 있다. ④ 수동태 분사구문의 Being은 자주 생략되어 과거분사로 시작한다. ⑤ 목적절을 이끄는 접속사 that은 생략할 수 있다.
해석 ① Serene의 어머니는 그녀 자신이 성공하기 위해 몇 번이고 노력했다고 말했다.
② 명상을 처음 소개해 준 사람은 바로 나의 어머니였다.
③ 내가 첨부한 mp3 파일은 들었니?

④ 영화에 관심이 많아서 그녀는 주로 혼자 영화를 보러 간다.
⑤ 위 그래프는 2011년 한국의 일자리 수가 증가했다는 것을 보여 준 것이다.
어휘 meditation 명상   attach 첨부하다   increase 증가하다

확인 문제 8-1
분사가 이어지는 「관계대명사 주격+be동사」는 생략할 수 있으므로 who is에 괄호를 친다.
해석 카페에서 혼자 커피 한 잔을 마시고 있는 여자를 보아라.

확인 문제 8-2
콤마로 연결된 surprisingly가 문장 가운데 삽입된 형태이다. the news와 that 이하의 문장이 동격으로 쓰여 '~라는 뉴스'로 해석할 수 있다.
어휘 explosion 폭발

2주 3일 필수 체크 전략 ②

pp. 56~57

1 ⑤   2 ②   3 ③   4 ①   5 ④   6 ③

1 ⑤ 부정어 Never가 이끄는 부사구 Never before가 문두에 와서 강조되고 동사는 had been considered(과거완료 수동태)이므로 주어와 동사가 도치되어 「조동사 had+주어 these subjects+본동사 been considered」의 순서로 써야 한다. → Never before had these subjects been considered ~
① Only then이 문두에 와서 강조되고 동사는 일반동사 turned와 retraced이므로, 「조동사 did+주어 she+동사원형」으로 도치된다. ② 유도부사 there가 문두에 오면 도치된다. ③ 준부정어 Hardly가 문두에 와서 「조동사+주어+본동사」의 순서로 도치된다. ④ 장소, 방향 등의 부사구 Inside the car를 문두에 써서 강조하고 있으므로 be동사

와 주어가 도치된다.
해석 ① 그때서야 그녀는 돌아서서 해안으로 가는 길을 되돌아갔다.
② 아이가 없는 여자가 살고 있었다.
③ 동물이 어디에 숨어 있는지 나는 상상도 할 수 없었다.
④ 차 안에는 부상당한 운전자가 911에 신고하고 있었다.
⑤ 이러한 주제들이 예술가들에게 적절하다고 여겨진 적이 그 전에는 결코 없었다.
어휘 retrace 되돌아가다   shore 해안   injure 부상을 입히다   appropriate 적절한

2 내용상 '돌아가신 때'를 강조하는 문장이 필요하므로 it ~

that 강조 구문을 사용하면 된다.

어휘 soldier 군인

3 · 주어 Einstein을 강조하는 재귀대명사가 올 수 있다. 관계대명사 who가 올 수 없는 이유는 who said that he could become smart owing to his violin(그의 바이올린 덕분에 똑똑해질 수 있었다고 말했던)의 관계대명사절이 Einstein을 수식한다 하여도 주절의 본동사가 이어지지 않아서 문장이 성립되지 않으므로 문법적으로 틀린 문장이 된다.

· 동사 originate를 강조하는 do가 필요한데 내용상 과거에 벌어진 사건에 대한 것이므로 과거시제 did가 적절하다.

· by chance를 강조하기 위해 사용된 it ~ that 강조 구문이다.

해석 · 아인슈타인 자신은 바이올린 덕분에 똑똑해질 수 있었다고 말했다.

· 몇몇 역사적 증거는 커피가 에티오피아 고지대에서 유래했다는 것을 나타낸다.

· 뉴욕에서 옛 친구를 만난 것은 우연이었다.

어휘 owing to ~ 때문에, ~ 덕분에   evidence 증거   indicate 가리키다, 나타내다   by chance 우연히

4 ① by itself는 '스스로'의 뜻으로, 재귀대명사가 강조 용법이 아닌 관용 표현으로 쓰였으므로 생략할 수 없다. ② 목적격 관계대명사 whom은 생략할 수 있다. ③ 관계부사의 경우 the reason과 why 중 하나를 생략할 수 있다. ④ when, while, though, if, as if, wherever 등이 이끄는 부사절에서 주어가 주절의 주어와 같고 be동사가 사용된 경우에, 「주어+be동사」를 생략할 수 있다. ⑤ 주절과 종속절에서 중복된 come with me는 생략이 가능하다.

해석 ① 창문이 저절로 열리더니 방안으로 비가 들이쳤다.
② 우리가 어제 본 그 남자는 유명한 일본 배우이다.

③ 나는 그가 왜 그녀를 그렇게 오래 기다리고 있는지 그 이유를 알고 싶다.
④ 어렸을 때, 나는 할아버지 수염을 잡아당기곤 했다.
⑤ 나랑 같이 가고 싶으면 같이 가도 돼.

어휘 by itself 저절로   beard (턱)수염

5 · it was로 시작하고 about 600 years ago(약 600년 전)가 이어지므로, 이를 강조하는 it ~ that 강조 구문이 이어지는 것이 자연스럽다.

· it seems 뒤에는 to부정사나 that절이 이어질 수 있는데 the criminals thought ~로 「주어+동사」가 이어지므로 that이 필요하다.

해석 · 시계의 면과 시침이 있는 최초의 시계가 만들어진 것은 약 600년 전이다.

· 범죄자들은 이것을 그들의 일상 업무로 생각한 것 같다.

어휘 criminal 범죄자

6 ⓐ 부정어 never가 문두에 왔으므로 주어와 동사가 도치되어야 하는데 she could believe의 순서이므로 적절하지 않다. / Never she could believe → Never could she believe ⓑ 부정어 little이 문두에 오면 뒤에 「조동사+주어+동사」의 어순으로 도치되므로 Little do I know는 바르게 쓰였다. ⓒ 준부정어 hardly가 문두에 오면 도치되므로 Hardly could I sleep이 바르게 쓰였다.

해석 ⓐ 그녀는 결코 자신의 눈을 믿을 수 없었다.
ⓑ 완성하는 법을 거의 모르지만, 나는 퍼즐을 맞출 것이다.
ⓒ 간밤에 지독한 소음 때문에 나는 거의 잠을 잘 수가 없었다.

---

②강 4일 교과서 대표 전략 ①

pp. 58~61

대표 예제 1 ⑤   **대표 예제 2** He is one of the greatest performers in music history.

대표 예제 3 I was not sure if [whether] I could adapt to the new environment.

대표 예제 4 정답: that 이유: a new training suit를 강조하고 있는 it ~ that 강조 구문이다.

대표 예제 1

⑤ 원급 many를 이용한 비교급은 「as+형용사/부사의 원급 +as」의 형태로 '～만큼 …한'의 의미가 되도록 써야 한다. 그러 므로 than을 as로 바꾼다.

① 비교급을 강조할 때는 much, a lot, still, even 등을 사용 할 수 있다. ② 「as+원급+as+주어+can/could」는 '～가 할 수 있는 한 …한'의 의미로 「as+원급+as possible」로 바꿔 쓸 수 있다. ③ 「the+비교급 ～, the+비교급 …」은 '～하면 할수 록 더 …하다'의 의미이다. ④ 「one of the+최상급+복수 명 사」는 '가장 …한 ～ 것들 중 하나'의 뜻으로 쓰인다. 복수 명사가 온다는 것에 유의한다.

해석 ① 우리도 더 많은 연구를 해야 한다.

② 선생님은 가능한 한 명확하게 개념을 설명하려고 노력했다.

③ 결정을 내릴 때, 선택의 폭이 넓어질수록 우리는 더 큰 고통을 받는다.

④ 그것은 네 인생 최고의 여행 경험 중 하나가 될 것이다.

⑤ 여러분은 원어민만큼 많은 비유를 알지 못할 수도 있다.

어휘 concept 개념　suffer 고통 받다　metaphor 비유

대표 예제 2

'～에서 가장 …한 것들 중 하나'는 「one of the+최상급+복수 명사+in ～」으로 쓴다.

어휘 performer 연주자

대표 예제 3

의문문에 의문사가 없으므로, if나 whether를 사용하고 어순은 「주어+동사」의 순서로 쓴다.

해석 나는 내가 새로운 환경에 적응할 수 있을지 확신할 수 없 었다.

어휘 adapt 적응하다, 순응하다

대표 예제 4

문장에 It was와 that이 있고, a new training suit가 바로 이어지므로, it ~ that 강조 구문인 것을 알 수 있다. 강조 구문 으로 쓰인 문장은 it was ~ that이 없어도 문장이 성립하므로 빼고 문장을 완성해 본다. A new training suit changed the team.으로 자연스러운 것을 확인할 수 있다.

해석 팀을 변화시킨 것은 바로 새로운 운동복이었다.

대표 예제 5

(1) (A) for oneself는 '스스로'의 의미를 가진 재귀대명사의 관 용 표현이다. (B) 앞에 low의 비교급 형태인 lower가 왔으 므로 than이 적절하다. (C) 앞 문장의 내용과 문맥이 이어지 도록 '더 높은 압력을 지닌 정지 상태의 공기가 더 낮은 압력 의 공기 쪽으로 종이를 민다'고 해야 한다.

(2) see의 목적어 자리에 온 간접의문문이므로, 어순에 유의해 야 한다. 의문사 how를 맨 앞에 두고 뒤에 「주어+동사」의 순서로 배열한다. '양력이라는 힘'은 동격의 of를 사용한 the force of lift로 쓴다.

해석 여러분 스스로 양력이라는 힘이 어떻게 작용하는지 알아 볼 수 있다. 약 4센티미터 넓이로 종이 띠를 자른다. 띠의 한쪽 끝을 잡고 입술 가까이 대고 서서히 종이 위로 균등하게 바람을 불어준다. 띠의 다른 쪽 끝이 올라가게 될 것이다. 이것은 종이 위쪽에 불어진 공기가 빠르게 움직이기 때문이다. 그래서 종이 아래쪽에 있는 정지 상태의 공기보다 압력이 더 낮아지게 된다. 더 높은 압력을 가진 정지 상태의 공기는 압력이 더 낮은 공기가 있는 위쪽으로 종이를 민다.

어휘 work 작용하다　strip 띠, 긴 조각　blow 불다　evenly 균등하게　pressure 압력　still 정지한　upward 위쪽으로

대표 예제 6

(1) 앞에 나온 내용에 대한 동의를 나타낼 때 「so+동사+주어」 로 주어와 동사를 도치하여 쓴다. 앞 문장의 내용이 부정문일 때는 「neither+동사+주어」로 쓰면 된다.

(2) '그녀는 ~을 기억하지 못한다'는 She doesn't remember 로 쓸 수 있다. '누가 그녀의 친구들인가?'를 의문문으로 쓰면 Who are her friends?인데, 이를 간접의문문으로 쓰면 「의문사+주어+동사」의 순서로 써서 Who her friends are가 된다.

해석 "그녀에게 무슨 일이 있니?"라고 Lisa가 나에게 말했다. "나는 너희가 친구라고 생각했는데." "그래, 나도 그랬었지."라고 내가 말했다. "하지만 그녀는 현재 2주 동안이나 나를 피하고 있어. 그녀는 내가 물리 시험 준비하는 걸 도와주기로 약속했지만, 내 전화와 문자 메시지를 모두 무시했어. 그녀는 누가 자기의 친구들인지 기억하지 못하나 봐!" 나는 화를 내며 말했다.

어휘 avoid 피하다 physics 물리학 with anger 화가 나서

대표 예제 7

부정어 never가 문장 맨 앞에 와서 강조하고 있으므로 주어 I와 동사 knew를 도치해서 써야 한다. 일반동사 과거형이므로 조동사는 did를 써서 did I know가 된다.

어휘 end up 결국 ~이 되다

대표 예제 8

③ 주격 관계대명사는 생략할 수 없다.
① 「주격 관계대명사+be동사」는 생략할 수 있다. ② 반복하여 사용된 동사는 생략할 수 있다. ④ 분사구문에서 주절과 주어가 일치할 때 「주어+동사」를 생략하고 「접속사+분사」로 시작할 수 있다. ⑤ 비교 구문의 반복되는 동사는 생략이 가능하다.

해석 ① 자신에게 주어진 모든 기회를 활용하라.
② 삼각형은 공격적인 감정을, 사각형은 잔잔한 분위기를 나타낸다.
③ 그 동물들은 따뜻한 초원 지역에 산다.
④ 산성 제품은 물에 더해지면 톡 쏘는 맛이 난다.
⑤ 그는 대부분의 친구들보다 힘이 세고 키가 크다.

어휘 take advantage of ~을 이용하다 available 가능한 aggressive 공격적인 mood 분위기 add 더하다 acid 산성의 flavor 풍미, 향

대표 예제 9

(A) 강조 구문으로 쓰인 it ~ that 구문이다. 종속절 뒤에 주절이

나와야 하고, 관계대명사 which의 선행사로 볼 만한 것이 없으므로, which는 올 수 없다. (B) 비교급 more importantly를 강조하는 수식어로 even, much, a lot, still 등이 올 수 있다. very는 주로 원급을 강조하며, 비교급 강조에는 올 수 없다. (C) It seems 뒤에 이어지는 everyone had ~로 보아 주어와 동사를 갖춘 절이 왔으므로 to부정사는 올 수 없다.

해석 • 양 팀 모두 최선을 다했지만, 이긴 것은 바로 우리 팀이었다.
• 더욱 중요하게도 그것들은 음악을 통해 세상을 고무하고 연결함으로써 사람들 사이의 장벽을 허무는 데 도움을 준다는 것이다.
• 모든 사람은 자신만의 사고방식을 가지고 있는 것 같았다.

어휘 break down 허물다 barrier 장벽 inspire 고무하다

대표 예제 10

'가장 …한 것들 중 하나'의 의미로 쓰려면 「one of the+최상급+복수 명사」가 되어야 하므로, ⑤ shoe designer를 shoe designers로 고쳐야 한다.

해석 Tinker Hatfield는 세상에서 가장 영향력 있는 구두 디자이너 중 한 사람이 되었다.

어휘 influential 영향을 미치는, 영향력 있는

대표 예제 11

원급 표현을 사용한 최상급은 「no (other)+단수 명사+단수 동사+as+원급+as ....」로 쓴다. 주어진 단어에 other가 있으므로, 주어는 No other technology로, 동사는 현재완료 시제 (have/has+p.p.)를 쓰도록 했으므로 has been으로 표현한다. 형용사 '혁신적인'에 해당하는 단어가 revolutionary이므로 원급 표현은 as revolutionary as가 된다.

어휘 revolutionary 혁신적인 geographic 지리학의, 지리적인

대표 예제 12

(1) '가장 잘 보존된 문화적 기록들 중 하나'를 well-preserved, cultural, record를 활용하여 쓰려면, 「one of the+형용사의 최상급+복수 명사」, 즉 one of the most well-preserved cultural records로 써야 한다.

(2) Only after a kind died(왕이 죽은 후에야 비로소)의 only after 부사절이 문두에 왔으므로 주어와 동사는 도치되며, 문장이 수동태이므로 수동태의 조동사 was를 주어 the *Sillok* of his reign 앞에 오게 하고 과거분사 published

가 이어지도록 도치시키면 된다.

조선왕조실록은 세계에서 가장 잘 보존된 문화적 기록들 중 하나이다. 이러한 엄격한 규칙이 없었다면 조선왕조실록은 그러한 위대한 신뢰성을 얻지 못하였을 것이다. 조선왕조실록은 다른 어떤 나라의 역사적 기록들보다 더 객관적이고 신뢰할 만하다고 여겨진다. 왕이 죽은 후에야 그의 통치 기간에 대한 실록이 편찬되었다.

well-preserved 잘 보존된 strict 엄격한 credibility 신뢰성 objective 객관적인 reliable 신뢰할 수 있는 reign 통치 기간, 치세

2주 4일 교과서 대표 전략 ②

pp. 62~63

01 ③
02 (A) yourself (B) much
03 ④
04 Where do you think I should go in South America?
05 ①
06 The harder, the stronger
07 · close → closer · most → more
해석: 세계는 점점 더 가까워지고 사람들은 그 어느 때보다도 더 밀접하게 서로 연결되어 있습니다.
08 The more active global citizens are, the better place the world will be!

01 ③ 재귀대명사가 재귀 용법, 즉, 주어와 목적어가 같게 쓰이는 경우 목적어를 생략할 수 없으므로, 재귀대명사도 생략할 수 없다. 나머지 ①, ②, ④, ⑤는 강조 용법으로 쓰인 것으로 생략해도 문제가 없다.

① 그녀는 수세미 대신 물 자체 –수압– 을 사용했다.
② 시장 자신이 그의 영웅적인 예술에 감사를 표했다.
③ 감기로부터 자신을 보호하고 싶다면 규칙적인 운동이 결정적인 면역력 증진제일 수 있다.
④ 아무도 자원하지 않았기 때문에 준호 자신이 문제를 해결하려고 노력했다.
⑤ 그는 스스로 정원을 지었고, 그 정원을 그리면서 그의 말년을 보냈다.

water pressure 수압 scrubber 수세미 heroic 영웅적인 ultimate 최후의, 결정적인 immunity 면역 booster 촉진제, 부스터

02 (A) 행위를 한 you를 강조하기 위해 재귀대명사 yourself가 온다. (B) 이어지는 easier than으로 보아 비교급 비교 구문이므로, 비교급을 강조하는 much가 적절하다. very는 비교급을 강조할 수 없다.

비록 당신이 직접 업사이클링 제품을 만들 수 없더라도, 당신은 그것들을 사용함으로써 여전히 도움을 줄 수 있다. 업사이클링은 당신이 생각하는 것보다 훨씬 쉽다.

03 ④ It is accepted that ~은 동사 accept가 that절을 이끄는 문장을 수동태로 쓴 것이다. '~로 받아들여진다, ~로 여겨진다'의 의미이다.
〈보기〉 mobile technology를 강조한 it ~ that 강조 구문이다. ① the careful concern을 강조한 it ~ that 강조 구문이다. count는 자동사로 '중요하다'라는 뜻이다. ② my parents를 강조한 it ~ that 강조 구문이다. ③ hard work를 강조한 it ~ that 강조 구문이다. ⑤ my uncle을 강조한 it ~ that 강조 구문이다.

〈보기〉 어디서나 스포츠를 즐길 수 있게 만든 것은 바로 모바일 기술이다.
① 비싼 선물도 좋지만 중요한 것은 바로 세심한 배려이다.
② 최선을 다하라고 항상 격려해 주신 분은 바로 부모님이었다.
③ 무언가 발생하도록 만들고 변화를 일으키는 것은 정말 힘든 일이다.
④ 과거에는 파란색은 남자아이들을 분홍색은 여자아이들을 위한 것이라고 일반적으로 받아들여졌다.

⑤ 지난 토요일 이웃으로부터 이 새로운 보살핌을 받은 사람은 바로 삼촌이었다.

어휘 concern 배려, 관심 count 중요하다 encourage 용기를 주다 accept 받아들이다

04 think, believe, guess, imagine, suppose 등 추측이나 생각을 나타내는 동사가 의문사 의문문에 있는 경우, 간접의문문을 쓸 때 의문사를 문장의 맨 앞에 쓴다. 또한 간접의문문의 어순은 「의문사+주어+동사」의 순서인데, 의문사를 문두에 보내고 남은 「주어+동사」의 순서로 써서 I should go가 된다.

05 ① '~도 또한 아니다'의 의미로 쓰이는 nor 뒤에는 「(조)동사+주어」의 어순으로 도치된다. → nor do they want to be
② 준부정어 hardly 뒤에 did I expect로 도치되었다. ③ countries 뒤에 관계대명사 which 또는 that이 생략된 문장이며 부사구 Among the countries ~ 뒤에 were와 주어가 도치되었다. ④ 부정어 never가 앞에 와서 had the acting student dreamed로 도치되었다. ⑤ Not until yesterday 뒤에 did I realize로 도치되었다.
해석 ① 현실에서는, 사람들은 똑같지 않고, 같기를 원하지도 않는다.
② 난 네가 여기 올 것이라고는 거의 기대하지 않았어!
③ 그녀가 방문한 나라들 중에는 캐나다와 남아프리카가 있었다.
④ 그 연기 지망생은 이 쇼의 스타를 만나는 것을 꿈꿔본 적이 결코 없었다.
⑤ 어제서야 나는 엄마가 내게 남겨 준 상자를 알아챘다.

06 '~하면 할수록 더 … 하다'는 「the+비교급 ~, the+비

교급 …」으로 쓴다. 앞의 hard는 work를 수식하는 부사, 뒤의 strong은 connections를 서술하는 형용사이다.

어휘 habit 습관, 버릇 connection 연결

© jilis / shutterstock

[07~08]
해석 세계는 점점 더 가까워지고 사람들은 그 어느 때보다도 더 밀접하게 서로 연결되어 있습니다. 세계 시민이란 무엇일까요? 첫째, 세계 시민은 우리 삶에 영향을 주는 전 세계적인 문제를 인식하고 그것을 해결하기 위해 노력합니다. 둘째, 세계 시민은 모든 인간은 평등하다고 믿으며 다른 사람을 공정하고 공손하게 대합니다. 세계 시민이 더 활동적일수록 세상은 더 좋은 곳이 될 것입니다!

어휘 interconnect (비슷한 것끼리) 서로 연결하다 global 세계의 be aware of 인식하다 affect 영향을 주다 fairly 공평하게, 공정하게

07 '점점 더 ~하다'는 「비교급+and+비교급」으로 쓴다. / than ever before로 보아 비교급 형태가 와야 한다.

08 '~하면 할수록 더 …하다'는 「the+비교급 ~, the+비교급 …」으로 쓴다. '더 활동적일수록'은 the more active로, '더 좋은 곳'은 'the better place'로 쓴다. 주어진 good을 비교급 better로 쓰는 것에 유의한다.

---

②주 누구나 합격 전략　　　　　pp. 64~65

01 ①　**02** I explained → did I explain 나는 그 학생에게 문제를 설명했을 뿐만 아니라 해결책까지 제시했다.
03 I realized ∧ the man ∧ I came across yesterday at the park was a famous singer.
　　　　　　that　　　who(m) 혹은 that
04 ④　**05** ①　**06** (in particular)　**07** ④
08 How long do you think it will take to go to Daegu?　**09** (A) advantages (B) very (C) much
10 they make traffic lights more visible in foggy conditions

01 비교급을 강조하는 표현은 much, a lot, still, even 등이 있다. / 앞에 less aggressive로 비교급 형태가 있는 것으로 보아 than이 적절하다.

해석 · 당신은 꽃이 당신이 생각한 것보다 훨씬 더 많은 것을 말하고 있다는 것을 안다.

· 역설은 비판적이지만, 일반적으로 풍자보다는 덜 공격적이다.

어휘 irony 아이러니, 역설, 반어법 critical 비판적인 aggressive 공격적인 satire 풍자

02 Not only 뒤에 일반동사가 왔으므로 「Not only+조동사(do)+주어+동사 ~ but (also)」의 순서로 도치한다. 과거시제이므로 조동사는 did가 온다.

어휘 suggest 제안하다, 제시하다 solution 해결, 해답

03 realized 뒤에 생략된 that은 realized의 목적어를 이끄는 접속사이며, the man 뒤에 생략된 who(m) 혹은 that은 the man을 선행사로 하는 목적격 관계대명사이다.

해석 나는 어제 공원에서 우연히 마주친 그 남자가 유명한 가수였다는 것을 깨달았다.

어휘 come across 우연히 마주치다

04 의문사가 있는 간접의문문의 어순은 「의문사+주어+동사」이므로, ④는 Do you know what your problem is?로 바꿔 써야 한다.

①, ⑤의 how amazing과 how often은 한 덩어리로 취급하므로 주의한다.

해석 ① 여러분은 공항이 얼마나 놀라운지 알 수 있다.
② 여러분은 최초의 햄버거가 어떻게 만들어졌는지 알고 있는가?
③ 아무도 그 동물이 어디에서 왔는지 상상할 수 없었다.
④ 네 문제가 무엇인지 알고 있니?
⑤ 그는 나에게 버스가 얼마나 자주 다니는지 물었다.

05 ①은 강조 구문의 it ~ that이고, 나머지는 모두 「think,

believe, expect 등+that절」의 수동태이다.

해석 ① 이 식물들이 화학 물질을 만들도록 원인을 제공하는 것은 바로 이 식물들의 부동성이다.
② 교회는 2026년쯤에 완공될 것으로 예상된다.
③ 물을 많이 마시는 것이 피부에 좋다고 흔히 생각된다.
④ 대중 매체에는 사회적 관심과 트렌드가 반영돼 있다는 게 중론이다.
⑤ 음악으로 표현되는 감정은 문화적으로 학습된 연관성을 통해 이해될 수 있다고 믿어진다.

어휘 immobility 부동성 chemical 화학물질 concern 관심, 염려 reflect 반영하다 mass media 대중 매체 emotion 감정 association 연관성

06 in particular는 '특히'라는 의미의 전치사구로, 동사 뒤에 삽입된 형태이다.

해석 우리는 특히 '빼앗긴 세대'들에 대한 홀대를 반성한다.

어휘 reflect 반성하다, 심사숙고하다 in particular 특히 mistreatment 학대, 혹사, 홀대

07 〈보기〉와 ④는 재귀대명사의 강조 용법으로 쓰였다. 나머지는 모두 '주어＝목적어'의 재귀 용법으로 쓰인 재귀대명사이다.

해석 〈보기〉 내가 직접 자전거를 수리했다.
① 그는 "너 자신을 알라."라는 명언으로 유명하다.
② 그는 유리 파편을 밟아 베었다.
③ 너는 읽으려고 하는 정보에 대비할 수 있다.
④ 그녀는 직접 자신의 집을 짓고 그곳에서 여생을 보냈다.
⑤ 무언가를 사기 전에 10초 동안 멈추고 그것이 정말 필요한지 스스로에게 물어보라.

어휘 shard 파편 be about to ~하려고 하다 prepare oneself for ~를 준비[대비]하다

08 생각을 나타내는 동사 think의 간접의문문은 의문사를 문장 맨 앞에 쓴다. how long은 한 덩어리로 취급한다.

해석 대구까지 가는 데 얼마나 걸린다고 생각하니?

[09~10]

해석 오늘, 저는 LED가 우리의 삶을 어떻게 더 좋게 만드는지에 대해 말하겠습니다. 첫째, LED의 가장 잘 알려진 장점 중 하나는 긴 수명입니다. LED 전구는 램프에 사용되며 교체하기 전

까지 17년 이상 지속됩니다. 둘째, LED는 매우 적은 양의 전력을 사용합니다. 다음으로 LED는 기존의 전구보다 훨씬 밝습니다. 그래서, 그들은 안개 낀 상황에서 신호등을 더 잘 보이게 합니다. 마지막으로, 작은 크기 덕분에 LED는 다양한 작은 장치에서 사용될 수 있습니다. 컴퓨터 키보드에서 보이는 모든 빛은 LED 조명입니다.

어휘 advantage 장점, 이점   lifespan 수명   bulb 전구   amount 양, 총계   device 장비, 장치

09 (A) '가장 …한 것들 중 하나'의 의미로 「one of the＋최상급＋복수 명사」를 쓴다. (B) 원급 강조는 very를 쓴다. (C) 비교급 강조는 much를 쓴다.

10 「make＋A(명사)＋B(형용사)」의 5형식 문장으로 쓴다. '더 잘 보이게'는 비교급을 써서 more visible로 쓸 수 있다.

2^주 창의·융합·코딩 전략 ①

pp. 66~67

A 승호

B (1) How old do you think my English teacher is?
(2) Could you tell me where the city library is?
(3) I'm not sure if[whether] he is a famous singer.
(4) Do you wonder if[whether] I can write a poem?

A · 승호: 「비교급＋than any other＋단수 명사」는 비교급 비교를 이용하여 최상급을 나타내어 '~보다 …한 것은 없다'의 뜻이다. 200g인 오렌지보다 무거운 것은 배와 수박이 있으므로 알맞지 않다.
· 미나: 「the same A as B」는 'B와 같은 정도의 A'의 의미로 원급 비교의 한 표현이다. 사과는 200g, 오렌지도 200g이므로 적절한 표현이다.
· 세은: 「twice as＋원급＋as ~」는 배수사를 사용한 원급 비교 표현으로, '~의 2배만큼 …한'의 의미이다. 배는 400g, 오렌지는 200g이므로 2배가 맞다.
· 창준: 원급 비교를 이용하여 최상급 표현을 나타내는 「No (other)＋단수 명사＋단수 동사＋as＋원급＋as ~」는 '~만큼 …한 것은 없다'의 뜻이 된다. 수박(1000g)이 가장 무거우므로 적절한 표현이다.
· 자영: 「not as[so]＋원급＋as ~」는 '~만큼 …하지 않은'의 뜻으로 원급 비교의 부정이다. 토마토는 150g이므로 사과 200g보다 무겁지 않다.

해석 · 미나: 이 사과는 이 오렌지와 무게가 같아.
· 세은: 이 배는 이 오렌지보다 두 배 무거워.
· 창준: 이 수박보다 더 무거운 과일은 없어.
· 승호: 이 오렌지는 다른 어떤 과일보다 더 무거워.
· 자영: 이 토마토는 이 사과만큼 무겁지 않아.

B (1) think, believe, guess, imagine, suppose 등 추측이나 생각을 나타내는 동사가 의문사 의문문에 있는 경우, 간접의문문을 쓸 때 의문사를 문장의 맨 앞에 쓴다. How old는 한 덩어리로 움직인다.
(2) 의문사가 있는 간접의문문의 어순은 「의문사＋주어＋동사」의 순서로 써서 where the city library is가 된다.
(3), (4) 간접의문문을 쓸 때 의문사가 없는 경우 if나 whether로 연결한다.

해석 (1) 나의 영어 선생님은 연세가 어떻게 될 거라고 생각해?
(2) 시립 도서관이 어디에 있는지 말해 줄 수 있나요?
(3) 나는 그가 유명한 가수인지 확신할 수 없다.
(4) 내가 시를 쓸 수 있는지 궁금하니?

C It is English textbook that I am looking for.
D She runs the shoe factory by herself.   **E** 정인

C 선이 겹치지 않도록 강조 구문을 쓰려면 it is와 that 사이에 English textbook을 넣고, that절 뒤에 나머지인 I am looking for를 쓴다.
해석 내가 찾고 있는 것은 바로 영어 교과서이다.

D 주어 She, 동사 runs, 목적어 the shoe factory가 기본이고, 남은 by와 herself는 합쳐 '(남의 도움을 받지 않고) 혼자'의 의미가 된다. 재귀대명사가 강조 용법으로 쓰인 경우는 생략할 수 있고, 재귀 용법이나 관용 표현인 경우 생략할 수 없으므로 생략해도 되는 단어는 없다. → She runs the shoe factory by herself.
해석 그녀는 혼자 힘으로 신발 공장을 운영한다.

E ·정인: 간접의문문의 어순은 「whether+주어+동사」의 순서로 도치되어야 하므로, 정인의 말은 옳지 않다. 원래 문장 whether we had ~가 바르게 쓰였다.

·소영: ⓐ 동사 discover가 의문사가 없는 간접의문문을 이끌기 위해 접속사 whether가 쓰였다.
·미연: 의문사 없는 간접의문문을 이끄는 접속사를 쓸 때 whether와 if 둘 다 가능하다.
·윤아: ⓑ 유도부사 there 뒤에는 주어와 동사가 도치되어 「동사+주어」의 순서로 오므로 윤아의 말이 맞다.
·지혜: 여기서 ⓑ there는 유도부사이다.
해석 투표 결과가 발표되었을 때, 우리가 필요한 3분의 2의 득표수를 얻게 되었는지를 알아내기 위해 내 머리가 정확한 비율을 계산하지 못했다. 그때, 기술자 중에 한 명이 그의 얼굴에 큰 웃음을 머금은 채 나에게 몸을 돌렸고, "당신이 해냈어요!"라고 말했다. 그 순간, 밖에 있던 카메라가 이어받았고, 바깥뜰에는 거의 믿을 수 없을 정도의 기쁨의 장면이 있었다.
어휘 announce 발표하다   discover 발견하다 majority 다수   scene 장면   beyond ~ 너머   belief 믿음

신유형·신경향·서술형 전략   pp. 72~75

1 (1) Both, and (2) Neither, nor (3) not, but

2 (1) You can't take a picture during the performance unless you get permission.
(2) Even though you don't like this situation, you have to keep doing your work.
(3) I'll make some sandwiches, in case we get hungry later on.

3 (1) She lectured on a topic which[that] I know very little about.
(2) I returned the money which[that] I had borrowed from my roommate.
(3) Yesterday I ran into an old friend who[whom/that] I hadn't seen for years.

4 (1) 정답: that   이유: 선행사 products에 대한 주격 관계대명사 자리이므로, that이 적절하다. what은 선행사를 포함하고 있으므로 적절하지 않다.
(2) 정답: what   이유: 선행사 없이 동사 draw 뒤에 바로 절이 이어지고 있으므로, 관계대명사 what이 적절하다.

5 (1) Recycling almost always uses fewer resources than making new products.
(2) The more fruits and vegetables you eat, the less chance you have of getting cancer.

6 (1) how big the universe is (2) really knows for sure why mothers love their children unconditionally
(3) No one really knows for sure what the world's largest fish is.

7 (1) It is the uncertainty of the result that consumers find attractive.

(2) Serene's mother said that she herself had tried many times before succeeding at Serene's age.

(3) Skilled workers may have used simple tools, but their specialization did result in more productive work.

8 (a) how they worked   (b) what they could do   (c) What Gutenberg did

1 상관접속사의 쓰임을 확인한다.

(1) 여자와 그 여동생 둘 다 미국에 살고 있으므로 both A and B(A와 B 둘 다)가 적절하다. (2) 여동생과 남동생 모두 결혼식에 참여하지 못했으므로, 부정의 의미가 있는 neither A nor B(A도 B도 아닌)가 적절하다. (3) 태권도 시범이 체육관이 아닌 공원에서 이뤄지고 있으므로 not A but B(A가 아니라 B)가 적절하다.

해석 (1) 그녀와 그녀의 여동생 둘 다 현재 미국에 살고 있다.

(2) 그의 여동생도, 그의 남동생도 그의 결혼식에 없었다.

(3) 태권도 시범은 체육관이 아닌 공원에서 이뤄졌다.

2 부사절을 이끄는 종속접속사의 의미를 파악한다.

(1) '허락을 받지 못한다면'은 unless(만약 ~이 아니라면)를 사용하여 unless you get permission으로 쓴다.

(2) '맘에 들지 않더라도'는 even though(비록 ~일지라도)를 사용하여 Even though you don't like this situation으로 쓸 수 있다.

(3) '~한 경우에 (대비해서)'는 in case를 쓸 수 있다. '배가 고파지다'는 get hungry이므로 '배가 고파질 경우에 대비해서'는 in case we get hungry로 쓰면 된다.

어휘 permission 허락, 허가

3 내용상 연관이 있는 두 문장을 찾는다. 관계대명사로 두 문장을 연결하기 위해서는 두 문장에서 공통된 명사와 대명사를 찾아 대명사를 관계대명사로 바꿔 관계대명사절을 만든다.

(1) 첫 번째 문장의 a topic과 여섯 번째 문장의 it이 내용상 연관이 있고, 대명사 it은 전치사의 목적어로 쓰였으므로, 목적격 관계대명사 which나 that으로 쓴다.

(2) 두 번째 문장의 the money와 네 번째 문장의 it이 내용

상 연결되어야 하고, 대명사 it은 동사 had borrowed의 목적어로 쓰였으므로 목적격 관계대명사 which나 that으로 쓴다.

(3) 세 번째 문장의 an old friend와 다섯 번째 문장의 him 이 관련되어 있고 동사 hadn't seen의 목적어로 쓰였으므로 목적격 관계대명사 who나 whom, that으로 연결하면 된다.

해석 (1) 그녀는 내가 거의 조금밖에 알지 못하는 주제에 대해 강의를 했다.

(2) 나는 룸메이트에게 빌렸던 돈을 돌려주었다.

(3) 어제 나는 몇 년 동안 만난 적이 없었던 오랜 친구를 우연히 만났다.

어휘 lecture 강의하다   topic 주제   run into ~와 우연히 만나다

4 (1) 선행사 the agricultural products가 있으므로 주격 관계대명사 that이 적절하다. 이때 that이 이끄는 관계대명사 that절은 선행사를 수식하는 형용사절로 쓰인다.

(2) 동사 draw의 목적어 자리에 올 수 있는 명사절이 필요하므로, 선행사를 포함한 관계대명사 what이 적절하다.

해석 (1) 옥수수는 인디언들에 의해 유럽 정착자들에게 소개된 농산물 중 하나였다.

(2) 이제 그 그림을 마음에 두고, 당신의 마음이 보는 것을 그리도록 노력하세요.

어휘 agricultural 농사의   settler 정착자, 개척자

5 비교구문의 경우 비교 대상이 무엇인지, 어떤 비교급을 사용하고 있는지를 미리 파악하는 것이 중요하다.

(1) recycling과 making new products가 비교 대상이고, 비교급 fewer와 than이 보이므로, 비교급을 사용한 비교 구문으로 배열하면 된다.

(2) '~하면 할수록 더 …하다'이므로, 비교급의 관용 표현 「the+비교급 ~, the+비교급 …」을 이용하여 배열한다.

어휘 cancer 암

6 의문사가 있는 간접의문문의 어순은 「의문사＋주어＋동사」의 어순으로 쓴다.

(1) how big은 한 덩어리로 취급하므로 how big the universe is의 순서가 된다는 것에 유의한다.

(2) 어순이 바뀌면 의문문에서 쓰인 조동사 do는 생략되어 do mothers love는 mothers love로 쓴다.

(3) 주어가 the world's largest fish인 것에 유의한다.

해석 (1) 아무도 우주가 얼마나 큰지 확실히 알지 못한다.

(2) 아무도 어머니가 왜 아이를 무조건적으로 사랑하는지 확실히 알지 못한다.

(3) 아무도 세계에서 가장 큰 물고기가 무엇인지 확실히 알지 못한다.

어휘 for sure 확실히 universe 우주 unconditionally 무조건적으로

7 (1) 밑줄 친 부분이 어구이므로 it ~ that 강조 구문을 사용한다. 현재시제이므로 it is ~ that을 이용하여 쓰면 된다.

(2) 강조하고자 하는 것이 대명사 she이므로 재귀대명사 herself를 사용하여 강조할 수 있다. 일반적으로 대명사 뒤에 재귀대명사를 넣는다.

(3) 동사 resulted를 강조하려면 대동사 do를 사용한다. 과거시제이므로 did를 쓰고 본동사 resulted는 동사원형으로 써서 did result로 쓰면 된다.

해석 (1) 소비자가 매력을 느끼는 것은 바로 결과의 불확실성이다.

(2) Serene의 어머니는 그녀 자신도 Serene의 나이에 성

공하기 전까지 여러 번 시도했다고 말했다.

(3) 숙련된 작업자는 간단한 도구를 사용했을 수도 있으나, 그들의 전문화가 더 생산적인 작업을 하는 결과를 이끌었다.

어휘 uncertainty 불확실성 specialization 전문화

8 (a) 간접의문문의 어순은 「의문사＋주어＋동사」의 순서로 써야 하므로 how they worked가 알맞다. (b) '그것들이 무엇을 할 수 있었는지'는 what they could do로 쓸 수 있는데, 이때 쓰인 what은 관계대명사가 아니라 의문대명사임에 유의한다. (c) 관계대명사 what은 선행사를 포함하고 있어서 '~하는 것'으로 해석할 수 있다. 관계대명사가 이끄는 절은 명사절로 쓰여 주어, 보어, 목적어로 쓰일 수 있다. 여기서는 주어로 쓰였으므로 대문자 What으로 시작한다.

해석 어느 날, 구텐베르크는 재미삼아 자신에게 물었다: "만약 주화 제조기 여러 개를 포도주 압착기 아래에 놓아 종이에 이미지를 남기게 하면 어떨까?" 결국, 두 가지 장치를 연결하려는 그의 아이디어가 현대 인쇄기의 탄생으로 이어졌다. 이것은 역사를 영원히 바꾸어 놓았다. 구텐베르크는 자신의 아이디어를 갑자기 끄집어낸 것이 아니다. 그는 그 시대의 두 가지 장치에 대해 알았다. 그는 그것들이 어떻게 작동하는지, 무엇을 할 수 있는지를 알았다. 다시 말해, 발명의 뿌리가 이미 거기에 존재하고 있었다. 구텐베르크가 했던 것은 두 가지 장치를 새로운 방식으로 보고 그들을 결합한 것이었다.

어휘 playfully 재미삼아 bunch 다발 link 연결하다 device 장치 out of thin air 불쑥, 난데없이 era 시대 root 뿌리 combine 결합하다

적중 예상 전략 1회

pp. 76~79

01 ①   **02** ①   **03** ②   **04** ③   **05** ①   **06** ③

07 문장: He realized that the number of nails which[that] the boy drove into the fence each day gradually decreased. **해석:** 그는 소년이 날마다 울타리에 박는 못의 수가 점점 줄어든다는 것을 알았다.

08 who(m)ever   **09** if

10 (A) where   (B) that

해석: 바넘 효과는 누군가가 매우 일반적인 것을 읽거나 듣지만 그것이 자신에게 적용된다고 믿는 현상이다.

11 What he wanted to hear was news about the recent issue.

12 I thought that I would be able to find another job that was a better match.

13 ④   **14** 신생아의 경우, 65%만큼이나 된다.

15 ②   **16** no matter how painful the truth is

01 종속절은 '많은 사람들이 이를 자주 닦는다', 주절은 '여전히 충치가 있을 수 있다'의 뜻이므로, '～에도 불구하고'의 양보의 의미를 가지는 종속접속사가 필요하다.

[해석] 많은 사람들이 매일 이를 닦음에도 불구하고 여전히 충치가 있을 수 있다.

[어휘] rotten teeth 충치

02 의미상 '나중에 그것들을 알아볼 수 있도록 가방에 이름표를 확실하게 붙여라'의 의미가 되는 것이 자연스러우므로, 목적의 접속사 so that이 적절하다. ② ～ 때문에 ③ ～에도 불구하고 ④ ～하는 동안에 ⑤ 왜냐하면

[해석] 나중에 그것들을 알아볼 수 있도록 가방에 이름표를 확실히 붙여라.

© Creative Stall / shutterstock

03 ② 동사 suppose의 목적절을 이끄는 접속사 that
① 선행사 tough experiences를 받는 주격 관계대명사
③ 선행사 the lightning을 받는 목적격 관계대명사 ④ 선행사 the message를 받는 목적격 관계대명사 ⑤ 선행사 one (of the most boring movies)을 받는 목적격 관계대명사

[해석] ① 우리 모두는 기분에 영향을 미치는 힘든 경험을 한다.
② 많은 사람들은 벌을 기르기 위해서는 넓은 정원이 필요하다고 생각한다.
③ 폭풍우 동안 우리가 보는 번개는 때때로 사람들에게 위협이 될 수 있다.
④ 교장 선생님이 올리신 메시지를 읽었니?
⑤ 이 영화는 내가 본 가장 지루한 영화 중 하나이다.

[어휘] tough 힘든, 거친 lightning 번개 storm 폭풍우 threat 위협 principal 교장

04 ⓐ 관계대명사절이 삽입절로 쓰였다.
ⓑ 선행사가 없고, take notice of의 목적어로 쓰려면 선행사를 포함한 관계대명사 what이 와야 한다. / that → what

ⓒ '집의 지붕'이라는 의미가 되어야 하므로, 소유격 관계대명사가 필요하다. / which → of which
ⓓ 주어로 쓰인 관계대명사 what절이 바르게 쓰였다.
ⓔ 관계대명사 that은 계속적 용법으로 쓸 수 없다. / that → who

[해석] ⓐ Molly는 겨우 16살인데, 미국 최고의 테니스 선수 중 한 명이다.
ⓑ 그녀가 말하는 것을 주목하라.
ⓒ 지붕이 초록색인 집이 보이니?
ⓓ 저녁으로 먹고 싶은 것은 누들 스프이다.
ⓔ Jenny는 내 친구인데, 10년 동안 알고 지냈다.

[어휘] take notice of 주의를 기울이다, 알아채다

05 이어지는 문장이 필수 문장 성분을 갖춘 완전한 절이고, 앞에 the place라는 장소를 나타내는 선행사가 왔으므로, 관계부사 where이 적절하다.

[해석] Fez는 모로코의 중세 수도이자 모로코 문화가 번성하기 시작한 곳이다.

[어휘] medieval 중세의   prosper 영화를 누리다, 번성하다

06 (A) 상관접속사 either A or B: A 또는 B / neither A nor B: A도 B도 아닌
(B) 문맥상 '뉴스 생태계가 너무나 붐비고 복잡해져서 나는 그곳을 항해하는 것이 도전적인 까닭을 이해할 수 있다'는 의미의 so ~ that ...(너무 ～해서 …하다)이 필요하다. 여기서 that은 접속사라는 것에 유의한다.
(C) 「주어 navigating it＋동사 is＋보어 challenging」의 완전한 형태의 절이 이어지고 있으므로, 관계부사 why가 적절하다.

[해석] 2016 Pew Research Center 조사에 따르면, 23퍼센트의 사람들이 한 인기 있는 사회 관계망 사이트에서 우연으로든 의도적으로든 가짜 뉴스의 내용을 공유한 적이 있다고 인정한다. 뉴스 생태계가 너무나 붐비고 복잡해져서 나는 그곳을 항해하는 것이 힘든 이유를 이해할 수 있다. 의심이 들 때, 우리는 내용을 스스로 교차 확인할 필요가 있다.

[어휘] admit to -ing 인정하다   share 나누다   fake 가짜의   accidentally 우연히   on purpose 고의로   overcrowded 붐비는   complicated 복잡한   navigate 항해하다

07 접속사는 동사 뒤에, 목적어절을 이끄는 말 앞에서 주로 생략한다. realized 뒤에 접속사 that이 생략되어 있다. 관계대명사는 목적격으로 쓰였을 때 생략 가능하므로, 선행사가 될 만한 것이 있는지 확인한다. nails 뒤에 주어 the boy와 동사 drove into가 이어지고 있으므로, 선행사 nails 뒤에 목적격 관계대명사 which나 that이 생략된 것을 알 수 있다.

어휘 gradually 점차적으로   decrease 줄다, 줄이다

08 anyone whom은 '~하는 사람은 누구든지'의 뜻으로, 복합관계대명사 who(m)ever로 바꿔 쓸 수 있다.

해석 그녀는 만나는 사람은 누구든지 쉽게 친구로 만든다.

09 if는 '만약 ~라면'의 의미를 가진 부사절을 이끄는 접속사로 쓰이거나, '~인지 아닌지'의 의미를 가진 명사절을 이끄는 접속사로 쓰일 수 있다.

해석 • 이 규칙들을 따르면, 여러분은 선생님과 좋은 사이가 될 수 있다.

• 엄마는 무언가를 사기 전에 10초 동안 멈추고 그것이 정말 필요한지 스스로에게 물어보라고 말씀하셨다.

어휘 rule 규칙   be on good terms with ~와 좋은 사이다, 친교가 있다

10 (A) 추상적인 장소를 나타내는 선행사 the phenomenon이 있고, 뒤에 「주어(someone)+동사(reads or hears)+목적어(something)」의 완전한 절이 왔으므로, 관계부사 where이 적절하다. 관계대명사 뒤에는 불완전한 절이 온다.

(B) believes의 목적어를 이끄는 접속사가 필요하므로, 접속사 that이 알맞다. 의문사절이나 관계대명사 what절도 목적어 자리에 올 수 있으나, 여기서는 이어지는 절이 「주어+동사」가 모두 있는 완전한 절이므로, 의문사 what이나 관계대명사 what은 올 수 없다.

어휘 effect 효과 phenomenon 현상 apply 적용하다

11 '그가 듣고 싶었던 것'은 선행사를 포함한 관계대명사

what을 활용하여 「what+주어+동사」의 어순으로 쓴다. 동사 want는 목적어로 to부정사를 취하므로 wanted to hear로 쓰면 된다.

어휘 recent 최신의

12 '~라고 생각했다'는 thought 다음에 접속사가 이끄는 that절로 쓴다. '보다 잘 맞는'이 '다른 직업'을 수식하는 형용사절로 쓰기 위해 관계대명사 that을 쓴다. 명사 match와 good의 비교급을 사용하여 was a better match가 되도록 쓴다.

어휘 match (어울리는) 상대

[13~14]

뇌는 몸무게의 2 퍼센트만을 차지하지만 우리의 에너지의 20 퍼센트를 사용한다. 갓 태어난 아기의 경우, 그 비율은 65 퍼센트에 달한다. 그것은 아기들이 필요할 때 에너지 저장분으로 사용하기 위해 항상 잠을 자는 부분적인 이유이다. 근육은 약 4분의 1 정도로 훨씬 더 많은 에너지를 사용하기도 하지만, 많은 근육을 가지고 있기도 하다. 실제로, 물질 단위당, 뇌는 다른 기관보다 훨씬 많은 에너지를 사용한다. 그것은 우리 장기 중 뇌가 단연 가장 값비싸다(에너지 소모가 많다)는 것을 의미한다. 하지만 그것은 또한 놀랍도록 효율적이다. 뇌는 하루에 약 400 칼로리의 에너지만 필요로 하는데, 단지 한 개의 블루베리 머핀에서 얻는 것과 거의 같다.

구문 풀이

4행 That's partly∧ why babies sleep all the time /
그것은 부분적으로   아기들이 항상 잠을 자는 이유이다
주어   (the reason) 관계부사 주어 동사

to use as an energy reserve / when ∧ needed.
에너지 저장분으로 사용하기 위해서   필요할 때
to부정사의 부사적 용법   (it is)

6행 Our muscles use / even more of our energy, /
우리의 근육은 사용한다   훨씬 더 많은 에너지를
                  비교급 강조 ↘

about a quarter of the total, / but we have a lot of muscle.
전체의 약 4분의 1 정도   그러나 많은 근육을 가지고 있다
      1/4

11행 That means [that the brain is the most expensive /
그것은 의미한다 뇌가   가장 값비싸다
         목적어절 이끄는 접속사   최상급

of our organs].
우리 장기 중에서
최상급의 범위 (of/in ~)

어휘 newborn 신생아, 신생아의　energy reserve 에너지
저장분　muscle 근육　quarter 1/4, 사분의 일　by far 훨
씬, 단연코　organ 기관　marvelously 놀랍도록, 훌륭하게
efficient 능률적인, 효과적인　require 요구하다, 필요로 하다

13 ④ means의 목적어인 목적절을 이어주는 접속사 that이
필요하다. 관계대명사 what도 목적어 명사절을 이끌 수
있으나, what이 절 안의 주어나 목적어로 쓰이므로 이어
지는 절은 불완전하다. 여기서는 「주어＋동사＋보어」가 있
는 완전한 절이 왔으므로 that이 알맞다.
① 등위접속사 but이 동사 makes up과 uses를 연결하
고 있다. ② 관계부사 why 앞에 the reason이 생략된 형
태이다. ③ 비교급 강조 even이다. ⑤ the same as: ～와
같은

14 no less than은 '～만큼'의 의미이다.

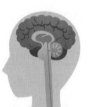

© Kotikoti / shutterstock

[15~16]
　정직은 모든 굳건한 관계의 근본적인 부분이다. 자신이 느끼
는 것에 대해 솔직하게 말하고, 질문을 받았을 때 정직한 의견을
줌으로써 그것을 여러분에게 유리하게 사용하라. 삶에서 다음과
같은 간단한 방침을 따르라. 절대로 거짓말을 하지 마라. 항상 진
실만을 말한다는 평판이 쌓이면, 여러분은 신뢰를 바탕으로 굳건
한 관계를 누릴 것이다. 거짓말을 하는 사람은 자신의 거짓말을
폭로하겠다고 누군가가 위협하면 곤경에 처하게 된다. 자신에게
진실하게 삶으로써, 여러분은 많은 골칫거리를 피할 것이다. 진
실이 아무리 고통스러울지라도 친구들에게 정직하게 대하는 것
을 두려워하지 마라. 장기적으로 보면, 선의의 거짓말은 진실을
말하는 것보다 사람들에게 훨씬 더 많이 상처를 준다.

구문 풀이

2행 Use it to your advantage / by being open
　그것을 유리하게 사용하라　　　드러냄으로써
　명령문　　　　　　　　　　　by＋-ing: ～함으로써

with [what you feel] / and ∧ giving a truthful opinion /
자신이 느끼는 것을　　　정직한 의견을 줌으로써
　관계대명사(명사절)　　　　(by)

when ∧ asked.
질문을 받았을 때
　(you are)

9행 People [who lie] get into trouble /
　거짓말을 하는 사람은 곤경에 처하게 된다
　　　└ 주격 관계대명사절

when someone threatens / to uncover their lie.
누군가가 위협할 때　　　　　자신의 거짓말을 폭로하겠다고
시간의 부사절

14행 In the long term, / lies with good intentions /
　장기적으로 보면,　　　선의의 거짓말은
　　　　　　　　　　　　주어

hurt people / much more than telling the truth.
사람들에게 상처를 준다　진실을 말하는 것보다 훨씬 더 많이
동사　　　　　비교급 강조 ┘　병렬 구조(lies(명사)-동명사)

어휘 honesty 정직　fundamental 근본적인　advantage
이익, 이점　policy 정책　reputation 평판　trust 신뢰, 믿음
get into trouble 곤경에 처하다　threaten 위협하다
uncover 드러내다　intention 의향, 의도

15 (A) '자신이 느끼는 것'의 의미로 쓰인 관계대명사 what절
이 전치사 with의 목적어로 쓰였다. 「전치사＋관계대명
사」로 혼동할 수 있으나, 앞 문장에서 선행사가 없으므로
맞지 않다.
(B) 선행사 people이 있고 이어지는 절에 주어가 없으므
로, 주격 관계대명사 who가 알맞다.
(C) 비교구문에서 비교 대상끼리 병렬 구조를 이뤄야 하므
로, 같은 문법적 형태가 와야 한다. 앞에 명사 lies와 비교
대상이 되기 위해 동명사 telling이 필요하다.

16 '아무리 고통스러울지라도'는 no matter how painful
로 쓸 수 있고, 뒤에 어순은 「주어＋동사」로 도치된다.

no matter how는
however로 바꿔쓸
수 있어.

01 ⑤ **02** ⑤ **03** ④ **04** ①, ③ **05** ② **06** ①

07 The Eiffel Tower is one of the most popular structures in the world.

08 why he held on to his negative attitudes toward digital technologies

09 정답: ⑤ was it → it was 이유: will realize 뒤에 간접의문문이 왔으므로 주어와 동사가 도치되어야 한다.

10 The, much[even / a lot / far / still]

11 It is the belief that he would succeed someday that cheered him despite his constant failures.

12 The sales of the company's products in 2015 were not as high as those in 2014.

13 ③ **14** (r)egularity, (p)redictability, (m)onotony, (c)haos, (r)andomness

15 ③ **16** why they had chosen that face in the first place

---

01 ⑤의 what은 선행사를 포함한 관계대명사 what으로, what I read는 '내가 읽은 것'의 의미가 된다.

나머지는 모두 간접의문문 형태이다. 의문사가 없는 의문문은 접속사 if나 whether가 오고, 의문사가 있는 의문문은 의문사 what, why, how big 등 뒤에 「주어+동사」의 어순으로 온다.

[해석] ① 너의 답은 질문을 보는 방법에 따라 달라진다.

② 이것이 대부분의 사람들이 오른손잡이기 때문에 남성복이 오른쪽에 단추가 달린 이유이다.

③ 내가 해낼 수 있을지 난 확신할 수가 없다.

④ 그녀는 유명한 아트센터가 얼마나 큰지 궁금해한다.

⑤ 이 동화는 내가 어렸을 때 읽었던 것과는 완전히 다르다.

[어휘] depend on ~에 달려 있다 right-handed 오른손잡이의 fairy tale 동화 totally 완전히

02 the+최상급 = no (other)+단수 명사 ~ as+원급+as

= no (other)+단수 명사 ~ 비교급+than

= 비교급+than+any other+단수 명사

= 비교급+than+anyone[anything] else

⑤는 원급 비교로 '다른 학생만큼 활기가 넘친다'는 뜻이다.

[해석] 나는 그 어떤 학생도 우리 학교에서 Celine만큼 활기가 넘치지 않는다고 생각해.

[어휘] energetic 활기가 넘치는, 정력적인

03 장소, 방향 등의 부사(구), 보어, 부정어(구), 준부정어, so/neither[nor], there/here, not only ~ but (also) 등이 강조되어 문두에 올 때 「주어+동사」가 도치된다.

④ Hardly가 문두에 왔으므로 I arrived는 did I arrive로 도치되어야 한다.

[해석] ① 그들이 이사 온 이후로, 나는 한 번도 잠을 제대로 자지 못했다.

② 더 정확히 말하자면, 어떤 아침도 5시가 넘도록 잠을 못 잤다.

③ 사람들이 서로 연락하기 위해 어떤 거리라도 갈 것이라는 것을 그는 거의 알지 못했다.

④ 나는 학교 가는 길에 차 사고가 나서 제시간에 거의 도착하지 못했다.

⑤ 나는 야구에 전념할 뿐만 아니라 공부도 열심히 한다.

[어휘] precisely 정밀하게, 정확하게 length 길이 dedicate oneself 전념하다

04 subject는 형용사로 '(나쁜 영향을 받아) …될[당할/걸릴] 수 있는'의 의미이며 more subject ~ than의 비교급 구문이 쓰였으므로, 비교급을 강조하는 much, a lot, even, still 등이 적절하다.

[해석] 흡연자들은 비흡연자들보다 훨씬 더 심장 마비에 취약하다.

[어휘] subject 받기 쉬운, 걸리기 쉬운 heart attack 심장 마비, 심근경색

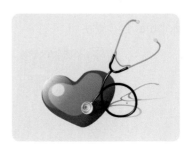

05 ⓐ 간접의문문의 어순은 「의문사+주어+동사」의 순서로 온다. / how is technology changing → how technology is changing ⓓ '가장 ~한 것들 중 하나'의 의미로 쓸 때는 「one of the+최상급+복수 명사」이다. / city → cities

ⓑ, ⓔ 도치 구문 ⓒ 소유격 관계대명사 of which

〔해석〕 ⓐ 기술이 사람을 어떻게 변화시키는지 알려줘.
ⓑ 나는 어제서야 편지를 읽었다.
ⓒ 문이 둥근 도서관이 보이니?
ⓓ 뉴욕은 세계에서 가장 다양한 도시 중 하나이다.
ⓔ 나는 차가 너무 막혀서 제시간에 도착하지 못했다.

〔어휘〕 technology 기술   diverse 다양한

06 ⓐ 이어지는 than으로 보아 비교급이 필요하다. least를 less로 고쳐야 한다.

나머지는 모두 바르게 쓰였으므로 수정하지 않는다. ⓑ 전치사 of의 목적어로 쓰인 간접의문문의 의문사 what이 바르게 쓰였다. ⓒ 주어가 the question이므로 3인칭 has가 바르게 쓰였다. ⓓ 비교급 구문이므로 than이 알맞다. ⓔ saw의 목적어절을 이끄는 접속사 that이 바르게 쓰였다.

〔해석〕 포유류는 다른 동물군에 비해 색이 덜 화려한 경향이 있지만 얼룩말은 두드러지게 흑백의 모습을 하고 있다. 이렇게 대비가 큰 무늬가 무슨 목적을 수행할까? 색의 역할이 항상 명확한 것은 아니다. 줄무늬를 지님으로써 얼룩말이 얻을 수 있는 것이 무엇인지에 대한 이 질문은 과학자들을 1세기가 넘도록 곤혹스럽게 했다. 이 신비를 풀기 위해, 야생 생물학자 Tim Caro는 탄자니아에서 얼룩말을 연구하면서 10년 이상을 보냈다. 그는 파리가 줄무늬 위에 앉는 것을 피하는 것처럼 보인다는 것을 알게 되었다.

〔어휘〕 mammal 포유류   strikingly 현저히, 두드러지게   contrast 대비, 대조   obvious 명확한   biologist 생물학자   decade 10년

07 '가장 …한 것들 중 하나'는 「one of the+최상급+복수 명사」로 쓴다.

〔어휘〕 popular 인기 있는

08 간접의문문의 어순은 「의문사+주어+동사」로 온다. 문장의 주어는 '그(he)'이고 동사는 시제를 일치시킨 '~을 고수했다(held on to)'이므로 why he held on to ~의 순서로 쓰면 된다.

〔어휘〕 negative 부정적인   hold on to 고수하다, ~에 매달리다   attitude 태도

09 ⑤ will realize의 목적어로 온 간접의문문이다. 의문사 「how much+ (비교급) 형용사」 뒤에 「주어+동사」의 순서로 와야 하므로, was it을 it was로 고쳐야 한다.

〔해석〕 성공으로 가는 길의 분명한 현실에 여러분이 직면했을 때 여러분은 쉽게 동기를 잃을 수 있다. 그 길은 회색 돌로 포장되어 있고, 시작할 때 상상했던 것보다 덜 강렬한 감정을 제공한다. 하지만 여러분이 그 길의 마지막 지점에 도달해서 되돌아봤을 때, 여러분은 그것이 그 순간에 그럴 것이라고 예상했던 것보다 얼마나 더 많이 가치 있고, 다채롭고, 의미가 있었는지를 깨달을 것이다.

〔어휘〕 motivation 동기   plain 분명한, 숨김없는   pave (도로를) 포장하다   intense 격렬한, 강렬한   anticipate 예상하다

10 ・「the+비교급 ~, the+비교급 …」은 '~하면 할수록 더욱 …하다'의 의미이므로, 빈칸에는 The가 필요하다.
・비교급을 강조할 때는 much, even, a lot, far, still 등을 비교급 앞에 쓴다.

〔해석〕 ・팀이 클수록 다양성에 대한 가능성이 커진다.
・공장은 내가 예상했던 것보다 훨씬 더 컸다.

〔어휘〕 possibility 가능성   diversity 다양성

11 '언젠가 성공할 것이라는 믿음'은 동격의 that을 써서 the belief that he would succeed someday로 쓸 수 있다. 강조하고자 하는 내용을 「it+be동사」와 that 사이에 넣는다. 명사구 his constant failures(그의 끊임없는 실패)가 왔으므로 양보의 의미를 가진 전치사 despite가 앞에 오면 된다.

〔어휘〕 belief 믿음, 신념   constant 끊임없는

12 '~만큼 높지 않았다'를 비교급을 사용하여 쓰려면 not as ~ as로 쓸 수 있다. 비교 대상의 반복을 피하기 위해 복수 명사 The sales (of the company's products) 대신

대명사 those를 사용했다.

어휘 sales 판매

[13~14]

우리는 혼돈 속에서 반복을 알아차리고 그 반대, 즉 반복적인 패턴에서의 단절을 알아차린다. 어떤 반복은 우리가 다음에 무엇이 올지 안다는 점에서 우리에게 안정감을 준다. 우리는 어느 정도의 예측 가능성을 좋아한다. 우리는 대체로 반복적인 스케줄 속에 우리 생활을 배열한다. 임의성은 우리 대부분에게 더 힘들고 더 무섭다. '완전한' 무질서로 인해 우리는 몇 번이고 적응하고 대응해야만 하는 것에 좌절한다. 그러나 '완전한' 규칙성은 아마도 그것의 단조로움에 있어서 임의성보다 훨씬 더 끔찍할 것이다. 그러한 완전한 질서가 자연에는 존재하지 않으며 서로 대항하여 작용하는 힘이 너무 많다. 그러므로 어느 한쪽의 극단은 위협적으로 느껴진다.

구문 풀이

3행 Some repetition gives us a sense of security, /
어느 정도의 반복은 우리에게 안정감을 준다.
수여동사 IO   DO (4형식)

in that we know [what is coming next].
우리가 안다는 점에서   다음에 무엇이 올지
~이므로/~라는 점에서 (접속사)   간접의문문(의문사+주어+동사)

7행 Randomness is more challenging and more
임의성은   더 힘들고 더 무섭다
비교급   비교급

frightening / for most of us.
우리 대부분에게

11행 But "perfect" regularity is perhaps
그러나 '완전한' 규칙성은 아마도
비교 대상1

much more horrifying / in its monotony /
훨씬 더 끔찍할 것이다   그것의 단조로움에 있어서
비교급 강조 ↰

than randomness is.
임의성보다
비교 대상2 (문법적으로 병렬 구조)

어휘 repetition 반복   confusion 혼동, 혼란   repetitive 반복적인   security 안전   predictability 예측 가능성   randomness 임의성   chaos 혼돈, 무질서   frustrated 좌절한   adapt 순응하다   regularity 규칙성   horrifying 끔찍한, 소름끼치는   monotony 단조로움   extreme 극단   threatening 위협적인

13
③ 이어지는 more horrifying ~ than으로 보아 비교급 문장이므로, very 대신 비교급을 강조하는 much, even 등으로 써야 한다.
① 간접의문문인데 의문사 what이 주어이므로 「의문사(주어)+동사」의 형태로 쓰였다. ② 3음절 이상의 단어의 비교급은 more를 쓴다. ④ 비교구문의 병렬 구조이다. 비교 대상 "perfect" regularity is와 randomness is가 문법적으로 동일하게 쓰였다. ⑤ 유도부사 there 뒤에 are too many forces로 도치되었다.

14
repetition (반복), regularity (규칙성), predictability (예측 가능성), monotony (단조로움) ↔ confusion (혼돈), chaos (무질서), randomness (임의성)

[15~16]

한 실험에서, 연구자들은 참가자들에게 두 장의 얼굴 사진을 제시하고 더 매력적이라고 생각하는 사진을 고르라고 요청한 후에, 그 사진을 참가자들에게 건네주었다. 교묘한 속임수를 사용해, 참가자들이 사진을 받았을 때, 그 사진은 참가자가 선택하지 않은, 즉, 덜 매력적인 사진으로 교체되어 있었다. 놀랍게도, 대부분의 참가자들은 이 사진을 그들 자신의 선택으로 받아들였고, 그리고 나서 왜 처음에 그들이 그 얼굴을 선택했는지에 대한 논거를 제시했다. 이것은 우리의 선택들과 결과를 합리화하는 우리의 능력 사이의 놀라운 불일치를 드러냈다.

구문 풀이

1행 In an experiment, / researchers presented
한 실험에서   연구자들은 제시하였다
동사1

participants / with two photos of faces / and asked
참가자들에게   두 장의 얼굴 사진을   그리고 요청하였다
동사2 ask +

participants / to choose the photo [that they thought
참가자들에게   사진을 고르도록   그들이 더 매력적이라고 생각하는
목적어 +   to부정사 (5형식)   ↰ 목적격 관계대명사

was more attractive], / and then handed participants
그리고 나서 그 사진을 참가자들에게 건네주었다
동사3

that photo.

6행 Using a clever trick, / when participants received
교묘한 속임수를 사용해,   참가자들이 사진을 받았을 때,
분사구문

the photo, / it had been switched / to the photo
그 사진은 교체되어 있었다   사진으로
(= the photo) 과거완료 수동태

정답과 해설 **87**

[not chosen by the participant] — the less attractive photo.
참가자에 의해 선택받지 않은   즉, 덜 매력적인 사진으로
↳ 과거분사구 후치수식

10행 Remarkably, most participants accepted /
놀랍게도,   대부분의 참가자들은 받아들였다
                                동사1

this photo as their own choice / and then gave arguments for
이 사진을 그들 자신의 선택으로   그리고 나서 논거를 제시했다
                                동사2

[why they had chosen that face / in the first place].
왜 그들이 그 얼굴을 선택했는지   처음에
간접의문문(의문사+주어+동사) 대과거

어휘 participant 참가자 attractive 매력적인 trick 속임수 switch 교체하다 remarkably 두드러지게, 놀랍게 argument 주장, 논거 reveal 드러내다 striking 두드러진 mismatch 불일치 rationalize 합리화하다 outcome 결과

15 (A) the photo를 선행사로 하는 주격 관계대명사 that이 필요하다. (B) 문맥상 참가자들은 more attractive(더 매력적인) 사진을 골랐으나, switched to the photo not chosen by the participant(응답자에 의해 선택되지 않은 사진으로 대체했다)고 했으므로, less attractive(덜 매력적인) 사진으로 대체되었다. (C) between A and B: A와 B 사이에

16 의문사가 있는 간접의문문이다. 간접의문문의 어순은 「의문사+주어+동사」이므로 why they had chosen ~의 순서가 적절하다.

© Trendsetter Images / shutterstock

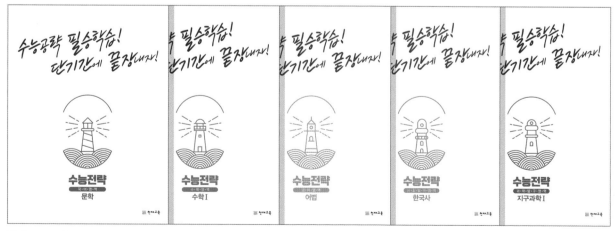

정답은
이안에
있어!